Дмитрий Вересов

ЗАВЕЩАНИЕ ВОРОНА

РОМАН

Санкт-Петербург
Издательский Дом «Нева»
2003

ББК 84.(2Рос-Рус)6
В31

Вересов Д.

В31 Завещание Ворона: Роман. — СПб.: Издательский Дом «Нева», М.: «ОЛМА-ПРЕСС Звездный мир, 2003. — 384 с.
ISBN 5-7654-2504-6
ISBN 5-94850-482-4

Оказавшись на грани гибели, Татьяна Захаржевская, ныне леди Морвен, попросила у ада и неба отсрочку на год, чтобы привести в порядок свои земные дела. Ей предстоит распутать клубок чужих судеб. Нил Баренцев, которого она полюбила с неведомой ей прежде страстью. Сын Нила, воспитанный Татьяной, наследник двух огромных состояний. Дочь Татьяны Нюта, международная аферистка, бесстрашно играющая с опасностью. Татьяна никогда не думала, что ее тщательно выстроенный план может не сработать...

Спокойная жизнь Татьяны Лариной-Розен в очередной раз летит под откос, когда ее муж оказывается в тюрьме по обвинению в растлении несовершеннолетней...

ББК 84.(2Рос-Рус)6

ISBN 5-7654-2504-6
ISBN 5-94850-482-4

Рас — стояние: версты, мили...
Нас рас — ставили, рас — садили...
По трущобам земных широт
Рассовали нас как сирот.

М.И. Цветаева

Глава первая

КУСАЛА БЫ ЛОКТИ, ЕСЛИ БЫ ДОТЯНУЛАСЬ

(*июнь 1995, Колорадо*)

Миссис Сесиль Вилаи, в девичестве Дерьян, глубоко вздохнула.

— И все-таки, я не знаю... Мы ведь раньше полуночи не вернемся. Оставить детей на целый вечер... Лучше поезжай один.

Крис даже ответить не успел, как волна детского протеста обрушилась словесным потоком на их чуткие, родительские уши.

— Но, мамочка, ты же обещала, сама нас учила, что обещания надо выполнять.

— Мамочка, не беспокойся, все будет хорошо, мы с Дейвом будем строить железную дорогу, а Джуди — рисовать.

— А Кончита лазогреет нам ужин в микловолновке!

— А мы поможем ей выкупать и уложить Джимми.

— И посуду сами помоем...

— И ровно в десять ляжем спать.

— В полдесятого! И не забудем почистить зубы...

— И проветрить спальню...

— И помолиться пелед сном...

«И на мордашках — ни тени лукавства, — усмехнулась про себя Сесиль.— Глаза правдивы и невинны — можно подумать, прямо ангелочки...» Мать четверых детей, которую не проведешь их хитростями, переводила взгляд с одного на другого. Чистенькие, здоровенькие, благовоспитанные до кончиков ногтей, до оттопыренных ушек первенца Дейва, до розового проборчика умницы Заки, до аккуратно причесанных каштановых кудряшек очаровашки Джуди... Сесиль перехватила гордый взгляд мужа и сразу поняла, о чем он сейчас думает... Да, Крис, да, дорогой, разумеется, именно из таких детей получатся настоящие люди будущего, люди двадцать первого века. Воспитанные в атмосфере строгой любви и разумной дисциплины, взаимного уважения и ответственности за ближнего, в доме, где более не властвует грех, и абсолютно неприемлемы ложь и сквернословие, где каждый стремится удаляться от духовной распущенности, где нет и не может быть праздности, а табак, алкоголь, кофе, чай — это, если уж называть вещи своими именами, то самое непотребство, о котором и говорится в апостольском учении... Ей давно уже не составляло ни малейшего труда читать мысли своего обожаемого супруга.

— Дорогая, дети абсолютно правы. Мы же дали слово Аланне и Алексу. К тому же, вспомни, с самого рождения Джимми ты выезжала из дома только в Собрание, в магазин, к доктору и в фитнес-центр. Конечно, ждать полноценного, «отдатливого» общения, как с братьями, не стоит. — Крис взял ее руку и прижал ладонью к своей груди. — Но ведь каждый день Бог посылает нас, как агнцев среди волков и...

Голос его звучал все выше и убедительней, но Сесиль уже не слушала мужа. Перед ее мысленным взором отчетливо предстала чашка горячего, крепкого эспрессо, рядом — дымящаяся в пепельнице сигарета и коньячный бокал, на донышке которого призывно плещется... *непотребство!!!*

— Да, муж, ты как всегда прав. Едем.

Она осторожно высвободила свою руку и поспешила наверх переодеваться.

Покорная жена и добропорядочная мать, Сесиль будто слышала, что ее муж сейчас уже молится, в благодарении Создателю за нее, которая в эту минуту не хочет, до чертей собачьих не хочет присоединиться к его молению искренне и смиренно. Потому что ему не объяснишь, что «все человеку можно, но не все полезно, что все человеку дозволено, но ничто не должно обладать им». Вверни она ему эти слова в каком-нибудь разговоре – головоломка Святого Петра поставила бы его в тупик, хотя Крис наверняка наизусть знает их... с Библией в руках.

– Черт! – с хрустом оторвалась пуговица на манишке. – Вот дерьмо!

Блуза разошлась на груди и Сесиль, сжав кулачки, зло уставилась в стойку гардероба.

– Сесиль, дорогая!.. Чмок-чмок... Сколько же мы не виделись? Прекрасно выглядишь...

Ответить на сладкую ложь Сесиль сумела лишь натянутой улыбкой. Четверо детей и месячная задержка, фигуру, мягко говоря, не усовершенствовали. Никакие сауны, массажи, диеты, пробежки и гимнастики не сумели поспособствовать обретению былой изящности. Сама себе Сесиль напоминала теперь глупый шарик на очаровательных туфельках. Ножек даже не видно. Слава Богу, еще не вылезли пигментные пятна – неизбежные спутники ее перманентной беременности.

В сравнении с ней Аланна казалась Дианой-охотницей, а Таня Розен – вообще Венерой Милосской. И это было особенно несправедливо – Аланна, по крайней мере, бездетна, природные обстоятельства не мешают ей сохранить девичью стройность до глубокой старости, а вот у Тани у самой трое, причем младший всего на два года старше Джимми.

– Стаканчик вина? Отличное калифорнийское... Ой, прости, я и забыла... Тогда сока?

– Можно и сока, – понуро согласилась Сесиль и подставила стакан.

В саду за домиком супругов Кайф было прохладно и очень уютно. Дамы сидели на плетеных стульчиках вокруг садового стола, поставленного под старой, раскидистой грушей, а мужчины колдовали над жаровней, где вместо привычных сосисок-гриль изготовлялось мясо, нанизанное на металлические прутья. Сесиль вспомнила, что у арабов это блюдо называется шиш-кабоб, а в России как-то иначе, кажется, шешлик... «Надо же, начисто забыла русский язык, а скоро начну забывать и родной французский...»

– Нет, по работе не скучаю, слишком много дел по дому... А вы заглядывали бы. Кстати, через две недели моей Джуди исполняется пять, я всех приглашаю. Таня, тебя, разумеется, с малышами. Устроим детский праздник... Ой, прости, я и забыла, что вы все должны быть в Ленинграде... в Петербурге.

– Может быть, к тому времени и вернемся... Жаль, ты не сможешь полететь с нами, – проговорила Таня медленно, со смешным акцентом, чем-то напоминавшим французский.

– А мне не жаль... Я, конечно, понимаю, это твоя родина, и все такое, но лично у меня с этим городом, да и с этой страной, никаких приятных воспоминаний не связано, это вообще не место для нормальных людей.

Таня Розен прихлебнула вина и усмехнулась.

– Стало быть, нас ты нормальными не считаешь?

– Но вы-то живете здесь... Как-то, когда Нил, мой бывший, вконец извел меня очередным приступом ностальгии... я, помнится, говорила, что он у меня тоже был русский... Так вот, я ему посоветовала вернуться и пожить там с полгодика, желательно без французского паспорта, без валюты, без обратного билета. Это навсегда излечило бы его от тоски по родине...

– Ну да, – вставила Аланна. – В позапрошлом году моя мама съездила на Украину и полностью излечилась.

– И что он? Воспользовался советом? – спросила Таня.

– Не знаю. И, честно говоря, знать не хочу... Да, он был чертовски красив, обаятелен и неглуп. Но без характера, без амбиций, без цели и направления в жизни. Плыл себе по течению, к тому же, слишком много пил и слишком неразборчиво трах... я хотела сказать, спал с кем попало. Думаю, либо он окончательно спился, либо состоит на содержании у какой-нибудь богатой старухи... Повторяю, мне это совсем неинтересно!

Она наполнила свой опустевший стакан.

– Сесиль, это вино!

– Да?.. Ну и пусть, только не говорите Крису...

С блюдом, полным дымящегося, аппетитно пахнущего мяса подошел Алекс.

– Что ж вы, девки, приуныли, вот и наши шашлыки! – пропел он по-русски, и Сесиль сразу вспомнила правильное название этого блюда. Шашлык! Именно шашлык. А место, где подают шашлыки, называется шашлычная. В одну такую, на Лермонтовском проспекте, ее водил ее бывший... Когда еще был будущим...

– А где же остальные наши мужья? – по-английски спросила Аланна. – Почему не идут?

– Вторую порцию заряжают. И обсуждают предстоящую поездку. Наш мормон что-то втолковывает Пашке насчет инвестиционных рисков. – Алекс плюхнулся на свободный стул, извлек из-под отворота рукава мятую пачку «Мальборо», эффектно чиркнул спичкой об ноготь. Настоящий ковбой! – А вы, девочки, пока раскладывайте и разливайте.

– Знаешь, дорогой, засунь свой мужской шовинизм себе в задницу и обслужи себя сам.

Аланна хрипло рассмеялась. Алекс надулся.

– Не вредничай, – примирительно сказала Таня Розен, положила несколько сочных кусков на тарелку и придвинула Алексу. – В конце концов, мужчины все это приготовили.

– Хотя бы не кури за столом, – нашла асимметричный ответ Аланна. – Сесиль не переносит дыма.

– Нитшево, – вспомнила Сесиль еще одно русское слово, но тут же вернулась к английскому: – Главное, чтобы Крис не видел. Он так печется о моем здоровье, бедняжка.

Но Крис был поглощен беседой с Полем Розеном и не заметил, ни как Алекс Кайф – в прошлой жизни

Шурка Неприятных – бессовестно обкуривал его дорогую Сесиль, ни как она сама, греховодница, в нарушение заповедей единственно истинной церкви Святых последних дней, украдкой осушила еще один стакан вина...

Потом все ели шашлыки и смеялись, потом Поль принес гитару, и Таня запела, а Аланна, по просьбе Криса, шепотом переводила ему:

– Мама, тебе не следует шить мне длинное красное платье...

Вечерело, с гор повеяло холодом, все перешли в гостиную, Аланна сварила глинтвейн и кофе, а для Криса с Сесиль – фруктовый отвар.

Однако вечеринке не суждено было закончиться мирно.

С противоположных сторон к дому Кайфов одновременно подкатили две машины. Из сине-желтого городского такси выбрался старый профессор Вилаи, отец Криса, а из черного джипа – похожий на борца-тяжеловеса громила в дорогом вечернем костюме. Аланна представила его, как своего старшего брата Кевина.

Облобызавшись со всеми на европейский манер, профессор взял Поля Розена под локоток, и они погрузились в какую-то высоконаучную дискуссию, то и дело прикладываясь к объемистым кружкам с глинтвейном. Кевин же принялся развлекать народ светской беседой.

– Сестренка всегда была из нас самая башковитая. Еще в младших классах на всех конкурсах призы брала, и кличка у нее была – Полли-колледж. А уж серьезная – ни свиданок, ни танцулек, матушка ей, бывало, даже выговаривала за это: мол, так в девках и помрешь. Честно говоря, со временем мы все так стали думать, а она, поди ж ты, такого волосатика оторвала. Ну что, академик, это там у вас не виски часом?

– А то! Тебе со льдом или чистого?

– А ну его, лед этот!

– Вот и я так думаю...

– Виски – это славно! – оживился профессор. – Как это я сразу не заметил! Извините, Поль...

— Папа, не увлекайся, — тихо проговорил Крис, приблизившись к отцу.

— А ты отстань! — тоже тихо, но яростно отозвался профессор. — Нашелся воспитатель!

— А вот вас я что-то прежде не видел, — обратился Кевин к Сесиль. — Как, вы сказали, вас зовут? Сис?

— Сесиль...

— Это чье ж такое имечко будет? Испанское?

— Французское.

— Так вы француженка?! И что, в Париже бывать доводилось?

— Я там родилась и прожила двадцать пять лет.

Кевин отставил бокал и принюхался, склонившись к Сесиль.

— Странно... Что-то от вас не так пахнет...

— Что такое?! — Сесиль надменно выпрямилась. — Что вы себе позволяете?

— Нет, нет, вы не так поняли, я не говорю ничего плохого про запах глицеринового мыла «Грейси», он натуральный, гигиеничный и, я бы сказал, истинно американский... А француженка, тем более парижанка, пахнет совсем иначе.

— А вы специалист по парижанкам? — саркастически осведомилась Сесиль.

— Сесиль, он специалист по товарам для женщин, — со смехом сказала Аланна.

— Вы в «Глобе» бывали? Ну, на Западной Главной? Я там совладелец и управляющий! — с гордостью заявил Кевин. — Как, неужели не были? Обязательно надо, обязательно. Не хочу хвастать, но в своем деле мы лучшие во всем штате. К нам поступают лучшие товары прямо из Европы, не какой-нибудь там Китай или Турция!.. В прошлом году я лично летал в Париж отбирать коллекции. Славный городишко, только официанты сплошь хамье, хуже здешних, честное слово... Нет, вы непременно должны к нам наведаться, мы вас знаете как разоденем, подберем лучший парфюм, косметику, вы у нас будете такая красавица, как... — Кевин на мгновение примолк, подыскивая сравнение, остановил взгляд на Тане. – Как наша несравненная Тара...

– Кевин, меня зовут Таня...

Таня Розен сказала это без улыбки, но видно было, что она польщена.

– О, прошу прощения... Заходите к нам, Сесиль, не пожалеете, мы из вас настоящую леди сделаем, родной муж не узнает...

– Ты бы, братец, все-таки... – начала Аланна, но ей не дал договорить доселе молчавший Крис.

– Ну, знаете, это уже переходит!.. Ты что, козел, намекаешь, что моя жена – не настоящая леди?!

Все разом притихли.

Неловкую паузу неожиданно нарушили аплодисменты профессора Вилаи.

– Браво, сынок! А теперь по морде!

– Джордж! – возмущенно воскликнула Сесиль. – Алекс, профессору больше не наливайте!

– А ты, братец, тоже хорош, – напустилась на Кевина Аланна. – В своем торговом раже такое иной раз сказанешь. Проси прощения!

– Простите, сэр, я вовсе не имел в виду кого-то обидеть, тем более вашу супругу... – промямлил Кевин.

– Да ладно...

Неловкость была кое-как заглажена, но настроение у Сесиль упало. Выждав для приличия несколько минут, она отозвала мужа в сторонку.

– Мы едем домой! – безапелляционно заявила она.

– Пожалуй... – согласился Крис. – Только придется прихватить отца, а то без нас надерется тут. Будут проблемы...

Им не без труда удалось убедить старика покинуть вечеринку и отправиться с ними.

Полдороги профессор молча дулся, а потом его понесло.

– А ведь прав, прав был этот лавочник! Ты посмотри, в кого ты превратил свою жену! Разве для того наша семья в свое время бежала от Хорти и его приятеля Адольфа, чтобы здесь, в Америке, нарваться на те же самые «киндер, кюхе, кирхе»?! Это надо же, испортить такую бабу! Умную, стильную! Нашел бы какую-нибудь коровищу в своей чертовой секте!

– Отец! Я запрещаю тебе в таком тоне говорить о нашей церкви!

– Сопли подотри запрещать-то! У всех дети как дети, а мой – стыдно сказать! – мормон!

– Знаешь, за тебя мне бывает стыдно гораздо чаще!

– Что?!.. Сесиль, останови-ка... Эй ты, выходи, поговорим! У меня давно руки чесались расквасить тебе физиономию!

– Замолчи! Сесиль, не останавливайся!

– Что, неужели струсил?!

– Отец, ты же знаешь, что я никогда в жизни не подниму на тебя руку...

– Вера запрещает? – саркастически осведомился профессор.

– Вера здесь не при чем! Существуют общечеловеческие нормы морали...

– Бла-бла-бла!... Сесиль, детка, как ты только выносишь этого елейного ханжу? На твоем месте я бы давно придушил его, и любой суд меня оправдал бы...

Сесиль резко дала по тормозам.

– Все, лично я приехала, надо убедиться, что все в порядке, и отпустить Кончиту... Крис, пересядь за руль... Джордж, извините, что не приглашаю зайти, но дети уже спят...

– И в вашем доме не водятся напитки, пригодные к употреблению нормальными людьми... Ладно, Сесиль, вали к своим чадам. На Рождество подарю тебе большой ящик презервативов... Эй ты, изувер, трогай, что ли, что-то у меня голова болит, не иначе, от общения с тобой...

Проводив взглядом автомобиль, Сесиль двинулась к дому. В гостиной горел яркий свет, из открытого окна звучала какая-то латинская танцевальная музыка – то ли мамбо, то ли сальса. Должно быть, Кончита, уложив детей, дожидается возвращения хозяев. Но при этом совершенно необязательно устраивать такую иллюминацию, да и музыку можно бы поставить не так громко. Девчонка стала слишком много себе позволять, надо с ней серьезно поговорить...

Внутренне готовясь к серьезному разговору, Сесиль поднялась по ступенькам крыльца, нащупала в сумочке ключи.

Голоса, доносящиеся из открытого окна гостиной, заставили ее замереть.

– Две тройных текилы, гавану за пятнадцать долларов и еще... Пожалуй, две дорожки кокаина... Надеюсь, у вас хороший кокс?

– Наилучший, сэр, прямые поставки из меделинского картеля... Еще что-нибудь, сэр? Мэм?

– Чай, только натулальный, а не какой-нибудь там флуктовый... И девочку поголячее...

– Пятьдесят за палку, двести за ночь, мэм...

Остолбеневшая Сесиль слушала этот кошмарный разговор, припав к окну и не веря своим глазам. За столом, в накладных рыжих усах и отцовской ковбойской шляпе, закинув ноги на стол, сидел Дейв. В одной руке он, словно сигарету, держал дымящуюся ароматическую палочку, другой обнимал жутко и неумело накрашенную Джуди, нарядившуюся в мамину кружевную ночнушку и в мамину же широкополую шляпку. Возле них в полупоклоне застыл с подносом Заки в черном костюмчике для воскресной школы, дополненном черным галстуком-бабочкой.

– Ваша текила, сэр.

Заки снял с подноса два стаканчика с чем-то желтым и поставил на стол. Дейв и Джуди одновременно их подняли, дружно крикнули: «Бум!», одновременно поднесли ко рту, опрокинули, одновременно стукнули пустыми стаканчиками об стол.

На губах Сесиль застыл крик. И хорошо, что не сорвался – брат с сестричкой состроили недовольные физиономии и накинулись на Заки:

– Опять шиповникового сиропа намешал! Мы же договорились – малинового!

– Малиновый красный! – оправдывался Заки. – Текила красная не бывает!

– Много ты понимаешь! Может, это специальная текила! Из красного кактуса! – кипятился Дейв.

– Тогда сам ее и делай!

– А по шее?

– Не хочу больше иглать в лестолан! – капризно сказала Джуди. – Хочу в динозавлов!

– В динозавлов, в динозавлов, – передразнил Дейв. – Бу-у!

– Не ори так, – одернул Заки брата. – Кончиту разбудишь.

– Не разбужу, – убежденно сказал Дейв. – Майк сказал, что от этого снотворного даже его бабушка спит, как слон.

– А как спит слон? – спросила Джуди.

– Как динозавр.

– А динозавр как?

– По-разному, – сказал Заки. – Раптор, наверное, визжит во сне, как мама, когда сердится...

– А папа зевает, как бронтозавр, – подхватил Дейв.

– А бабушка Мадлен пелдит, как гунадон, – высказалась Джуди.

– Игуанодон, – поправил Заки.

– Диносы – это клево! – подытожил Дейв. – Усраться можно.

– А у нас в глуппе все дети уже были в новом палке динозавлов... – грустно сказала Джуди.

– И у нас, – вздохнул Заки.

– А в нашей школе будет экскурсия, – сказал Дейв. – Только в воскресенье...

– Так нам и дали пропустить воскресную проповедь...

– А Мэг говолила, что поедет туда с блатом. Мистел Симпсон повезет...

– Папа же запрещает нам водиться с Симпсонами. Ведь они безбожники.

Дети замолчали так скорбно, что у Сесиль отпало всякое желание наказывать их за сегодняшнее безобразие. Тем более – жаловаться мужу.

Заки поднял голову.

– Слушайте, братец Кролик и сестричка Белочка, у меня есть одна идея. Скоро папа улетает в Россию...

– И ты думаешь, нам удастся уговорить маму? – с сомнением спросил Дейв. – Она еще хуже папы, никогда не позволит нам...

– Ты не дослушал. Я посмотрел карту. Парк Динозавров – на той же автостраде, что аэропорт, только на сорок миль ближе...

– Ну и что?

– А что, если мы все напросимся провожать папу, а на обратном пути?.. Усек?

– А если у него рейс вечером?

– Тогда – по пути туда.

– Да ну! – Дейв махнул рукой. – Папа все равно не позволит.

«Пусть только попробует!» – чуть было не выкрикнула Сесиль, но вовремя спохватилась.

Она тихо-тихо отошла в густую тень глицинии, достала из сумочки мобильный телефон и набрала свой домашний номер.

Она видела, как дернулся Дейв, как Заки остановил его движением руки и, выждав убедительную паузу, вышел в прихожую.

– Мамочка, это ты? – услышала Сесиль его голосок.

– Заки? – Сесиль изобразила удивление. – А где Кончита?

– Джимми не хотел спать, она долго его убаюкивала, наверное, утомилась и заснула сама.

– А вы почему не спите?

– Мамочка, мы давно легли, но нам без тебя не заснуть. Когда вы приедете?

– Мы уже в пути, будем минут через десять.

Она с улыбкой подглядывала, как дети лихорадочно наводят порядок в гостиной.

В этот день все семейство ждало захватывающих, веселых приключений. Приключений действительно случилось с избытком, но вряд ли у кого повернулся бы язык назвать их веселыми.

Заки и Джуди укачало в дороге, и на подъезде к парку обоих стало дружно и страшно тошнить. Поэтому все аттракционы, связанные с быстрым перемещением в пространстве, а именно полет на птеродактиле, скачки на рапторах и катание на тиранозавре, были им строго-настрого запрещены. В качестве компенсации Сесиль разрешила им вдосталь наслушаться динозаврового рева в демонстрационном зале, покидаться шариками в кибернетических ихтиозавров, и не пожалела пятнадцати долларов на компьютерное сафари и на визит к предсказателю Дино.

Дино возвышался на пересечении двух главных аллей парка, ослепительно сверкал неоновыми глазищами, колыхал переливчатым плащом на длинной шее, вращал башкой и время от времени убедительно порыкивал. В нижней части исполинского пуза располагалась щель для долларовой монетки, приняв которую Дино со скрипом поднимал лапу, засовывал ее в пасть и извлекал оттуда пластмассовый стаканчик с предсказанием. Сегодня пророк был явно не в форме, Джуди он предсказал блистательную карьеру питчера в Большой бейсбольной лиге, а Заки посулил корону «мисс Америка» 2005 года. Заки заплакал, а Дейв так развеселился, что согласился угомониться лишь в ответ на разрешение вместе с отцом полетать на птеродактиле. Для компенсации морального ущерба Сесиль пришлось выдать Заки и Джуди по пять долларов на игрушки. Брат с сестрой помчались к киоску, и вернулись как раз в тот момент, когда их отец усаживал их старшего брата в гондолу, исполненную в виде крылатого ящера. Строго говоря, только этим «полет на птеродактиле» и отличался от заурядного колеса обозрения. В последний момент, когда уже не было никакой возможности снять его с рейса, ликующий Дейв состроил Заки и Джуди преобиднейшую рожу – растянул указательными пальцами рот и жутко скосил глаза. Тут уж разревелась Джуди, а Сесиль погрозила первенцу кулаком.

Однако, через три оборота пришел черед ликовать младшим: в электронике колеса что-то там заклинило, и оно с омерзительным скрежетом остановилось. Из трансформаторной будки повалил дым, завыла сирена, с нижних птеродактилей стали выпрыгивать пассажиры, а гондола с Крисом и Дейвом зависла, покачиваясь на ветру, в самой верхней точке.

– Без паники, леди и джентльмены! – зычно призвал служитель, наряженный крокодилом. – Неполадки будут устранены в течение нескольких минут...

– Папа, сними меня отсюда! – вопил Дейв, вцепившись в цветастую отцовскую рубашку.

Крис что-то отвечал ему, слов слышно не было, но судя по выражению лица говорилось нечто вроде: «Будь мужчиной, сынок! На тебя все смотрят!»

– Тлусишка желтоблюхий! – крикнула, задрав мордашку, Джуди.

Дейв расплакался.

– Джудит! – прошипела Сесиль – Еще одно слово – и больше никаких парков!

– Ему можно длазниться, а мне нельзя?! – возмутилась Джуди.

– Я писать хочу! – канючил наверху окончательно потерявший лицо Дейв.

– Кстати, если они там будут долго болтаться, папа рискует опоздать на самолет, – заметил Заки.

Сесиль взглянула на часы и ахнула.

– Ну, я им устрою! Билет в оба конца, плюс упущенная выгода, плюс моральные издержки... Идите за мной, – бросила она детям. – Впрочем нет, сидите на этой скамейке. И от нее ни шагу!.. Если не примут меры, я этот парк разорю!

Служитель-крокодил всячески успокаивал публику, но, судя по всему, поломка оказалась серьезной. Возле будки и у колеса суетились механики в желтых комбинезонах, подкатил устрашающего вида грузовик, из которого сначала высунулся усатый дядька и принялся неприлично выражаться, а потом выскочили еще двое и поволокли куда-то толстый кабель.

Джуди забавлялась с игрушечным белоснежным динозавриком – нажимала ему на брюшко, раздавалось тихое шипение, и нежный электронный голос произносил:

— Привет, я Пусси Большая Лапа... Привет, я Пусси Большая Лапа...

— А твой что говолит? — спросила Джуди брата.

— Мой? — Заки нажал на брюхо своего зеленого, и тут оглушительно завыла сирена.

По аллее на них надвигалась красная пожарная машина. На открытой платформе, возле лестницы, в сложенном виде напоминающей зенитную установку, стояла Сесиль. Оживленно жестикулируя, она что-то втолковывала брандмейстеру в каске.

Публика поспешно расступилась, пропуская спасателей. Автомобиль въехал за заграждение и остановился у основания злополучного колеса.

Брандмейстер достал мегафон.

— Внимание наверху! Прошу сохранять спокойствие! Сейчас вам будет оказана необходимая помощь.

— Крис! — выкрикнула Сесиль.

Над краем гондолы показалось бледное, но улыбающееся лицо Криса. Он помахал жене рукой. Сесиль пальцем показала на него брандмейстеру.

— Как скажете, мэм...

Лестница приняла почти вертикальное положение и стала плавно, секция за секцией, удлиняться, пока не уткнулась верхним концом в брюхо птеродактиля.

— Чуток налево, — буднично сказал брандмейстер.

Лестница послушно дернулась. Ее край поравнялся с бортиком гондолы.

— Внимание, сэр. Возьмитесь за край лестницы, потяните на себя и перекиньте крюки через борт... Есть?

— Есть! — отозвался Крис.

— Начинайте спускаться. Сначала вы, потом мальчик. Не торопитесь, дышите ровно...

На автостоянку семья Вилаи неслась галопом.

— Поведу я! — решительно сказала мужу Сесиль. — Тебе на сегодня хватит острых ощущений... Дейв, ты, кажется, хотел в туалет.

— Я в птеродактиля пописал! — гордо заявил Дейв,

похоже, полностью оправившийся от психологической травмы.

– Я хочу! – сказала Джуди.

– Я бы тоже не отказался, – признался Крис.

– И я, – подхватил Заки.

– В аэропорту сходите! – прикрикнула Сесиль. – По местам! Мы катастрофически опаздываем!

Сесиль рванула с места и вылетела на автостраду, как заправский гонщик из бокса.

Красный «БМВ» несся в левом ряду, превышая дозволенную скорость раза в полтора.

Крис посмотрел на часы.

– Дорогая, не гони так. Мы успеваем.

– А вдруг перед аэропортом будет пробка? Помнишь, как в прошлый раз, когда пришлось бросить машину и последние полмили пробираться пешком.

– Привет, я Пусси Большая Лапа... Привет, я Пусси Большая Лапа... – Это Джуди на заднем сидении развлекалась со своим динозавром. – Привет, я Пусси Большая Лапа... Привет, я Пусси Большая Лапа...

– Заткнись! – неожиданно рявкнула Сесиль.

– Мамочка, и тебе не стыдно? – елейным голоском осведомился Дейв. – Между прочим, нас за такие слова кое-кто гоняет мыть рот с мылом.

– Мама, ну я поиглать хочу! – заныла Джуди.

– У матери на нервах?! Вон, бери пример с Заки. Ему тоже купили говорящего динозавра, но он же не...

– Вау! Ну-ка покажь! – Дейв вытащил из кармана брата пластиковую длинношеюю фигурку и надавил на брюхо.

– Я Ти-Рекс, смерть млекопитам! Ура! Я Ти-Рекс, смерть млекопитам!

– Смерть млекопитам! – подхватил Дейв. – Я Ти-Рекс!

– Привет, я Пусси Большая Лапа... Привет, я Пусси Большая Лапа...

– Убью!!! – заорала Сесиль, на секунду выпустив руль.

Любая дорожная авария никогда не происходит вследствие какой-либо только одной причины. И вообще, как и большинство женщин, практикующих вождение автомобиля, Сесиль всерьез полагала себя весьма опытной и даже ловкой драйверицей, порою бравируя то лихими обгонами, то резкими перестроениями, нагло подрезая носы всем машинам, что ниже классом ее германского чуда из «Байрише мотор верке»... Но все это было до той поры, покуда, как это пишут в полицейских протоколах, не произойдет трагического стечения обстоятельств, или иными словами, неоправданный риск одного водителя не сложится с другим или другими факторами быстротечной дорожной жизни. БМВ очень хорошая и в чем-то даже умная машина. Это немецкие инженеры, придумав антиблокировочные системы тормозов, позаботились о том, чтобы даже глупые в своей самонадеянности американки, резко давя на тормоз, не послали бы машину в занос... Но инженеры из Штутгарта не могут предусмотреть всего.

Например того, что именно в тот момент, когда рассерженная поведением своих деток дамочка выпустит руль из рук и беспечно отвернется от дороги, на встречной полосе появится еще более беспечный водитель... Например, компания полупьяных подростков, что еще не отошла от похмелья вчерашней вечеринки, когда пара на пару — два мальчика и две девочки, после школьной ballroom-party с танцами в спортзале, в папочкином «крайслере» отравились заниматься жестким петтингом...

Именно когда Сесиль отвернулась от дороги, из придорожных кустов на ее правую полосу неповоротливым дредноутом выехал коричневый «крайслер», что в пьяных руках шестнадцатилетнего кутилы совершенно не вписался в запланированный им поворот...

Сесиль, как говорится в этих случаях — и ахнуть не успела...

Скорость, с которой мчался ее «БМВ», превышала все дозволенные.... И где уж там всем этим автоблокировочным системам из штутгартских лабораторий справиться с той силой женского каблучка, что в отчаянии ударила вдруг по тормозам.

– Не надо было тормозить, мэм, рулем надо было маневрировать, – говорил ей потом полицейский, составлявший протокол для страховой компании.

Но это было потом...

А в тот момент, когда ничего не соображавшие школьники в своем коричневом «крайслере» напрочь перекрыли красному «БМВ» все пути кроме одного, ведущего на гравийный резерв широкой обочины, Сесиль упорно давила на тормоза... И оторвавшись от цепко державшего ее асфальта, выскочив на пыльный гравий, машина вдруг пошла боком, совершенно уже не слушаясь ни руля, ни испуганно крутившего этот руль водителя...

Скрежет, удар, еще один сильный удар...

И все заволокло белой пылью, поднявшейся от буквально пропаханного бэ-эм-вухой придорожного гравия...

Зажатая в спасительных объятиях самонадувных чудо-подушек, Сесиль на какое то время потеряла всякое представление о том, что вообще происходит и с ней и с ее семьей... «Как противно воняют они не то тальком, не то резиной», – подумала Сесиль про подушки безопасности, пытаясь брезгливо отстраниться от буквально прилипшей к ее щеке упругой поверхности...

– Мама, вынь нас отсюда, – пропищали с заднего сиденья.

И тут, от этого детского писка, к Сесиль вернулось ощущение реальности.

Она нащупала кнопку открывания двери и высунула левую ногу наружу, но нога, не обнаружив под собой никакой опоры, глупо поторкалась в воздухе, и не найдя внизу никакого даже самого маленького кусочка твердой земли, потеряв туфлю, была вынуждена вернуться в салон...

– Мама, вытащи меня, – пищала Джуди...

— Так, все целы? — жестким командирским голосом спросила Сесиль, — Дэйв, Заки, я вас не слышу!

С заднего сиденья послышалась утешительная перекличка.

Наконец, материнский инстинкт возобладал, и Сесиль полностью пришла в себя. Она даже инструкцию вспомнила. Нашарив клапан, стравила воздух из подушки безопасности,

— Крис, попробуй открыть дверцу с твоей стороны... Ах, до чего же мужчины неловкий и глупый народ!

Выбравшись через пассажирскую дверцу и вытащив детей... И возблагодарив Бога за то, что ни у кого не оказалось ни единой царапины, Сесиль смогла, наконец, оценить степень того везения, что на сегодня было ей и ее семейству отпущено небесами...

Машина буквально висела над обрывом, опираясь на землю лишь двумя задними колесами и намертво врезавшейся в днище оторванной частью глушителя. Еще полметра... Еще полметра, и там внизу, на дне стометровой бездны, никакие подушки безопасности бы уже не помогли.

— Мама, вау, как круто мы повисли! — сказал Дэйв.

А мама в ужасе и бессилии вдруг села прямо на гравий, потому как ноги ее уже совсем не держали...

— Надо бы вызвать полицию, — нарушил молчание Крис...

— Надо бы...

— У меня мобильник в машине остался...

— Хайкни кого-нибудь на дороге, пусть полицию вызовут...

Сесиль сидела на обочине в одной туфле и глядела, как все еще медленно крутится на весу переднее колесо ее красного «БМВ»...

Крис поковылял хайкать кого-нибудь с телефоном...

А дети...

Вот она здоровая детская психика....

Уже играют...

Уже бегают вдоль обрыва...

Сесиль тошнило, и очень хотелось пить. Если бы не дети, она бы взвыла в голос...

Откуда-то сверху послышался негромкий гул мотора.

Сесиль подняла голову.

Над дорогой, совсем низко, висел маленький белоснежный вертолет. Из окошечка высунулась рука, помахала, показала вниз.

Вертолет начал снижение.

По ту сторону трассы тянулось пастбище, огороженное забором и на въезде с шоссе оборудованное воротами с табличкой: «Частное владение, проникновение запрещено». Однако, проникновения с воздуха владелец явно не предусмотрел.

Колыхая траву, вертолет приземлился на краю пастбища, из распахнувшейся дверцы на землю сначала плюхнулся небольшой рюкзак, а потом спрыгнул высокий светловолосый мужчина в шортах и безрукавке цвета хаки.

Мужчина надел рюкзак, дойдя до ворот, ловко перелез через них и оказался на обочине шоссе. Несколько секунд он смотрел на жиденькую, но непрерывную вереницу машин, потом достал из рюкзака красный флажок и свисток на цепочке, властно взмахнул флажком и оглушительно засвистел. Два-три автомобиля по инерции проскочили, следующие начали останавливаться. Из грузового «мерседеса» высунулся недовольный водитель.

– Чего рассвистелся?!

– Служба спасения! – отчеканил блондин. – Дайте дорогу!

Действительно, на груди отчетливо читались цифры «911».

Мужчина пересек шоссе и приблизился к Сесиль.

– Проблемы, мэм?

Если бы в этот момент Сесиль не сидела, она бы определенно упала.

– Это... это ты?

Перед ней стоял Нил Баренцев, ее бывший муж. И выглядел, вопреки ожиданиям, совсем неплохо. Он прищурил глаза, приглядываясь, рассмеялся.

— Сесиль?! Надо же, вот так встреча! А я лечу себе, лечу, вижу — авто над пропастью, детишки бегают, думаю, надо помочь... Пойдем, взглянем, что к чему.

Он протянул ей руку. Она встала с камня, показала на его безрукавку.

— Значит, в службе спасения теперь трудишься?

— Так, помогаю немного. Маечку видишь, подарили...

— Как ты? Не женился пока?

— Не-а... А ты, как я погляжу, вся в потомстве. Я троих разглядел. Все твои?

— Еще Джимми дома, младший.

— Похвально...

Нил отвернулся, засвистел модную песенку про желтые ленточки на старом дубе.

— А, небесный спаситель!

Подошедший Крис бросил на жену мимолетный взгляд, показавшийся ей колючим, но тут же напряг мощные челюсти в широкой улыбке и протянул руку. Когда Нил крепко ее пожал, улыбка застыла как деревянная.

— Да, Крис, это я... Ну, показывай, что там у вас.

— Да вот... — Крис со вздохом показал на накренившуюся над пропастью машину. — Прокололись на ходу. Еще бы немного, и...

— Значит, еще не пришло ваше время... Привет, наследнички!

— Здравствуйте, сэр! — хором ответили дети.

Нил подошел к «БМВ», заглянул под него, постучал по заднему колесу.

— Гляди, как днище располосовано, должно быть, на камень напоролись. Он-то вас и притормозил, между прочим... Дело серьезное, своими силами не справимся, надо аварийку вызывать. Сотовый есть?

— В машине остался...

— Понятно...

Нил расстегнул кармашек на ремне, достал оттуда миниатюрный складной телефон. «Новейшая модель, — отметила Сесиль про себя. — Долларов пятьсот, не меньше».

– Куда звоним? Спасателям? Только имейте в виду – раз непосредственной угрозы жизни нет, они приедут часа через два, не раньше.

– Так долго? Мы не можем ждать!

– Вообще-то мы застрахованы в «Кервуде», – сказал Крис. – У них своя аварийная служба...

Нил улыбнулся.

– «Кервуд»? Знаю. Эти еще дольше будут добираться...

– Что же делать?! Нам надо срочно, мы безнадежно опаздываем...

– Ну ладно, воспользуюсь своими каналами. – Нил набрал номер. – Мак? Добрый вечер, Нил Баррен... Да, уже в пути. Только есть одна проблемка... Сорок третья дорога, на север от аэропорта миль двадцать пять. Красный «БМВ»... Нет, мистер и миссис...

– Вилаи, – подсказала Сесиль.

– Мистер и миссис Вилаи. И дети, трое. Увидите... Естественно, на мой счет... Отлично, они будут ждать. И передайте Гейлу, что задерживаюсь ненадолго. – Нил отключил аппарат, обернулся к Сесиль. – Ну вот. Будут через пятнадцать минут.

– Кто?

– Автомеханики из конторы одного хорошего приятеля. Не беспокойтесь, залатают в два счета, эти ребята дело свое туго знают... – Нил залез в рюкзак, достал из него полиэтиленовый пакет, в котором лежал объемистый, обернутый в фольгу сверток. – Тут кой-какая жрачка и питье, себе в дорогу собрал, но вам нужнее, детишек покормите... Ну ладно, ребята, приятно было повидаться, рад был помочь.

Он наклонился к Сесиль, по-братски поцеловал ее в щеку.

– Нил...

– Извини, Сесиль, я спешу.

– Нил, слушай, тут такое дело. Крис страшно опаздывает на самолет... Если вовремя не попадет в Нью-Йорк, пропустит рейс на Санкт-Петербург...

– Не беда, насколько я знаю, у них не менее пяти прямых рейсов во Флориду.

– Но ему не во Флориду! В Россию.

– Ах, даже так... Увы, мой вертолетик на пассажиров не рассчитан. Сейчас, отзвонюсь, скажу, чтобы прислали за тобой машину... Какая авиакомпания? Американ, Юнайтед, Дельта?

– Не помню. Крис?..

– Юнайтед. Рейс 817 на Нью-Йорк, вылет в 18. 45, – сказал Крис.

– Юнайтед – это проще... – Нил вновь достал телефон. – Пэдди, привет, надеюсь, не оторвал от ужина... Даже так? Ну, извини... Скажи, ты не мог бы позвонить в Денвер и задержать 817-й на Нью-Йорк? Минут сорок, максимум час... Да, пассажир. Да, важно... Мистер Вилаи, Кристофер Вилаи...

– Кристиан, – шепотом подсказала Сесиль.

– Кристиан, – повторил Нил в трубку. – Ну, мерси, я твой должник... Все, самолет без Криса не улетит. А теперь извините...

Нил развернулся и пошагал прочь.

Сесиль догнала его.

– Куда ты звонил?

– В Нью-Йорк, генеральному директору «Юнайтед», – не сбавляя шага, сказал Нил.

– И он тебя послушал?

– Еще бы он не послушал председателя совета акционеров.

Нил бросил быстрый взгляд на дорогу, выбежал на разделительную полосу, выждал, пропуская встречный транспорт, и через несколько секунд был уже на противоположной стороне автострады. Сесиль, замерев, смотрела, как он перебрался через ворота, залез в вертолет, захлопнул дверцу. Загудел мотор, пришел в движение винт, машина плавно оторвалась от земли.

Кто-то потянул ее за рукав. Это был Дейв.

– Ма-ам, – протянул он. – Ма-ам... Там... мы пить хотим, а папа не разрешает.

– Как это – не разрешает?

– Ну... В пакетике, что этот дядя с неба оставил... там кока-кола. Папа говорит – нельзя, вредно.

– Я сейчас!

Она бегом приблизилась к Крису, взяла за грудки, тряхнула.

– Дети хотят пить, ты понял?!

– Но, дорогая, там же кофеин...

– Да иди ты к черту! Дети, идите сюда, ешьте, пейте...

Сесиль вырвала у мужа пакет, залезла в него, стала доставать банки с колой, бутерброды – с икрой, с ветчиной, с курицей – и раздавать детям.

Пакет быстро пустел. Сесиль остановилась, когда там осталась лишь фляжка с виски, пачка сигарет и зажигалка.

Сесиль рассмеялась, ловко свинтила пробку, глотнула от души и даже не закашлялась.

– Сесиль! – в ужасе запричитал Крис, поймав небрежно брошенную ею фляжку. – Что ты, что ты делаешь?

Она лихорадочно сорвала целлофан с пачки, дрожащими руками вытащила сигарету, щелкнула зажигалкой.

– Опомнись, жена!

Крис выбил пачку у нее из рук.

Сесиль вся сжалась, стиснула зубы и, дрожа всем телом, начала тыкать зажженной сигаретой в его запястье.

Крис оторопел, выронил сигареты, даже не заметив ожога, стоял, в упор разглядывая жену, как будто впервые увидел.

Белая пачка с красным силуэтом рогатого кабана валялась на щебенке между мужем и женой.

Глава вторая

НЕ В БРОВЬ, А В ГЛАЗ

(*июнь 1995, Колорадо*)

– Собственно, именно это мы и хотели тебе предложить...

Нил улыбнулся и поставил стакан с гренадином, разбавленным ледяным «Эвианом», на мраморную приступочку.

– Сэм, мне тут на днях рассказали неплохой анекдот. Знаешь, чем Гейл Блитс отличается от Господа Бога?

– Господь не считает, что он – Гейл Блитс, правильно?.. У нас есть специальный секретарь, единственная задача которой – собирать все шуточки про Гейла и каждый понедельник компилировать соответствующие циркуляры для руководства компании. Сорок томов собрали.

– Нет дыма без огня. На пике роста вынуть из оборота несколько миллиардов только для того, чтобы украсить лик матушки Земли десятком-другим храмов святому Гейлу... Знаешь, когда-то в Риме был такой император, Калигула. Так он распорядился со всех изваяний тамошних богов откокать головы и заменить мраморными копиями собственной венценосной башки. Подумайте, может, таким манером дешевле обойдется...

– Рим, говоришь? Нам итальяшки не указ. К тому же, позволь тебе заметить, что современные медицинские центры в беднейших странах мира — это сооружения не совсем культовые. Или в тебе совсем нет сострадания к миллиардам бедолаг, единственная вина которых состоит в том, что они родились не там, где надо?

— Дорогой мой, я тоже родился не там, где надо, и поэтому склонен сочувствовать целенаправленно. То есть, в первую очередь тем, с кем могу сам идентифицироваться. Поэтому предпочел бы на ту же сумму построить, например, несколько социальных домов у себя на родине...

— Ну, во-первых, мы не исключаем открытие центра и в России, а во-вторых... — Сэм Фарроу, финансовый директор корпорации «Свитчкрафт» почесал волосатую грудь и поднялся с шезлонга. — Пойдем поплаваем.

Не дожидаясь ответа, он прыгнул в воду, бирюзовую от искусственных водорослей, покрывающих дно. Несколько радужных брызг попали Нилу на лицо.

— Можно.

Вслед за Сэмом он пересек бассейн и, устроившись напротив Фарроу в закутке для подводного массажа, подставил бок под мощную струю.

— Нил, ты знаешь Гейла не один год... — начал Сэм.

Нил рассмеялся.

— Так я и знал, что в этой благотворительной инициативе есть нюансы для внутреннего пользования. Ладно, не объясняй, все равно мне твой корпоративный сленг недоступен, сам попробую догадаться с помощью дедукции. Итак, согласно прошлогоднему балансу, Гейл прикупил одну мощную биотехнологическую компанию, учредил две и вошел в правление еще трех, европейских. Одновременно резко возросла доля участия «Свитчкрафт» в известных фармакологических концернах. И почти сразу рождается глобальный благотворительный проект Гейла и Миринды. В такой связке перспективы обрисовываются заманчивые.

— Ты о чем?

— О практически неограниченном доступе к человеческому материалу для апробации новых технологий, методик, препаратов. Об экспериментах, которые здесь, в Америке, не дали бы проводить не только на крысах, но и на тараканах. Я не прав?

— Ну... Я хотел подойти к проблеме несколько с иной стороны, но в общем... Пойми, это нисколько не умаляет гуманитарного значения нашего проекта. Да, потери будут, они неизбежны, кто-то погибнет, кто-то останется инвалидом. Десять, сто, пусть даже тысяча так или иначе обреченных — а на другой чаше весов миллионы, десятки миллионов спасенных жизней.

— Причем не диких, нищих аборигенов, а цивилизованных людей, полезных членов общества... Говоря открытым текстом, платежеспособных.

— А ты циничен.

— Но прав?

— Львиная доля ассигнований предусматривается как раз на борьбу с так называемыми «болезнями третьего мира» — малярию, туберкулез, СПИД, пеллагру, лихорадку Эболи. За десять лет мы втрое снизим смертность в развивающихся странах, мы изменим мир...

— Вот я и спрашиваю — в чем разница между Гейлом и Богом?

— В конце концов, никто тебя не неволит. Это свободная страна...

— Тебе послышалось.

— Что послышалось?

— Будто я сказал «нет».

— Так ты с нами?

— А куда я денусь?

— Браво! А то я уж испугался, что сердце твое закрыто для добра.

— Отнюдь. Просто нужно было кое-что уяснить для себя.

— Пока ты уяснил не очень много, дальше будет куда интереснее... — Сэм Фарроу довольно хохотнул и поднялся. — В таком случае, пойдем порадуем Гейла. Думаю, он как раз освободился...

Гейл Блитс не был ни хром, ни горбат, ни косоглаз, но осознавалось это не сразу и сильно удивляло, причем всякий раз. Вот и сейчас, издалека завидев на лужайке за домом две фигуры, Нил мысленно развел руками. Надо же, а Гейл, оказывается, не такой уж и коротышка, практически одного роста с Берни, которого Нил воспринимал, как мужчину крупного и, что называется, представительного. Сейчас сопоставить их рост было нетрудно — они шли рядом, Берни, правда, поспешал из последних сил, пыхтел, задыхался, но ни на шаг не отставал от Гейла. На каждом плече Берни висело по сумке с полным набором клюшек для гольфа — даже когда Гейл разминался в одиночку, он предпочитал иметь под рукой запасной комплект.

Взаимоотношения Бернарда Колхауса, президента корпорации «Свитчкрафт», и Гейла Блитса, формально занимавшего в ней скромный пост старшего консультанта, таили в себе какую-то загадку, корнями уходящую, как полагал Нил, в их общее прошлое. Он знал лишь фактическую сторону этого прошлого — одна частная школа, один колледж, после которого Берни отправился в Гарвард изучать юриспруденцию, а Гейл — в Беркли, на прикладную математику. Известная ныне каждому школьнику трогательная история о том, как семь лет спустя старые друзья встретились в аэропорту, и за бокалом диетической колы Гейл так заразил Берни своим энтузиазмом, что тот оставил свой перспективный пост в процветающей нью-йоркской компании и целиком посвятил себя крохотной компьютерной фирмочке, практически неизвестной за пределами штата Орегон, никак не проливала свет на некоторые обстоятельства. Например, почему Гейл, на публике обходившийся с Берни весьма корректно и даже почтительно, всячески подчеркивая его статус первого лица компании, приватно, в узком кругу, обращался с ним так, как не позволял себе и с прислугой. Едва ли заключенный с Берни контракт включал такие пункты, как ношение за старшим консультантом портфеля, стула, зонтика, теннисных ракеток и клюшек для гольфа, разливание безалкогольных напитков (алкогольных Гейл не признавал и в окружении своем не терпел), выгуливание собачек и прочее. Конечно, за оклад в пятнадцать миллионов годовых многие и не на такое согласились бы, но все-таки...

— Хай, Нил! — Гейл издалека помахал рукой. — А мы вас немного раньше ждали.

— Извините, непредвиденная задержка в пути, заметил аварию, пришлось чуть-чуть поработать спасателем.

— Благородно... Может, партийку?

— Спасибо, лучше просто посижу. Даже Доминик не удалось приохотить меня к гольфу.

— О, старушка Доминик! Как она?

— Неплохо... Берни! Счастлив видеть вас, господин президент... — Негласное правило «Свитчкрафт» устанавливало очередность приветствий в соответствии с официальным табелем о рангах, поэтому сначала Нил протянул руку Берни, и лишь потом Гейлу. — Пристраивает к своей вилле очередной лунный модуль, а заодно крутит роман с архитектором.

— В своем репертуаре... Итак, мистер Колхаус, раз уж наш гость отказывается взять в руки клюшку, может быть, начнете вы?.. Не хвастаясь, скажу, что наш президент — истинный титан, мне даже страшно с ним состязаться, фервей с одного удара проходит, все триста тридцать четыре ярда.

Нил посмотрел на зеленую полосу высоко скошенной травы, уходящую под уклон чуть не к линии горизонта.

— Вот это все — с одного удара, я правильно понял? По-моему, это за пределами человеческих возможностей.

— Угодно пари? Называйте вашу ставку.

— Миллион долларов, — не моргнув глазом, сказал Нил.

— Однако! — Гейл, прищурившись, поглядел на небо, на фервей, на застывшего Берни, остановился взглядом на Фарроу. — Сэм, вы пришли к согласию с мистером Барреном?

— Да, Гейл, к полнейшему.

— В таком случае, принимается! — сказал Гейл. — Ну-с, господин президент, не посрамите честь фирмы.

И гордитесь, что судьба подарила вам счастье произвести самый дорогой удар за всю историю гольфа.

Берни покорно сгрузил на землю сумку с клюшками.

— Гейл, я разомнусь немного? — с какими-то подвывающими интонациями проговорил он.

— Разумеется, мистер Колхаус. Делайте, как считаете нужным... Что ж, Нил, я рад, что вы с нами. Жаль, что бедняга Густав не может разделить нашей радости, это ведь была его идея, он был настоящий гуманист. Надеюсь, Доминик не слишком обиделась на меня, что не смог выбраться на похороны? Поверьте, если бы была хоть малейшая возможность...

— Гейл, помилуйте, все прекрасно понимают. Телеграммы и цветов было вполне достаточно.

— Да, какой был человек, я стольким ему обязан... Я ведь знал его еще мальчишкой, мне и семи не было. Родители в первый раз вывезли меня в Европу. Мы жили в шато на берегу Женевского озера, по соседству с его домом. Однажды он пригласил нас к себе и показал свою коллекцию. Вы понимаете, о какой коллекции я говорю?

— Механические игрушки. Это что-то запредельное.

— А ведь вы увидели ее уже взрослым. Представляете, какое впечатление она произвела на мальчишку. В числе прочего там была маленькая копия счетной машинки Бэббиджа. Густав объяснил мне принципы ее устройства, рассказал, как они используются в современной вычислительной технике, а когда пришло время возвращаться в Америку, подарил мне ее на прощание...

— И в вашем кабинете под стеклом... Это она?

— Она самая.

— Я не знал... А ведь Густав Бирнбаум круто изменил и мою жизнь тоже. Потеряв мужа, Доминик некоторое время жила у него в Монтре, тогда-то он и порекомендовал ей вложить все состояние в «Свитчкрафт». А она, в свою очередь, посоветовала сделать то же самое мне. И вот сейчас...

— И вот сейчас мы оттяпаем от ваших капиталов один миллиончик. Верно, мистер Колхаус? — Гейлу не понадобилось даже оборачиваться, чтобы почувствовать стоящего за его спиной Берни. – Вы готовы?

– Ветер встречный, – тоскливо проговорил Берни. – Вы позволите установить ти перед маркерами? Хотя бы на пару ярдов.

– Это как скажет мистер Баррен.

– Мне все равно, – сказал Нил. – Я вообще не понимаю, о чем речь.

– Господин президент, мистер Баррен не возражает, – бросил Гейл через плечо.

Берни тяжко вздохнул, насупился и с видом приговоренного полез в сумку.

– Ти – это подставка, с которой делают первый удар. Тем же словом обозначается площадка, с которой этот удар производится, – пояснил Гейл Нилу. – Когда нужно добиться максимальной дальности полета мяча, обычно выбирают клюшку «вуд-один» или драйвер.

Словно иллюстрируя его слова, Берни достал самую длинную клюшку, похлопал ею по ладони, взялся за рукоятку, сделал несколько взмахов.

– Не будем ему мешать, – сказал Гейл. – Пусть готовится.

– Я отойду, – сказал Нил, доставая сигареты. – Не хочу вас обкуривать.

– И правильно. Охота травиться – травитесь в одиночку. Урна во-он там. У нас в «Свитчкрафт» за курение вообще увольняют.

– Мне повезло, что я не ваш сотрудник.

– А нам-то как повезло! – Гейл рассмеялся. – Главное, не проморгайте удар. Это будет незабываемое зрелище.

Зрелище и впрямь получилось незабываемое. Берни долго примерялся, делал пробные замахи, имитировал все фазы движения в замедленном темпе, наконец, сосредоточился, до отказа отвел клюшку назад, дерево со свистом рассекло воздух и...

Вместо того, чтобы со скоростью пушечного ядра устремиться вперед над фервеем, мяч взлетел почти вертикально вверх, на мгновение завис в небе и, опускаясь по замысловатой дуге в сторону от площадки, исчез за густыми кронами платанов.

Берни присел на корточки, обхватив голову руками.

Гейл стукнул кулаком по коленке.

– Кикс! – не к месту употребил бильярдный термин Нил.

– Шенк! – темпераментно поправил Гейл. – Пяткой зацепил, и вместо драйва шенк получился! Ничего-то этот сукин сын не...

Он замолчал – в той стороне, где исчез мяч, раздался короткий гортанный вскрик.

– Еще и угодил в кого-то! – зашипел Гейл. – Сэм, за мной!

Они стремительно зашагали к платановой аллее. Бросив взгляд на скорбно раскачивающегося Берни, Нил выкинул недокуренную сигарету, промазав мимо урны, рванулся наперерез Гейлу с Сэмом.

– Нил... Вот что, Нил, – не сбрасывая скорости, отрывисто проговорил Гейл. – Миллион ваш, это без вопросов. Даю еще десять плюс возможные судебные издержки плюс сумма возможной компенсации.

– О чем вы? Я не понимаю...

– Скажете, что это вы запустили туда мячиком. Мы подтвердим...

– С какой стати я должен это делать?

– Потому что из всех нас вы один не принадлежите к высшему руководству «Свитчкрафт». Если потерпевший узнает, что пострадал от руки президента, финдиректора или, тем паче, владельца, представляете, какой он выкатит иск. А какой шум поднимется! Вы же – лицо частное, иностранец, кооптированный член совета директоров, все обойдется тихо и сравнительно недорого.

Сэм Фарроу раскрыл рот, но Нил опередил его:

– Идет!

– Гейл, я хотел сказать... Скорее всего, пострадал кто-то из обслуги, – сказал Сэм Фарроу. – Откуда здесь посторонние? Думаю, уладим келейно... Мортону звонить?

Он на ходу достал из кармана телефон.

– Погоди...

Навстречу им бежал человек в синем пиджаке, украшенном эмблемой «Свитчкрафт» – значками «плюс» и «минус», замкнутыми в кружок.

– Господа! – выкрикивал он на ходу, – Господа!..

«Вы звери, господа...» – мысленно продолжил Нил знаменитой фразой из старого советского фильма.

Гейл остановился.

– Я слушаю.

Мужчина подбежал поближе, встал, тяжело дыша.

«Палисейдс, – прочел Нил на идентификационной карточке, забранной в пластмассу. – Джеймс Нолан, администратор».

– Он сам виноват, сэр... Несанкционированный въезд в частное владение...

– Кто? Я вас слушаю... – Гейл вгляделся в буковки на бейдже. – Джеймс.

– Его пропустили через ворота, у него белый двухдверный «мерседес», точь-в-точь как у миссис Блитс. Потом Билл заметил, что номера не те, связался со мной. Я остановил машину, попросил господина за рулем выйти и назвать себя. Выйти-то он вышел, но себя не назвал, а полез в драку. По-моему, сэр, он был сильно пьян. Я приготовился дать отпор, но он вдруг упал, как подкошенный. В него попал этот шар, сэр, прямо в глаз.

Джеймс Нолан продемонстрировал мячик, маркированный эмблемой «Свитчкрафт».

– Понятно... Ну, и где же пострадавший нарушитель?

– Так и лежит. На аллее, сэр.

– Отлично, Джеймс. Вы уволены.

– Но за что, сэр?!

– Джеймс, вы можете гарантировать, что пока мы тут с вами беседуем, он не очнется, не полезет в багажник за винтовкой и не наделает во всех нас дырок?

– Могу, сэр. Он находится под охраной двух младших администраторов.

– Вы восстановлены.

– Спасибо, сэр.

Так, за разговорами и дошли до платановой аллеи. Сначала увидели белый «мерседес» с распахнутой дверцей. Возле автомобиля дежурил хоть и младший, но весьма плечистый администратор. Потом в поле обзора попал второй администратор, и в последнюю очередь – распластанный на мелком гравии человек.

Это был высокий мужчина лет сорока, смуглый, с аккуратными черными усиками. Одет он был со всем латинским шиком – расшитый серебром красный костюм в обтяжку, черная шелковая рубашка, красный шейный платок. Красивое лицо изрядно портили вздувшийся на месте правого глаза багровый желвак и струйка крови из правой ноздри.

– Живой? – хмуро осведомился Гейл.

– Живой, сэр. В шоке.

– Личность установили?

– Некто Лопс, сэр. Леопольд Лопс.

– Лопес?

– Записан как Лопс, сэр. Сорок три года, холост, бизнесмен из Мэриленда.

– Больше похож на сутенера, – брезгливо сказал Гейл.

– Тоже бизнес, – заметил Нил. – Откуда все эти данные, неужели в водительских правах записаны?

– Права не нужны. Мгновенный сетевой поиск по номеру машины.

– Да, широко простирает химия руки свои в дела человеческие... – задумчиво процитировал Нил запомнившееся еще в школе изречение Ломоносова.

– При чем здесь химия? – искренне удивился Гейл.

– Значит, из Мэриленда. А за каким чертом, спрашивается, его сюда занесло?! – пробормотал Сэм Фарроу.

– Танцевал бы себе танго в пулькерии, так ведь нет! – подхватил Нил.

– Оттащите его куда-нибудь, приведите в чувство. Вызовите доктора Соммерса. Когда этот очухается – гоните в шею, а если начнет права качать, звоните в полицию, заявляйте о незаконном вторжении, – распорядился Гейл.

– Да, сэр.

– Минуточку! – внезапно сказал Нил. – Кажется, я знаю этого человека.

Он склонился над лежащим.

– Вы уверены? Интересные у вас знакомые, Нил, – хмыкнул Гейл.

– Может, и не знаю, – в голосе Нила уверенности не было. – Вот если бы открыл оставшийся глаз…

Будто услышав его пожелание, Леопольд Лопс медленно раскрыл уцелевший левый глаз. Так же медленно закрыл и вновь открыл.

– Ё-мое… – тихо произнес он по-русски. – Баренцев, ты, что ли?

– Я… А ты?..

Максим Назаров, его пропавший сосед по ленинградской квартире, поднял голову и растерянно потрогал стремительно чернеющий бугорок на правом глазу.

Нил обернулся к Гейлу Блитсу.

– Лечение и уход оплачиваю я. А одиннадцать миллионов переведите на мой счет.

Гейл закусил губу и медленно-медленно наклонил голову в знак согласия.

– А что, повязка тебе идет. Похож на флибустьера, только серьги в ухе не хватает.

– В правом, как у педика? Ну, спасибо тебе, амиго.

– Приходите еще… – Нил присел на стул возле кровати. – А вообще как? Жалобы есть? Сиделка хорошая? Номер устраивает?

– Всяко лучше, чем у копов в тигрятнике. Незаконное вторжение, значит?.. Слушай, я вообще к кому заехал? Честно говоря, бухой был, ни хрена не помню…

– Надо меньше пить. А заехал ты, братец, к серьезным людям. Очень серьезным. Тебе крупно повезло, что я там оказался.

– Да уж… А про меня ты им что сказал?

– Не бойся, ничего компрометирующего. Что познакомился с тобой в Ленинграде, куда ты приезжал изучать древнерусское искусство.

– Ага, искусствовед... Прям вылитый Ираклий Андронников.

– А что еще я мог сказать? Что я знаю про мистера Леопольда Лопса?

– Друзья зовут меня Лео.

– Учту... Пятнадцать лет прошло. Я грешным делом думал, ты в Афгане сгинул.

Лео Лопс дернулся. Жилистая рука судорожно сжала одеяло и тут же отпустила.

– Что с тобой?

– Ничего... Кольнуло...

– Может, сиделку позвать?

– Не надо, отпустило уже... А с чего ты решил насчет Афгана?

– Ну, как же – ты когда пропал неожиданно, мы тебя разыскивать стали. И нам сказали, что тебя загребли в героические ряды.

– Ах, это! – Лео с натугой улыбнулся. – Фигня, офицерские сборы. Пьянство беспробудное, ремень на яйцах, одно слово – партизанщина. Промурыжили три месяца в Карелии, и на дембель. А дома Джейн, любовь-морковь, мама Америка... Тебя тогда уже не было, свинтил во Францию...

Назаров врал, но Нил не стал углубляться. Не хотел уточнять, из каких источников он узнал, что журналистку Джейн Доу депортировали из СССР в тот же день, когда забрили самого Назарова. А у того глаз глядел пристально, ждал новых вопросов.

– Но если ты выехал через брак, то какая была надобность становиться Лео Лопсом? Ты же вполне легальный иммигрант.

Лео вздохнул.

– Сложная история, амиго... Я бы сказал, история типа «меньше знаешь – крепче спишь».

– Даже так? Ну, настаивать не имею права, ты не в суде, а я не прокурор. Но имечко ты себе грамотно придумал, не подкопаешься. Такое из себя испанистое, а в то же время совсем не испанское. Для гринго латинос, для латиносов гринго. А в смешанном обществе кто? Румын из Трансильвании, потомок Дракулы?

– Издеваешься? Какое там общество! Сижу, как сыч на своем острове...

– У вас и остров имеется?

– У кого это «у вас»?

– Ну, у тебя с Джейн.

– Джейн погибла, – глухо сказал Назаров.

– Извини. Я не знал. В какой-нибудь горячей точке?

– В двух шагах от дома. Взорвали вместе с автомобилем. На моих глазах.

– Кто?

– Никого так и не нашли. Но желать ей зла могли многие, своими публикациями она не одно известное имя втоптала в грязь.

– После этого ты и стал Лопсом?

– Практически... От Джейн осталась приличная страховка, я прикупил кое-какую недвижимость, до последнего времени так и жил отшельником.

– А сейчас?

– Знаешь, все-таки уже восемь лет прошло, притупилось все как-то... В общем, решил я, что пора вылезать из своей скорлупы, делом заняться. А тут как раз неплохой гешефт наклюнулся со здешними индейцами. Короче, сел в самолет, прилетел, сделал дело, снял навар, тут же на радостях тачку прикупил, новую. Ну, почти... А напоследок решил заглянуть в тамошнее казино...

– И продулся до крестика.

– А вот и не угадал. На рулетке удвоился, в «девятку» вообще банк сорвал. Две тысячи баксов!

Нил округлил губы и глаза, изображая уважительное удивление.

– В общем, обменял фишки на кэш, спустился в барчик расслабиться. А там она...

– Что замолчал-то?

– Понимаешь, «девочка из бара» – это вроде ярлыка, что-то вполне определенное. Но Тельма... она была совсем не такая – не профессионалка, не чья-то там загулявшая женка, не мурочка в поисках твердого шурика...

– Ага. Ангелочек, белый и пушистый.

– Что ты понимаешь?! Между прочим, вовсе не белый.

– Негритянка, что ли?

– Нет, в этом смысле, конечно, белая. Но брюнетка и вся в черном. Молоденькая, явно меньше двадцатника... Там какой-то растаман рэгги лабал, на фоно. Очень, кстати, неплохо лабал. А она сидела у самой эстрады, совсем одна, и слушала. И глаза у нее были такие... такие...

– Неземные? Макс... в смысле, Лео. Тебе сколько лет?

– Циник!.. Значит, спикировал я, пригласил потанцевать. Потом по мартини, потом по «Джим Биму»...

– А потом?

– Ну... До ресторана я ее еще довез, а вот до мотеля...

– Она тебя?

– Да... И сам не понимаю, как так получилось, вроде и выпил-то немного, по нашим меркам – вообще пустяки.

– Здесь другие мерки. И водка крепче.

– Так я же не водку пил! – возмущенно сказал Назаров. – Впрочем, потом, кажется, и водку тоже... Что дальше было, помню смутно. Кажется, про Достоевского говорили, про загадочную русскую душу, потом я блевать бегал... Нет, сначала блевать, потом про душу... Потом она мне полотенце мокрое прикладывала, песни пела. Утром просыпаюсь, состояние – сам понимаешь. Хорошо еще, «Джим Бима» полбутылочки осталось. Пока не опохмелился, вообще ничего не соображал. Ну, а потом огляделся – кругом бардак лежит, Тельмы и след простыл, только записочка на трюмо: милый, дескать, Лео, никогда не забуду этой ночи, и спасибо за царскую щедрость, твоя Тельма... Про щедрость меня смутило немного, пошарился по номеру – и точно, весь мой выигрыш вчерашний тю-тю, две тыщи как в песок. Пару-то сотен мы определенно вчера прогуляли, а остальное... Самое обидное – в упор не помню, то ли сам ей эти бабки подарил, то ли она инициативу проявила... Не, вру, самое обидное не это, а то, что ничего между нами, скорей всего, не было, помнишь, как у Довлатова – «он не стоял, он даже не лежал, он *валялся...»* Короче, для прояснения мозгов уговорил я «Джима» до последней капельки, покидал вещички в полиэтиленовый мешок – типа, не сваливаю, не расплатившись, а так, до химчистки и обратно. Спускаюсь, эдак небрежно кидаю ключи портье – мол, приберитесь там до моего прихода. А он, морда индейская, глазом не моргнув, отвечает: не ухищряйтесь, сэр, за номер ваша девушка уплатила, а чемоданчик ваш пустой заведению без надобности. Я предпоследнюю, можно сказать, пятерку в кармане отмуслявил, кладу на стойку и спрашиваю: случайно, не в курсе, куда эта девушка затем направилась, в какую сторону. Он денежку локтем в ящик сгреб и отвечает: случайно в курсе, села, мол, в автобус на Рэпид-Фолз. Ну, я рванул в буфете еще «Джим Бима» на дорожку, отыскал на карте этот самый Фолз и вдогонку...

– И вместо Рэпид-Фолз попал в Палисейдз. Тебе надо было с трассы уходить на три поворота раньше.

– Ёш твою клеш!... Слушай, вы мою тачку куда отогнали?

Нил прижал руки к плечам Назарова, остановив его порывистое движение в самом зародыше.

– Вдогонку собрался? Во-первых, рискуешь остаться без глаза, а во-вторых, зазнобушки своей ты там не найдешь. Сидит она сейчас где-нибудь в Акапулько, посасывает в трубочку розовую «маргариту» за здоровье Лео Лопса, призового лоха, и зовут-то ее вовсе не Сельма, а, скажем...

– Тельма! Ее зовут Тельма! И она не такая! И вообще я почти уверен, что сам подарил ей эти чертовы бабки!

– А-а, ну тогда конечно, тогда, может быть, и не в Акапулько. Но всяко не ближе Хьюстона... Ну, а если серьезно – была бы не такая, не приняла бы этих денег даже в подарок. Так что расслабься и забудь о них. Дуриком пришли, дуриком и ушли.

Назаров вздохнул.

– Легко сказать, теперь «мерса» придется обратно в салон сдавать, как думаешь, сколько потеряю?.. Погоди, как ты сказал, куда это я заехал вместо Рэпид-Фоллз? В Палисейдз?

– Угу...

– Что ли тот самый Палисейдз? Логово Гейла Блитса?

– Вроде того...

– Слушай, а ты там... Ты там кто?

– Я там никто. Заехал по делу.

– У тебя дела с самим Гейлом Блитсом?!

Назаров схватил Нила за руку, приподнялся. Нил вновь надавил ему на плечи.

– Лежи. Сегодня тебе велено лежать... Да, у меня дела с Блитсом. Законом это не запрещается.

– Слушай, тогда... Ты не мог бы?.. В общем, надо довести до него одно предложение. Ему понравится...

Нилу и самому понравилось. Во всяком случае, на фото домик выглядел очень симпатично, традиционная «колониальная» добротность, навевающая воспоминания о временах, когда президенты еще были джентльменами, сочеталась со вполне современной игрой светом и объемами. Широкая веранда, опоясывающая второй этаж, витражные окна библиотеки, обшитый красным мрамором камин, спутниковая «тарелка» на плоской крыше. А вокруг на все стороны – море, море, море. Но уютное, в пределах видимости берегов. А по берегам – загородные дома, виллы, парки, окультуренное, так сказать, пространство, причем окультуренное за большие деньги.

– Ну, как тебе?

В неприкрытом повязкой глазу Назарова Нил появился нетерпеливый блеск. Или Нилу так показалось?

– На фотографиях и Албания выглядит прилично. Однако, это не значит, что надо приобретать там недвижимость, верно?

– Но это же не Албания, – надулся Назаров. – Это остров в Чезапик-Бей. Идеальное сочетание полного уединения и всех благ цивилизации... Идеальный морской климат, как на Греческом архипелаге.

– У Гейла уже есть остров с идеальным морским климатом. И как раз на Греческом архипелаге.

– Но этот дом – историческая достопримечательность. В нем Джон Кеннеди занимался любовью с Мэрилин Монро. Есть документальные подтверждения...

– Макс, я понимаю, этот дом у тебя ассоциируется с прошлым, с которым не терпится расстаться. Но не думаю, что твое предложение заинтересует Гейла.

– Жаль... Ты мог бы меня здорово выручить. Этот дом – мой единственный капитал, а сейчас мне позарез нужны деньги, ты ж понимаешь...

– Но, насколько я понимаю, дом можно заложить.

– Ага!.. – Назаров грустно усмехнулся. – Это мы уже проходили. Знаешь, сколько пришлось на банк горбатиться, пока сумел выкупить закладную? Вход – рубль, выход – два, как говорили в нашем общежитии ОВИР. Помнишь?

– А то!..

Пришедший осмотреть глаз доктор Соммерс застал старых приятелей хохочущими и оживленно болтающими на непонятном ему языке.

– Вижу, настроение отменное, это хорошо... – Доктор принялся раскладывать на столе инструменты. – Нил, мне надо осмотреть больного, могу я просить вас...

– Я жду вас в баре...

Войдя в бар, доктор Соммерс уселся на высокий табурет рядом с Нилом.

– Поспешу вас обрадовать, Нил, у вашего друга ничего серьезного. Сетчатка не отслоилась, глазное дно в норме, кровоизлияние минимизировалось, гематома вокруг глаза сойдет через несколько дней. Я прописал мазь и на всякий случай – антибиотики.

– Потрясающе! И все это вы сумели разглядеть сквозь такой здоровый синячище?

– Еще пару лет назад я рискнул бы дать подобное заключение только на десятый-пятнадцатый день после травмы. – Доктор раскрыл саквояж, извлек небольшой серебристый предмет фаллической формы, продемонстрировал Нилу. – Новейшая разработка, насадка на сверхпроводимых чипах. Тут вам и рентген, и томография, и УЗИ – любая диагностика, причем высочайшей точности, достаточно лишь подсоединить к компьютеру. В данном случае – к ноутбуку.

Доктор продемонстрировал и ноутбук с фирменным логотипом «Свитчкрафт».

– Чудеса!

– Воистину, мистер Баррен. Причем не какие-нибудь там японские, а наши, звездно-полосатые. Более того, колорадские. Компания «Информед», слыхали, может быть?

– «Информед»? Очередное детище Гейла?

– Насколько мне известно, нет. – Доктор усмехнулся и подмигнул Нилу. – Но усыновление не исключается.

– Кто бы сомневался... Спасибо, доктор. Вышлете счет, или предпочтете рассчитаться на месте?

– Обычно такие расходы берет на себя корпорация, но в данном случае... – Доктор Соммерс вновь усмехнулся. – Уж не знаю, что там у вас произошло с Гейлом, только он почему-то распорядился содрать с вас три шкуры. Скажем, двадцать тысяч долларов – это не перебор?

– Возьмите пятьдесят, доктор. И не стесняйтесь, поверьте, Гейлу вся эта история обошлась несколько дороже.

– Благодарю вас, мистер Баррен. Надеюсь, вы разрешите угостить вас? Что предпочитаете?

– Стакан колотого льда с каплей вермута.

– И двойной «Джим Бим»!

Назаров-Лопс подкрался незаметно, как песец, на звук его голоса Нил даже вздрогнул. Хорош, хорош был, чертяка, и где-то раздобытые громадные темные очки лишь добавляли красавцу-Зорро таинственной прелести. И чтобы такой восемь лет жил отшельником? Не надо быть Станиславским, чтобы не поверить.

– Что ты встал, а? Ну что ты встал? – напустился на старого приятеля Нил. – Тебе доктор что сказал?

– Сказал, что не хрен больше валяться! Верно, док?

– Не теми словами, но по существу верно.

– Видал?.. Предлагаю по этому поводу оттянуться в полный рост!

– А с тебя не довольно ли будет? Смотри, опять куда-нибудь не туда заедешь, в другой раз так легко не отделаешься...

– Да ладно тебе!

Назаров придвинул к себе стаканчик с виски, одним махом отправил содержимое в усатый рот.

– Извините, джентльмены, мне пора. – Доктор встал, пожал руку сначала Нилу, потом Назарову. – Берегите себя!

– Толковый мужик, – сказал Назаров, проводив Соммерса взглядом. – Ну что, давай за благополучный исход. Эй, еще два двойных «Бима»!.. Да уж, это вам не «Солнцедар»!.. Ты-то как поживаешь? Ничего про себя не рассказал.

– У меня все в порядке.

– Это я догадался... Как твоя... Сюзанна, кажется?

– Сесиль. Неплохо.

– Дети есть?

– Смотря у кого.

– Не понял...

– У Сесиль четверо...

– Сильно. Значит, вы теперь врозь? Больше не женился? Ну так, мы с тобой оба мужчины свободные, симпатичные, а вокруг столько хорошеньких. Может, устроим холостяцкий пробег?

Нил окинул взглядом бар, из более-менее хорошеньких никого не приметил.

– В другой раз.

– Понятно... Значит, как у Ильфа и Петрова: «Будете у нас в Москве – захаживайте. Но адреса почему-то не оставил...» Ладно, давай хотя бы по последней, на ход ноги. Еще по «Биму»?

– Водки.

– Вот это по-нашему, по-бразильски! Помнишь, как, бывало, в Коктебеле, вечерком...

– Помню, помню... Вот что, Макс, пардон, Лео. Я, пожалуй, взглянул бы на твой домик на острове. Как это можно устроить?

– Сами-то мы, может быть, и успеем на регистрацию. А багаж?

– Ну, Танечка, значит, не судьба. Улетим завтра. Проблем не будет. Говорят, самолеты на Петербург уходят полупустые.

– Но приглашения уже получены. Я получила подтверждение от Ти-Эн-Ти.

– Опять же, не судьба... Может, оно и к лучшему. Лично я не горю желанием видеть этих... друзей детства. Пусть и дальше думают, что я умер.

– Паша!..

– А что, разве все они не стали нам чужими гораздо раньше? Честно говоря, я не вполне понимаю, зачем это все понадобилось тебе.

– Помнишь барбекю у Аланны? Ну, последнее, когда Крис еще чуть было не подрался с ее братом Кевином?

– Да.

– Тогда Сесиль сказала одну вещь. Точнее, навела на мысль... Знаешь, чтобы окончательно стряхнуть с себя прошлое, надо снова окунуться в него с головой...

– Но это невозможно, в одну реку не войдешь дважды.

– Я хотела сказать – вернуться в те же места, в те же обстоятельства, к тем же людям... И когда ты увидишь, что все стало совсем другим, изменилось необратимо... и непоправимо... только тогда прошлое отпустит тебя, перестанет тянуть...

– А тянет? К Леониду, к Ваньке или, может быть, к Никите?.. Извини, я не хотел, это так глупо вырвалось, не сердись...

– Я не сержусь... Наверное, просто в юность тянет...

Они первые сошли с эскалатора и оказались в зале международной зоны франкфуртского аэропорта. Остановились, пропуская пассажиров, направляющихся к будочкам паспортного контроля.

К ним тут же приблизилась миловидная шатенка в синей униформе и на хорошем английском языке спросила:

– Мистер и миссис Розен? Транзит в Санкт-Петербург?

– Да, это мы.

– С вами еще следуют... – Шатенка заглянула в список, – мистер Вилаи и мистер Кайф.

– Совершенно верно. Кстати, вот и они... Ребята, мы здесь.

– Прошу вас проследовать за мной на посадку...

– Да-а, – протянул Шурка, устроившись в кресле бизнес-класса. – Заметили? Сразу же двери задраили, мотор завели. Будто только нас и ждали... Крис, как думаешь, это не тот же благодетель устроил, что из-за тебя в Денвере вылет тормознул?

– Возможно, – неохотно ответил Крис и углубился в чтение журнала.

Глава третья

КРЕПКИЕ БРАТСКИЕ ОБЪЯТИЯ

(*июнь 1995, Санкт-Петербург*)

Помятый, сутулый человек в потертом плаще неопределенного цвета, сравнимого только с мастью лошади юного Д'Артаньяна, въезжавшего в Менг, вышел из метро. И побрел куда-то, пошатываясь и натыкаясь на встречных людей. Одни сторонились его, другие умышленно подставляли плечо, и еще оборачивались, ожидая ответной реакции. Но никакой реакции не было...

Это какие-то греческие «Метаморфозы». Это какая-то «Книга перемен»... Как он любил когда-то эту вольную трактовку одной из ее гексаграмм! Неужели и это забылось? «Творческое небо есть великое всепроницание и должная непоколебимость». Когда-то он с юношеским апломбом решил, что это будет его литературным девизом. И что теперь? Где они, твои всепроницание и непоколебимость? Где оно твое творческое небо, Иван Ларин? Свелось к невидимой точке в гипотетическом конце черного туннеля? «Книга перемен»?..

Все они, без исключения, и Таня, и Павел, и Ленька, и Ник... Как его теперь? Жульен... Шоколадов. Тьфу! Гадость какая. Все они — образы милого прошлого, сегодня внезапно обретшие плоть — жили, менялись, что-то с ними происходило. А он? Какие-то старые кинокадры из романтического фильма про гражданскую войну. Стремительная атака буденовцев. Шашки наголо. Обветренные рты орут: «Даешь!» А одного вышибло взрывной волной из седла. Ползет он на четвереньках. Кричит тоже. Все друзья проносятся мимо, уже едва заметны в пыльной дали, а этот все ползет и кричит что-то. Такая тоска! Только на сухих губах осталось прикосновение к Таниной щеке.

А ведь когда просил на прощание пожелать ему только покоя и довольства и, посмотрев ей в глаза, сказал, что счастье свое он уже упустил, она возразила, а головой непроизвольно кивнула. Жест не соврал. Жест не пожалел Ивана Ларина. Да, упустил свое счастье. А самое главное, что она, еще прощаясь с ним, уже думала о Павле. Как она смотрела на своего рыцаря! Сколько счастья и любви было в ее глазах! И не отражалось в них, даже в самых уголках, никакого чувства, пусть забытого, прошлого, к Ивану Ларину. Словно не было его. А был ли он действительно? Ходил ли он по этой земле? Выходил ли он из метро? Переходил ли он через дорогу? Призрак в смешном плащике...

Сильный удар в бедро вернул его на землю. Точнее подсек, швырнул на капот и долбанул головой о лобовое стекло. И тут же холодная металлическая плоскость под ним резко ушла в сторону, и Иван действительно оказался сброшенным на землю. Он услышал в стороне тупой удар, как будто рядом стукнулись две пустые коробки. Писательское нутро успело занести в невидимую записную книжку: «лбом в лобовое стекло». А потом куда-то провалилось вместе с физическим, человеческим.

Но сознание покинуло его на какие-то мгновения. Очнулся он от вопящей на разные голоса автомобильной сигнализации. Когда он приподнял голову, то увидел бегущие к нему джинсовые ножки в сапожках на высоком каблуке. Чьи-то руки теребили и пытались поставить его на ноги. Иван хотел посмотреть в лицо незнакомке, но почувствовал, что быстро намокает лоб, и что-то липкое застилает глаза.

— Живой? Живой?.. — дрожал над ним молодой женский голосок.

— Да живой я, успокойтесь... — выдавил из себя Иван. — Мыслю, следовательно, существую.

— Вы можете идти?.. Тогда идемте, я вам помогу. Быстрее...

— Куда идти? Вы же можете запачкаться, я сам смогу... — говорил он, влекомый куда-то незнакомкой, вытирая рукавом кровь с лица на ходу и пытаясь разглядеть судорожно вцепившуюся ему в плечо девушку.

Она тащила его к застывшему поперек дороги «опелю», протаранившему на манер греческой триеры припаркованный совершенно новый, рекламно-выставочного вида, «мерседес», который орал, как раненый слон. Неужели ткнет его мордой, как нагадившего щенка: смотри, что наделал, гад? Нет, открыла дверцу и помогла запихнуть в салон «опеля» плохо сгибающуюся ногу.

Теперь перед ним была паутина треснутого стекла и красный отпечаток литературно одаренного лба на нем. Потом открылась дверца слева и Иван увидел ее. Совсем молоденькая девчушка. Темные прямые волосы, забавная челочка и кукольное личико. Даже не взглянула на него...

— Рвем отсюда, пока не попали... — прошептала она, включая зажигание...

Ее звали Алиса.

Иван столько раз описывал чудесные встречи своих героев. И вот теперь он сам оказался в шкуре какого-то персонажа. На героя он, конечно, не тянул, но зато Алиса безусловно была героиней романа, хотя и не его. А, впрочем, как знать, как знать. Много лет дремавшая Ванечкина перманентная влюбленность зашевелилась и стала продирать глазки.

Он полулежал на толстом кожаном диване.

Вот какой ты есть, евроремонт! Бело-серые стены, навесные потолки со множеством маленьких лампочек, ковролин, черная офисная мебель, всевозможная оргтехника, компьютеры. Да что компьютеры! На соседнем столе стоял предел его мечтаний. Печатная машинка «Оливетти»! Изящная, бесшумная, сама стирающая помарки... И миниатюрная хозяйка офиса бегает с мокрым полотенцем, наклоняется над ним, озабоченно смотрит на его лоб. Алиса и страна чудес. И какие-то стали появляться в раненой голове нездоровые мыслишки... Но пришел доктор.

– Ну что ж. Я осмотрел пострадавшего. Что вам сказать?.. Ага... – Доктор спрятал в карман протянутую Алисой зелененькую бумажку. – Перелома я не обнаружил. Только сильная гематома на бедре. В принципе, это пустяки. Недельку похромает. Сотрясение мозга, если и есть, то довольно легкое. Перевязку я сделал, конечно, надо бы рентген, но... Вообще, обычное дело. Человек под хмельком, падал расслабленно. Судьба таких хранит...

«Каких – таких?! Какое – под хмельком?! Да я уже три года ни капли...» – хотел выкрикнуть Иван, но, во-первых, не было на то сил, а во-вторых... Во-вторых, его трехлетняя надрывная трезвость, тяжелая, тупая, сопровождаемая затяжными депрессиями и периодическим отказом мозгов, вдруг предстала перед ним одним колоссальным самообманом, злобной иллюзией, похитившей полноценные, творческие годы. И кто только ни внушал ему: будешь пить – помрешь под забором. А не будешь пить – помрешь где? Под колесами иномарки, а прибывший эскулап бестрепетно констатирует смерть и от себя добавит: «Обычное дело, допрыгался алкаш...»

И стало Ивану вдруг легко-легко, словно доктор заветным словом своим разомкнул оковы, не пускавшие душу в окрыленный полет...

Заехать по пути в магазин? Ну, если ей надо... Вообще-то ему неудобно. Да стоит ли царапина на лбу и синяк на бедре ее хлопот! Нет, в ресторан он пойти готов. Кто же откажется выпить и закусить? С ударением на первом слове. Вид у него непрезентабельный, это верно. Ну ладно, хотя, право, он не достоин... Этот костюм ему нравится. И пальто? И пальто тоже нравится.

В зеркале примерочной на Ивана из дорогого костюма таращился субъект с помятым лицом. Но это как посмотреть! А если это – состоятельный, обеспеченный человек, но с тяжелой судьбой, с трудной биографией? Искатель приключений, африканские сафари, горячие точки, чистый спирт, арктическое путешествие, тропическая малярия... Спивающийся Хемингуэй. Но его еще можно спасти. Если найдется вот с такими глазами, как у тебя, Алиса, с такой маленькой ручкой... Здесь ему тоже очень нравится. Шикарный ресторан! Он закусывает, закусывает... Если найдется такая вот, которая полюбит старого отшельника, занятого добыванием словесной руды... Конечно, выпьем! За тебя, моя спасительница!.. Он опрокинет привычные представления, он поднимет на дыбу этот сытый мирок, колесует реальность, данную нам в ощущениях. Он создаст синтетическое, неделимое целое. Он простую вещь возведет в разряд абсолюта... Тебе тоже налить «Абсолюта»? Браво! Кто-то там из представительниц вашего брата пил чистый спирт. Но «Абсолют» – это тоже круто!.. А вообще-то, милостивый государь, приглашая девушку на танец, принято спрашивать у ее кавалера разрешение! Да, я крутой папаша, если вам так угодно. А у вас дурные манеры и физиономия такая тупая, что, мне кажется, вы не попадете в такт. А я попаду!.. На! И еще слева! Распишитесь в получении... И вечный бой, покой нам только снится... Уппп... летит, летит степная... летит...

Иван с усилием попробовал открыть глаза, но ему подчинился только один глаз. Он увидел знакомые обои с пятном в изголовье матраса, трещину в углу потолка. Голова гудела, как шахта лифта. Было больно делать глубокие вдохи, и любое движение давалось с трудом. В том числе движение мысли.

> И повторится все, как встарь:
> Ночь. Ледяная рябь канала.
> Аптека, улица, фонарь.

Фонарь под глазом. Да и тот разбитый. Жизнь опять выплюнула его. Опять все вернулось к старому матрасу, тяжелому похмелью и разбитой роже. Отряд не заметил потери бойца, но откуда-то появилась прекрасная незнакомка, всадница с картины Брюллова. Она звала его с собой в мир еврофисов и пишущих машинок «Оливетти». А он повернулся к ней пьяной свиной харей, и прекрасное видение исчезло и никогда больше не появится. Это был его последний шанс. И он его просто пропил. Пропил мечту, как мужики пропивают последние штаны, обручальные кольца и крестики своих жен... Все. Хватит, Иван Ларин. Пожил, покоптил, попил. Пора и честь знать. Пора, мой друг, пора! Больно двигаться? Смешные мысли! Не все ли равно теперь: болит нога или рука? Тебе очень хочется посмотреть на этот мир в последний раз двумя полноценными глазами. Какая глупость! Подготовиться? А разве ты не готовился к этому весь последний год? Все продумал. Таблетки приготовил... С детства ненавижу глотать таблетки, но не разжевывать же две пачки транквилизатора. И ванна... Ивана. Горячая ванна. Они рожают в воде, а надо умирать в воде. Тихо, спокойно. Марат принял смерть в ванне. На улице Марата. Кто еще? Этот... Как его?.. Писатель... Ларин...

И опять он очнулся. Опять какая-то волна вынесла Ивана на его старый матрас. Слабого и легкого. Сколько можно ходить туда и обратно?! Что он им хоббит, что ли? Вчерашний доктор. Вчерашний сон. Алиса?.. А это кто? Что он здесь делает?

Серые глаза смотрели на Ивана с холодной усмешкой. Короткий ежик волос, квадратная челюсть, бычья шея и покатые плечи. «Сам чайханщик, с круглыми плечами...»

– Ну, здравствуй, дружок, – проговорил «чайханщик» с характерной растяжкой ударных гласных. – Решил с нами в откидного сыграть? Мы тебя и оттуда достанем. Мы тебе – не менты!

В углу комнаты кто-то довольно гыкнул. Там сидел еще один. Невероятных размеров, похожий на гориллу.

– Вы кто? – еле слышно проговорил Иван.

– Конь в пальто! Лева Брюшной меня зовут. Слыхал? Нет? А зря...

– Что вы здесь делаете?

– Пришли проводить тебя в последний путь. Вдову твою утешить. – Лева повернул свое грузное тело. – Эй, вдова! Утешить тебя?

Иван увидел бледное лицо Алисы.

– Слушай сюда, кидала-откидала. За базар надо отвечать, а долги надо платить. А потом и отчаливай, никто тебя удерживать не будет. А если надо, то и поможем, чем можем.

В углу опять раздалось громкое ржание.

– Какие долги? – Иван ничего не мог понять.

– Новенький «мерс» с вмятиной в бочине. Это не долг? Такую красоту испортили. Ты и твоя телка на тачке. Знаешь, какие это бабули? «Мерс» новье превратить в хлам, а потом жмурика слепить! Одну эту, безутешную, оставить для разборок. Так дела не делаются! Эй, вдова, ты соберешь за неделю двадцать пять штук? Может, зря мы покойничка потревожили?

– С какой стати я должна за него попадать на такие бабки? – Иван услышал незнакомо деловой голос Алисы. – Он бросается мне под колеса, ему все по фиг. Я пытаюсь его жизнь спасти, сворачиваю в сторону. В тюрягу за него садиться мне не хотелось, а теперь из-за него на бабки подписываться? А если бы он решил себя вместе с автостоянкой взорвать? Нет. Пусть он сам за себя отвечает.

– Слыхал? – Лева кивнул на его бывшую мечту. – Грамотно излагает? Что же ты, фифа, слиняла, если ты такая умная и правильная? А нам тебя и твою тачку пришлось целый день вычислять. А знаешь, сколько мой день стоит? Вот и базарь поэтому скромнее... Просек, самострел, ситуацию? Не получится у тебя по-тихому отчалить, без проблем. Наследнички объявились. Остались юридические вопросы.

Брюшной окинул взглядом скромное жилище отшельника.

— Хоромы, конечно, не царские! На половину даже не потянут, — Лева посмотрел на безразлично смотрящего в потолок Ивана. — Что у тебя еще есть? Чем ты наследников можешь порадовать, членовредитель? Что молчишь? Думаешь, вернулся оттуда и тебе теперь все до фени? Ничего не страшно? Поверь мне, малохольный, самого страшного ты еще не видел, потому и не въезжаешь. У тебя еще все впереди. Ты кем на этом свете числишься?

Иван решил, что можно уже не отвечать. Все было банально и гадко. Как он мог увидеть в этой крашенной кукле свою мечту. Бред старого алкаша! Вся эта голливудская сказка с рестораном, врачом, покупкой дорогих шмоток, была обычной коммерческой сделкой. Сотрясение мозга плюс ушиб бедра плюс рваный плащик... Итого: перевязка, магазин и ресторан. Получи и распишись. Всадница Брюллова? Старуха-процентщица...

— А ты знаешь, чем он промышляет? — Брюшной задал тот же вопрос Алисе. — Говорил, наверное?

— Да он нес какую-то пургу. Про синтетику, руду...

— Ты что шахтер что ли?

Иван затрясся от смеха, чувствуя от этого боль в груди и правом боку.

— Я так поняла, что он писатель какой-то или философ, — Алиса продемонстрировала чудеса сообразительности.

— Знаменитый? Как фамилия?

— Ларин...

— А ты артистки Лариной случайно не родственник?

— Это моя бывшая жена...

Зачем сказал? Какое им дело? Подписать им дарственную на квартиру, отдать этой костюм, рубашку и пальто. И вперед по туннелю. Правда, там есть какой-то свет в конце? Или ничего там нет? «Ни тебе аванса, ни пивной. Трезвость...»

— Какое вам до этого дело? Нет у меня больше ничего! Давайте, я подпишу ваши бумаги... И катитесь вы все... Мне уже все равно...

– Постой, не ори. Тебе вредно волноваться. Доктор, может, ему таблетку какую дать, чтобы он не повторялся? А то что-то у нашего писателя фантазии никакой не наблюдается... Так я про тебя слышал. Муж артистки Лариной, подался в писатели. Машка, моя секретарша, недавно какую-то книгу И. Ларина читала. Колян, ты не помнишь какую? Нет, откуда Колян помнит! Да шут с ней. Так ты – тот самый Ларин. А что ж ты так живешь лохово?

– Да так. Меня уже давно не издают. Издателям нужны сериалы, а не настоящие книги, – Иван вдруг решил напоследок нажаловаться на издателей, хотя последний заказ от издательства сорвал он сам, погрузившись в очередную многомесячную депрессуху. И это был последний раз, по словам редактора, когда ему доверили приличную работу. – Никому не нужны настоящие книги...

– А ведь ты, писатель, не прав. Настоящие книги очень нужны. Народ ждет таких книг. Про настоящих пацанов, живущих по понятиям. Правильных ребят. Героев. – Лева Брюшной даже стянул со своих могучих плеч кожаную куртку и продолжил. – Не надо сейчас никому этих продажных ментов, не надо этих старых кошелок, которые разводят братву, как лохов, а потом отдыхают на Канарах. Не надо этих бабских сказок, что они самые умные и красивые. Поверь мне, братан, они тупые и страшные. Все эти Бубенцовы. С ними потому все хорошо случается, что они на хрен никому не нужны. Это все мастурбации старых дев. Дай нам настоящую литературу! Помнишь «Тараса Бульбу» Гоголя? Читал? Вот! Нужная книга про казаков! Не отдам ляхам люльку! А?! Ты можешь так написать? Про братву? Не отдам азерам Правобережный рынок! Вот, как надо! А ты про что пишешь?

– Был такой философ Бердяев, – чем-то Лева задел Ивана, и тот решил поумничать.– Он говорил, что я пишу не про что, я пишу что...

– Я не знаю, кто такой твой Пердяев, – отрезал Лева Брюшной. – Самое главное, по-моему, для тебя сейчас, не что ты пишешь, а кто тебя на это дело подпишет. Короче, мы делаем тебе заказ. С издательством, бабками... чем там еще?.. бумагой мы тебе поможем. Ты только, братан, твори...

Ускакали товарищи буденовцы, брюлловская всадница отпихнула его и тоже скрылась вдали, но появился былинный Лева Брюшной на Бурушке-Косматушке. Что стоишь, кручинишься, певец-сказитель? Давно ждут тебя в стане русских воинов, песен твоих ждут. А то волки по лесам воют, вороны по степям каркают, а настоящих песен не слыхать. Садись-ка ты, детинушка, позади меня. Эх, ты, волчья сыть, травяной мешок!.. И Бурушка-Косматушка понесла их через реки, озера, леса, поля, редакции и издательства...

Хотя приход серьезных гостей был заранее согласован через секретарей, генеральный директор издательского дома «Омега-Пасс» Антон Пасс покрылся пятнами, когда в его кабинет быстро прошли Лев Брюшной, Николай Тягач и писатель Иван Ларин. Колян уселся в дальнем конце стола, чтобы случайно не опрокинуть мебель и не посшибать полки с предметами современного дизайна из цветного стекла, так украшавшими кабинет. Брюшной и Ларин наоборот придвинули стулья ближе к директорскому столу. Лев позволил Антону Пассу занять свое руководящее место и начались двусторонние переговоры. Вообще-то говорил в основном Лева, Иван поддакивал, а Антон Пасс энергично кивал головой, одобрительно вскрикивал и выражал всем своим видом полное согласие. Но постепенно переговоры оживились.

– Ты пойми, Антон, – Лева быстро перешел на «ты», – тебе предлагается клевый проект. Современная... Вань, как ее?

– ...эпопея. «Братаниада». В трех частях.

– А что? – Антон Пасс задумчиво посмотрел вверх. – Название мне уже нравится. Весомо.

– Еще бы тебе не понравилось! Ты дальше слушай, какие погонялы Иван уже выдал всем частям! Цени, Антон, нового Гоголя тебе привел!

– У вас что-то Гоголи, как грибы... – начал было издатель, но осекся, посмотрев на заплывший глаз Ивана и повязку на лбу. – Что? Да это я так, о своем... Ну-ну, слушаю.

– Вань, скажи... – на лице Брюшного появилась довольная улыбка предвкушения любимых слов.

– Первая часть – «И ты, Брат?», следующая – «Золото наших цепей» и заключительная – «Белый и стрелка».

– Честно скажу, – Антон Пасс потер ладони, – мне нравится. Вот только три части...

– Какие-нибудь проблемы? – Лева Брюшной посмотрел на издателя холодно-насмешливым взглядом.

– ...три части, по-моему, маловато. Давайте дадим возможность господину Ларину проявить себя в целой серии книг «Братаниада». Возможно, мы с вами открываем сегодня великую сагу о бан... как бы это сказать?

– Великую сагу о братве, – подсказал Иван.

– Да-да. Пора уже показать современному читателю нового положительного героя. Ведь, в сущности, они вышли из нашего общества, из провинциальных городов, спортивных секций. Из противоречий, которые разъедали наше общество...

– Складно излагаешь, – похвалил Лева. – Вань, расскажи ему конкретно сюжет.

– Значит так, – начал Иван. – Первая часть. Главный герой Сергей Волков, его будущая кличка...

– Погоняло, – поправил Лева.

– ...погоняло – Серый Волк. Он и его три друга ходят в один заводской детский сад. Большие мальчишки из соседнего двора все время отбирают у них игрушки. Наши герои понимают, что только одной сплоченной командой они могут противостоять беспределу. Так как их родители работают в тресте в бригаде Потапова, ребята свою группу тоже называют «бригадой». Все мы родом из детства...

Договор был тут же составлен, согласован и подписан. В этот же день Ивану выплатили аванс в три тысячи долларов, но особенно его обрадовало, что «Омегапресс» собиралась переиздать уже изданные его книги и напечатать то, что писалось «в стол». А вечером Лева и Колян уговорили упиравшегося и отнекивающегося Ивана обмыть бандитскую сагу в ресторане. По дороге прихватили Алису, которая старалась не смотреть на праздничного, полного творческих планов Ивана. А ресторан оказался тем самым, где Иван Ларин недавно так отличился. Колян тут же предложил найти «танцора», но Иван попросил его не портить праздник. Он не помнил зла. И Алиса казалась ему опять похожей на всадницу с картины Брюллова или на девочку с той же картины, ту, которая стоит на крылечке. И это при том, что Иван был совершенно трезв.

Запиликал мобильник, и Лева с Коляном умчались по каким-то неотложным делам. Алиса впервые за вечер не отвела глаз и, коснувшись его руки, сказала:

– Прости меня, Ваня. Не спорь, я знаю, что вела себя нечестно по отношению к тебе. Нечестно?! Я вела себя, как стерва. Но я не желала тебе зла. Пойми меня. Два года назад я влезла в долги и открыла небольшое агентство недвижимости. Последний год дела шли очень плохо. Люди не задерживались. Сделок было мало. А я еще ввязалась в долевое участие. Продала три квартиры в строящемся доме, а они оказались проданы двум хозяевам и еще в залоге. Суд, бандитские разборки, вселения, выселения, штурм подъезда... Короче, столько проблем, а тут еще этот наезд. Ведь это же очень серьезные ребята...

Иван вспомнил лицо Антона Пасса на переговорах, выговоренные для него условия, и кивнул, соглашаясь.

– ...Я очень испугалась. Мне было не собрать такие деньги. А потом был бы счетчик. А потом... Это был бы конец всему. Я думала ты просто опустившийся алкаш, а ты оказался такой популярный писатель, что тебя даже бандиты знают. Прости меня, Ваня. Я и тогда не желала тебе зла. Ты мне веришь? Веришь?..

Второй раз в жизни – и второй раз за последние три дня! – Иван уезжал из ресторана совершенно трезвый.

«Книга перемен». «И-цзинь». Цзинь! И он тоже изменился, вернее, преобразился мгновенно. Цзинь! И он тоже мчится куда-то на жарком коне, приникнув к шелковой гриве... Алиса... Да, мне очень хорошо! Мне никогда и ни с кем не было так хорошо, как с тобой. И тебе тоже? Конечно, я тебе верю. Жена? Актриса Ларина? Ты гораздо красивее... Она далеко, очень далеко. Дальше, чем ты можешь себе представить. Почти на другой планете...

Глава четвертая

СОЛНЕЧНЫЙ ОСТРОВ СКРЫЛСЯ В ТУМАН...

(*июнь 1995, Мэриленд*)

— ...Ты все-таки не забывай, кто тут раньше проживал. Тут по дну такой кабель проложен, с бревно толщиной. С электричеством полный порядок.

— Тогда почему не фурычит?

— Ну... — Назаров замялся. — Ты так неожиданно нагрянул. Я не успел перевести деньги на счет...

— С телефоном те же проблемы?

— В общем, да... Чек, понимаешь, задерживается, еще неделю назад должен был придти...

— М-да... Ну что, давай-ка счета сюда волоки.

— Какие?

— Что значит — какие? Конторы, с которой у тебя недоразумения по электричеству.

— Все?!

— Один какой-нибудь, мне их реквизиты нужны...

Назаров устремился в другую комнату, а Нил вынул из нагрудного кармана мобильный телефон, нажал на кнопочку.

— Майк, привет, Нил Баррен. Извини, что отрываю от дел, тут вопросик срочный возник, по одной электрической компании... Нет, нет, не покупка, тут другое... Принес? Давай сюда... Майк, это я не тебе. Записывай...

Нил жестом показал Назарову, что его присутствие при разговоре совсем не обязательно. Тот поспешно выскользнул за дверь.

Закончив давать указания, Нил вышел на крыльцо.

Назаров сидел на садовой скамейке возле бездействующего фонтана и нервно курил. Нил сел рядом, вытянул сигарету из лежащей на скамейке пачки.

– Ты позволишь?

– Конечно, конечно, кури...

Назаров щелкнул зажигалкой, поднес Нилу огонька. Руки его заметно дрожали.

– «Джекс», – сказал Нил. – Что-то марка незнакомая.

– Хорошие, – заверил Назаров. – Я их в Делавэре беру, сразу оптом. Семьдесят центов за пачку выходит. Экономия.

– Ля-ля-ля, только суперпрокладки от Хелен Харпер сделают тебя счастливой целый день каждый день! – вдруг донеслось из дома.

Назаров подскочил.

– Елы-палы, опять телек не вырубил! – Тут он замер, выронив сигарету на землю. – Погоди, погоди, ведь он же... ты же... как же?..

– Ты лучше иди, выключи, что не надо. А заодно включи, что надо.

– Слушай, как это у тебя получилось? Мне в прошлый раз врубили только через три дня!

– Да так как-то...

– Вот спасибо! Век не забуду твоей доброты!

– Тут, собственно, товарищ дорогой, доброта не при чем. Мне же надо всесторонне оценить предлагаемую недвижимость.

– Отличная недвижимость, отличная! – Назаров устремился в дом, но на полпути остановился. – Ты как насчет пивка? У меня вроде оставалось кое-что, я для быстроты дела сейчас его в морозилку отправлю. И водочкой отполируем, как в старые добрые времена.

– Без закуси?

– Организуем... В холодильнике, конечно, все сдохло, но есть чипсы, орешки, шоколад, кажется, где-то завалялся... Мигом соображу что-нибудь. А ты пока искупался бы с дороги, а то жарища...

– Тащи полотенце. Пляжик, как я понимаю, рядом с причалом?

– Вообще-то я имел в виду душ. А в заливе купаться не советую. База атомных подлодок, три химзавода... О Боже, что я несу! Коммерсант из меня никудышный...

– Кудышный, кудышный! Всегда давай только правдивую информацию – особенно, когда она легко проверяется. Ладно, где тут у тебя душ?..

Смыв под мощной струей липкую дорожную усталость, Нил заткнул сток пробкой и сел на край ванны напитываться влажной прохладой, передаваемой водой воздуху...

Ему здесь нравилось. Даже очень нравилось. Торнадо, регулярно терзающие юго-восток Америки, до этих краев не добирались, атлантические штормы гасли на подступах к заливу, над водной гладью вместо чаек кружили орлы. Идеальное убежище для усталой, опустошенной души...

Конечно, чтобы сделать островок пригодным для нормальной жизни, потребуются немалые вложения. Благоустройство всей территории, бассейн, вертолетная площадка, домик для прислуги, ремонт самого особняка, причала, коммуникаций и обязательная заградительная сеть вокруг всего острова, чтобы отвадить непрошеных гостей. С другой стороны, запрашиваемую Назаровым цену в полтора миллиона очень легко, можно сказать, элементарно, сбить до одного. Из тех одиннадцати, что были в одночасье выиграны у Гейла Блитса – и как всегда на арапа.

Феноменальная Нилова удачливость не была следствием каких-то изощренных расчетов или систем, но и слепой игрой случая объяснять ее было бы неправильно. Это был какой-то энергетический процесс. Начиналось с легкого жжения в ладонях, потом теплая волна поднималась по рукам, по плечам, в сознании возникало переливающееся всеми цветами радуги подобие изотермической карты, и мозг спонтанно, помимо осознанной воли Нила, выдавал выигрышный вариант. Однако, этот дар не работал применительно к неодушевленным предметам, скажем, к шарикам на лототроне или на рулетке. Не мог Нил предсказать исход какого-то события заранее или на расстоянии. Но стоило ему лично присутствовать на каком-нибудь состязании, будь то скачки, боксерский поединок, футбольный матч или чемпионат по бильярду, он с первых же секунд мог назвать победителя, хотя конкретный, выраженный цифрами результат ему не открывался.

Карты Нил начинал чувствовать лишь в тот момент, когда партнер брал их в руки. При этом он никогда не различал отдельных карт, но отчетливо ощущал силу или слабость комбинации в целом и поступал сообразно своим ощущениям. Он достиг больших успехов в широком спектре карточных игр, от спортивного бриджа до салонного криббиджа, а уж в покер, особенно в классической его разновидности, не знал себе равных. Теоретически, в эту игру можно было бы вообще никогда не проигрывать, но это было бы недальновидно, да и скучно, так что время от времени Нил спускал значительные суммы, предпочитая поддаваться дамам и приятным, не очень богатым мужчинам. Шулеров он определял с первого взгляда и либо находил способ уклониться от игры с ними, либо, если удавалось нейтрализовать их жульнические приемчики, обдирал, как липку.

Его уникальное чутье распространялось не только на игры. Столь же безошибочно Нил «просвечивал» и потенциальных деловых партнеров, и потенциальных романтических партнерш. В итоге за семь лет у него не было ни одной убыточной сделки, ни одной интрижки, чреватой неприятными последствиями. Если, конечно, не считать таковыми щедрые прощальные подарки. Соболью шубку, бриллиантовое колье, крутой автомобиль, контракт с модным домом — в зависимости от наклонностей и пожеланий оставляемой дамы. Репутация преуспевающего бизнесмена, удачливого игрока и галантного кавалера раскрывала перед Нилом все новые двери, что, в свою очередь, служило залогом новых викторий на всех трех фронтах.

Но чем многочисленней и весомей становились сами победы, тем более вялой и натужной оказывалась радость от этих побед. Еще один миллион, еще одна светская львица, ну и что? Жизнь блекла, теряла вкус, запах, цвет. Пространство все более напоминало пыльную театральную декорацию, люди, не исключая и себя самого — заводных кукол, манекенов. Путешествия, экстремальный спорт, кушетка психоаналитика, собирательство, религия, благотворительность — для заполнения мучительной, сосущей пустоты Нил испробовал все... или почти все, поскольку ангел-хранитель, способность к ироническому отстранению и врожденная брезгливость уберегли его от самых разрушительных путей. Вывод из всех исканий напрашивался один: жизнь его вступила в фазу угасания, медленного, но неотвратимого вползания в смерть, а сей процесс индивидуален и индивидуалистичен... Из этого островного убежища могла получиться вполне комфортная скорлупа, так сказать, протогроб. Здесь рудиментарное пространство общения само собой сожмется до библиотеки, телевизора, Интернета, наконец. А тела — тела будут сведены к необходимому минимуму, пожилой пары вышколенных слуг, суховатых и немногословных, хватит с лихвой.

До какого же точного слова он усек здесь, за океаном, свою фамилию «Баренцев» до приемлемого для американского уха «Баррен»! Поистине Barren — пустой, засушенный, бесплодный...

Назаров ждал его в гостиной. Налил в стакан светлого пива, пододвинул тарелку с чищеным арахисом.

— Не обессудь, чем богаты... Ну, что ты надумал?

— В принципе, меня устраивает. Но есть некоторые существенные оговорки... Не обессудь, я тут провел некоторую исследовательскую работу касаемо твоей недвижимости. Так вот, дома такого класса в этой зоне стоят от семисот тысяч до миллиона, причем в идеальном состоянии...

– Но состояние превосходное. Въезжай – живи.

– С этим можно поспорить. Но даже если это так, твоя цена...

– А земля? Это же эксклюзивный, единственный в своем роде участок...

– Не надо песен. Эта земля вообще не может принадлежать никому лично. По законам штата Мэриленд в частную собственность могут отчуждаться лишь острова, расположенные в замкнутых водоемах, стопроцентно окруженных владениями данного частного лица. Так что, даже если я скуплю всю береговую полосу Чезапик-Бей, я не смогу считаться собственником острова, потому что есть еще и пролив. Да, для семейства Кеннеди сделали исключение, предоставив остров в бессрочную аренду с правом передачи последующим владельцам домов и сооружений, но, согласись, это далеко не одно и то же.

– Зато экономишь на земельном налоге... – подавленно проговорил Назаров. – И не забывай про историческую ценность.

– Это меня особо не волнует. Я не ревнитель недавней старины, не фанат Монро и, тем более, Кеннеди. Я даже готов пожертвовать в музей то самое историческое ложе, если, конечно, какой-нибудь музей заинтересуется.

– Так сколько же ты, в конце концов, предлагаешь?

– Ты хочешь услышать цифру? Изволь. Миллион и ни центом больше.

– Разорил, сволочь! До подштанников разул,хрен!.. Идет!

Назаров протянул руку через стол. Нил не шелохнулся.

– В чем дело? А-а, понял, по русскому обычаю сделку надо спрыснуть? Нет проблем, водочка в морозильнике как раз дошла до кондиции!..

– Погоди, сядь. Надо уточнить еще один момент.

От усилий скрыть внутреннее напряжение Назаров напрягся еще больше. Только сглотнул с натугой и выдавил из себя:

– Какой еще момент?..

– По имеющимся у меня сведениям, в девяносто втором году дом был заложен в один уважаемый банк за... – Нил извлек из нагрудного кармана черную записную книжку, раскрыл на странице, заложенной плоской авторучкой. – За сто восемьдесят тысяч долларов.

– Ах, это... – Назаров с облегчением выдохнул. – Так я и не скрываю. Только это никакого значения не имеет, потому что через год я полностью рассчитался с банком. Проверь, если хочешь.

– Сейчас, сейчас... Погоди, что-то не разберу, темновато... – Нил поднялся из-за стола, задумчиво покусывая кончик ручки, шагнул к окну. – Ага, вот... Действительно, в апреле девяносто третьего закладная была выкуплена. Только не тобой...

Если бы Нил остался сидеть, массивный стол, стремительно опрокинутый Назаровым, повалил бы его вместе со стулом. А так он успел отскочить в сторону.

– Ну все... – хрипло проговорил Назаров. – Сейчас ты у меня...

Договорить он не успел. Замер с озадаченным выражением лица, схватился за плечо – и рухнул на пол, корчась в судорогах.

Нил опустил ручку.

Прошелся по комнате, глядя на Назарова, застывшего в неестественно выгнутой позе, плеснул себе пива, уселся со стаканом на диван.

– Теплое... Разул, говоришь? До подштанников? Хорошая обувь, Макс. А ты, извини конечно, дурак, причем дурак дважды. Говорили же – не ври, тем более, когда информацию легко проверить. В твоем банке мне любезно сообщили, что закладную, по выписанной тобой доверенности и в твоем присутствии, выкупил, от имени и по поручению местного Братства Лосей некий мистер Джонс. Уж не знаю, что это за Джонс, но факт остается фактом. Какой прикажешь из этого сделать вывод? Что ты рассчитывал урвать с меня приличную денежку и смыться с ней куда подальше? В Мексику,

Макс, или сразу в Колумбию? Или, может, в родную Самару, прикупить там свечной заводик и зажить припеваючи, пока я здесь бодаюсь из-за спорной собственности с этим самым Джонсом и всеми лосями в придачу? Так? И неужели ради этого надо было бросаться на меня, как дикий зверь? Убить хотел? А смысл? Ни одной из существующих проблем ты бы этим не решил, зато одним махом нажил бы кучу новых... Кстати, эта ручка стреляет иголочками с паралитическим веществом. Убивать не убивает, зато вырубает моментально и гарантирует полчаса неприятнейших ощущений. Видишь, у тебя даже язык не ворочается, простонать толком и то не можешь. Ничего, потерпи, скоро пройдет, а тем временем хорошенько подумай вот о чем: домишка твой мне действительно приглянулся, и я готов выложить за него упомянутую единицу с шестью нолями, как только будут сняты последние вопросы. Более того, ради... не скажу «ради былой дружбы», потому что ты ее предал... но ради нашего общего прошлого, ради тех воспоминаний, которые никто кроме нас двоих не разделит, я готов переговорить с этим твоим Джонсом насчет закладной. Если твой долг по ней не превышает полумиллиона, я согласен погасить его безвозмездно. Естественно, издержки по оформлению сделки – за мой счет. Думай, Ананий, думай, таких условий тебе никто больше не предложит...

Нил вышел на кухню, вытащил из морозильной камеры успевшую заиндеветь бутылку «Столичной», накрошил в стакан льда, добавил граммов сорок водки и поднялся на галерею полюбоваться заливом. Сквозь раскрытые двери он слышал стоны Назарова, постепенно переходящие в яростную ругань, потом – в причитания, потом – в призывы спуститься и поговорить. Наконец, до Нила донеслись слова:

– Все. Я подумал. Я идиот. Я согласен.

Тогда Нил спустился в гостиную и помог Назарову подняться и пересесть в кресло.

– Я должен ему... четыреста тысяч... с копейками... – медленно, с усилием произнес Назаров. – Только это...

не Джонс. Джонс – у них просто казначей. А фамилия председателя – Фэрфакс. Он здесь...

– Как понять – здесь? Ты его в подвале прячешь, что ли?

– Нет... У него домик на побережье. В Джоппе...

– Где-где?

– Честное слово, в Джоппе, ну, не в самой, рядом...

– Интересно, что может находиться рядом с Джоппой?

– Не смейся... Небольшое курортное местечко... всего несколько вилл... Джоппа-Магнолия.

– Совсем замечательно... Вот тебе аппарат, звони в свою Магнолию, договаривайся о встрече. Я буду в холле, у параллельного...

– Постой... Телефон... не работает.

– Работает. Его подключили одновременно с электричеством.

Назаров снял трубку. Гудок услышали оба.

– Только он... Он – очень серьезный человек. В Вашингтоне работает. Помощник сенатора.

– Напугал! Ты звони давай... А то мы помощников сенатора не видели!

– Ну и где твой политикан? – Нил посмотрел на часы. – Сейчас десерт подадут, а его все нет!

Они сидели на веранде прибрежного ресторанчика под большим полосатым зонтом и поглощали сложносоставное блюдо из морских гребешков, мидий и прочих морепродуктов, запивая белым бургундским.

– Очень странно, мистер Фэрфакс никогда никуда не опаздывает. Может быть, застрял в пробке...

– Какой пробке, не смеши меня... Ну-ка, дай мне его номер.

Назаров принялся суетливо рыться в бумажнике, выискивая визитку с номером. Нил приготовил телефон, и в ту же секунду аппаратик подал голос. Нил прервал «Полет валькирий» на третьей ноте.

– Мистер Баррен, это Фэрфакс. Прошу извинить за доставленные неудобства... – Голос был в меру гнусав, интеллигентно модулирован и интонирован. Такой голос подошел бы юристу с богатой консервативной клиентурой или протестантскому пастору старой школы. – Небольшая поломка в доме. С минуты на минуту ожидаю прибытия ремонтной службы.

– Сколько, по-вашему, это займет времени?

– Не имею представления, сэр.

– В таком случае, мистер Фэрфакс, мы могли бы перенести нашу встречу на завтра.

– Увы, мистер Баррен, рано утром мне надлежит быть в Вашингтоне, а днем я вылетаю на Запад. Стартует предвыборная кампания, сами понимаете...

– Жаль... Что ж, в таком случае придется отложить встречу до лучших времен.

– Честно говоря, весьма досадно, сэр, хотелось бы побыстрее покончить... А что если я предложу вам подъехать ко мне в Магнолию? Это всего в получасе езды, Лопс прекрасно знает дорогу...

– Договорились. Будем через час.

Нил нажал на кнопочку, прекращая разговор...

– ...Не знаю, как ты, амиго, у тебя, похоже, все тут схвачено, за все уплачено, а мне лично эти Соединенные Штаны остохренели по самое некуда... Все, кайки, дельце обстряпаем, получу свои кровные – и деру отсюда...

– Домой? – вяло поинтересовался Нил.

– Я что, на головку раненый, в Совок возвращаться?! Нетушки, май диар, у меня давно все продумано, есть на свете такая чудная страна Парагвай. Под Асунсьоном за тридцать тысяч гринов можно такую гасиенду взять, что здесь и за миллион не добудешь, а при ней – спиртовой заводик по высшему разряду. Рабсила там дешевая, менты недорогие, сеньориты зажигательные – все как по заказу. Может, я там вообще гарем заведу. Этак, знаешь, выкурю на закате сигару, в ладоши хлопну – Гюльчатай, покажи личико... Эй, ты спишь, что ли?

...Кто-то спер из кабинета медподготовки муляж человеческого торса с рельефной сеткой кровеносных сосудов и водрузил его посреди клумбы на факультетском дворике. Торс выглядел весьма натуралистично, и в первый момент впечатление было такое, что утраченную гипсовую вазу заменили обезглавленным и освежеванным трупом.

— Особо нервных просят не смотреть, — заметил за его спиной девичий голос. — Ты не особо нервный?

— Не знаю... — честно признался Нил. — Разве теперь это имеет какое-нибудь значение? Ты пришла за мной, Линда?

— Я не Линда...

Он обернулся к ней, но она уже оказалась к нему спиной. Упругим шагом, спортивным и эротичным одновременно, девушка, одетая в обтягивающий черный комбинезон, стремительно удалялась от него в сторону «катакомб» — подвального комплекса маленьких аудиторий. Под черной бейсбольной шапочкой задорно прыгали в такт шагам рыжие кудри.

— Таня, постой!..

Нил бросился следом за ней, но, как часто бывает в снах, при всех составляющих бега оставался все на том же месте. Он ухватился за плотный, сковывающий движения воздух, желая взлететь, как в детстве. И тут же ушел куда-то вниз, вниз, вниз...

Извилистые лабиринты подземелья окружали его, над головой что-то электрически гудело, и слышались, как будто, тяжкие хлопанья крыльев. А в конце одного из бесчисленных коридоров мелькнула и тут же исчезла фигурка в комбинезоне...

— Таня...

Какая-то непреодолимая сила подняла его, закружила и понесла, всасывая во тьму, как пылесос пылинку. Вот на одном из виражей показался бодро шагающий человечек, все в том же комбинезоне, но теперь с чемоданчиком в руке. Своей конкретной, кожистой чернотой чемоданчик диссонировал с зыбкой тьмой галлюцинации.

Вихрь опустил его куда-то, где было тихо, и колеблющийся красно-желтый свет брезжил из-под белой с синими стеклами двери, на мгновение приоткрывшейся, чтобы впустить черную фигурку с чемоданчиком. И тут же захлопнувшейся.

– Свет... – сказал Нил, – Таня, возьми меня с собой в свет.

С белого перекрестья, разделявшего на четыре части синюю стеклянную плоскость двери, на Нила скалился овальный бронзовый череп, и голос сказал:

– Это другой свет...

– Это другой свет, – повторил Нил...

– Эй, какой еще другой свет, мы пока на этом. Просыпайся, говорю, приехали. Вон его дом...

Нил протер глаза и недоуменно посмотрел сначала на Назарова, потом на то, что было отделено от него стеклом автомобиля.

Дом производил впечатление не столько размерами, сколько ухоженностью и какой-то рекламной, нежилой опрятностью. Стекла в арочных окнах сверкали, будто только что отмытые патентованным моечным средством, стены сияли девственной белизной, лужайка перед домом была идеально ровной, подстриженная трава лоснилась, как искусственный газон на футбольном поле, на балконе над портиком гордо реял, демонстрируя все тринадцать полосок и пятьдесят звездочек, традиционный американский флаг.

Хотя в воздухе не ощущалось ни малейшего дуновения ветерка.

Белое крыльцо завершалось белой фигурной дверью. С синими стеклами и бронзовым овалом посередине. Череп? Нет, всего лишь медный молоточек, используемый в качестве звонка.

– Поехали отсюда, – чуть слышно проговорил Нил.

– Что? – не понял Назаров. – Что ты сказал?

– Я сказал... Поехали отсюда. Быстрей...

– Ты перегрелся. Фэрфакс же четко сказал, что ждет нас.

– Нас никто не ждет.

– Эй, амиго, ты шутки шутить вздумал? На попятный пошел? Так не пойдет.

– Макс, ты извини, но... Мне что-то не по себе... Такое чувство, что никакого Фэрфакса там нет...

– Ты или спятил, или... Ну хорошо, давай позвоним ему. Телефон далеко?

Набрав номер, Назаров долго не отрывал аппарат от уха, лицо его с каждой секундой делалось все удивленней.

– Странно. Не подходит... Хотя, он ведь говорил про поломку в доме. Может быть, именно телефон... Что нам мешает проверить?

– Я не пойду!

– Заладил! Мне силком тебя тащить? Впрочем, ладно, сиди, если хочешь, так и быть, попрошу хозяина выйти и лично пригласить тебя в дом...

Назаров вышел, хлопнув дверцей, и по идеально ровной дорожке направился к белой двери.

Автомобиль стоял в густой тени высокой сирени, и хотя жара была основательная, в салоне не припекало. Необъяснимая тяжелая истома опять сковала тело. Нил откинул голову на подголовник и вновь отдался сну, похожему на маленькую смерть...

Сине-белые двери приотворились, на мгновение вытемнив пространство, и закрылись вновь.

На белых ступенях стояла Таня Захаржевская.

В черном обтягивающем комбинезоне, в бейсбольной шапочке с длинным козырьком, с черным кожаным чемоданчиком в руке.

– Вот так. – Она сняла шапочку, встряхнула рыжими кудрями.

– Таня! Таня! – сдавленно крикнул, откуда-то снизу, Нил.

Она раздвинула в улыбке яркие губы, показав два рядка мелких, хищных зубов.

– Не ходи за мной, Баренцев. В твоей жизни еще будут и Макс, и остров...

– Таня...

Глаза открылись сами собой, широко, резко, как выстрел.

Нил моргнул, недоумевая, посмотрел на часы.

От прибрежного ресторанчика они отъехали почти сразу после разговора с Фэрфаксом, в начале второго. Дорога едва ли заняла более сорока минут. Допустим, они приехали в половине третьего. А сейчас его часы показывали двадцать пять четвертого.

Получается, он проспал около часа.

Но удивительно было не это. А то, что ни Назаров, ни хозяин дома, политик с голосом респектабельного проповедника, так и не показались, не разбудили его, не пригласили войти. А ведь, помнится, мистер Фэрфакс так спешил обсудить предстоящую сделку...

Тоже заснули, что ли? Три взрослых мужика, среди бела дня, внезапно и одновременно?..

Нил взялся за ручку, намереваясь выйти и узнать, в чем дело. Взгляд его бессознательно проследил предстоящий маршрут: несколько шагов по аллее, дальше лужайка, крыльцо... Все застывшее, безмолвное, неживое...

Краешек глаза автоматически зацепил какое-то движение, сосредоточился...

По тенистой, утопающей в магнолиях аллее стремительно удалялась фигура в черном комбинезоне, с черным чемоданчиком в руке...

Та, которую он впервые увидел именно в филологическом дворике, и которую с первого взгляда полюбил всеобъемлющей, мучительной и обреченной любовью семнадцатилетнего девственника. Потом пришла Линда, его первая женщина, первая жена, но любовь — вторая. Пришла — и ушла в Большую Неизвестность, куда спустя шесть лет сорвалась Лиз, нежная и нежданная третья любовь.

Тогда как первая вот-вот исчезнет за поворотом...

Рассудок вопил: нет, это невозможно, этого не может быть...

Потеряв Лиз, не поверив надгробному камню на лондонском кладбище, долго и безуспешно разыскивал он хотя бы малейший след Тани Захаржевской-Дарлинг, хватаясь, как утопающий за соломинку, за минимальное внешнее сходство. Таня виделась ему в облике то продавщицы косметики в парижском «Прантан», то канадской лыжницы на австрийском курорте, то молодой англичанки, промелькнувшей в новостях Си-Эн-Эн в связи с каким-то гуманитарным фондом...

Он дал фигурке в комбинезоне скрыться в тени деревьев, не окликнув, не попытавшись догнать – не было сил травмировать душу еще одной ошибкой... Хотя как раз душа-то и шептала: это она...

Нил еще долго сидел в машине, незряче уставившись в ту точку пространства, где...

Из оцепенения его вывела мелодичная трель мобильного телефона.

– Баррен слушает!

– Патрон, это Стефани Дюшамель, простите, что отвлекаю вас, но я просто не знаю, как отвечать на все поступившие приглашения...

– Стефани, я перезвоню вам при первой возможности.

Дела, дела... Нил убрал телефон, зачем-то постучал пальцем по приборной доске.

И долго ему еще здесь прохлаждаться? Что они там себе думают?

Он вышел из автомобиля, решительной походкой пересек лужайку, поднялся к белой двери с синими стеклами и стукнул бронзовым молоточком по овальной бронзовой дощечке. Подождав, стукнул еще раз. Потом застучал в дверь ногами.

– Эй, эй! Мистер Фэрфакс! Мистер Фэрфакс!

В ответ тишина, только с ветки слетела с карканьем черная птица – то ли галка, то ли ворона.

Он обошел вокруг дома, стараясь хоть что-нибудь разглядеть сквозь плотные жалюзи, закрывающие окна от знойного солнца.

Еще несколько раз постучал в дверь. Потом сел на ступеньки и достал телефон. Возможно, в памяти сохранился номер Фэрфакса... Хотя, что толку? Телефонный сигнал всяко не громче стука его подошв о белую филенку двери.

Может быть, они тихо укатили, оставив его здесь? Но зачем?

Нил в третий раз подошел к двери.

– Эй, мистер! Два шага назад и подними руки так, чтобы я мог их видеть!

Полиция. Надо же, как тихо подкатили!

– Это очень хорошо, что вы здесь. Я хочу сделать заявление...

– Руки! Ни с места, или я стреляю!

Нил замер с поднятыми руками. Молодой чернокожий коп принялся деловито обстукивать его со всех сторон, а пожилой напарник с моржовыми усами неторопливо достал наручники, приговаривая:

– Вы имеете право хранить молчание, все, сказанное вами, может быть использовано против вас....

Глава пятая

ИНФЕРНО В НЕБЕСАХ

(*июнь 1995, Мэриленд*)

Итак, можно считать, что парню на голову упал кирпич. А, как говорил Воланд, кирпич никому и никогда не падает на голову случайно. В этот раз в роли кирпича выступала она. Найдя сравнение своей рыжеволосой особы с кирпичом забавным, мисс Дарлин Теннисон, тайная леди Морвен, урожденная Татьяна Захаржевская, впервые за этот день улыбнулась.

Еще раз прокрутить все заново. Нет, девятую спецоперацию Ордена Иллюминатов с ее активным участием можно признать такой же блестящей, как и предыдущие. Но все же... Итак. Выстрел из снайперской винтовки с глушителем в кондиционер в доме Фэрфакса... Как же жарко сегодня, и аэропортовские кондиционеры никуда не годятся... Потом она в роли мастера по ремонту кондиционеров входит в дом. Спальня. Расстегнутый комбинезон сработал, Фэрфакс стягивает шорты и получает пулю в лоб. Двурушников казнят... Цветок магнолии в заднем проходе — это лирическое дополнение, причем написанное по-русски.

И вдруг этот парень, случайно завалившийся к Фэрфаксу на огонек. Уселся в кресло со стаканом в руке и сделал свой последний глоток. Как же его? Лево Лопес, что ли? Да какая разница! Первый посторонний труп. Человек, который не причем. Смуглое, усатое лицо. Черты лица показались даже знакомыми. Чем знакомыми? Окровавленной дыркой в голове?! Стоп! Хватит! Женщина-кирпич, и на этом закончим. Ведь дальше все получилось, как в китайском цирке. Назначенная встреча от имени Фэрфакса, помощника сенатора Смита, террористу Мустафе Денкташу в придорожном кафе. Вот она уже Лив Улафсен, гражданка Фарерских островов, аквастилистка... Хорошая специальность! Классно в такую жару погрузиться в прохладную воду и делать эти... как их?.. подводные интерьеры!... Мустафа жрет оливки, а эта клуша фру Улафсен роняет очки. Восточный джентльмен делает стойку даже перед курицей. Какая галантность! Кушай на здоровье свои оливки! Говорят, они повышают потенцию, которая через десять часов, когда ампула растворится, тебе больше не понадобится...

И вот она, все та же Лив Улафсен, в своем костюме-мешке из-под сахара и очках-велосипедах, все та же курица, но уже сваренная в этом июньском пекле, сама получает кирпичом по голове. Если бы по голове! Удар пришелся в самое больное место! Где оно только это место? Есть ли оно у Татьяны Захаржевской-Морвен? А если нет, то почему так больно?!

В курилке шестого терминала балтиморского аэропорта она, то есть клуха Улафсен, встретила ту пару, которую кроме как в библейском ковчеге встретить было невозможно. То, что зеленоглазая аппетитная... Аппетитная! Только мужская животная похоть, близкая к обжорству, могла додуматься до такого эпитета!.. брюнетка оказалась актрисой Татьяной Лариной, не могло сильно удивить. Где же ей и быть, певичке, как не в аэропорту, между небом и землей. Но увидеть Павла (ее Павла!), над могилой которого она стояла на Серафимовском кладбище, может быть, единственный раз в жизни позволив себе приступ человеческой слабости! Увидеть его живым, здоровым, хотя и поседевшим, и в паре с Лариной! Слышать его слова, слова, которые Павел, как она думала, говорил только ей. И узнать его окончательно именно по этим словам, произнесенным для другой женщины! Это был очень сильный удар даже для такого профессионального бойца, как леди Морвен, один из двенадцати магов Ордена Иллюминатов, исполнительный директор Международного фонда гуманитарных технологий, наконец, Татьяна Захаржевская... Крикнул ворон: nevermore!.. Нужно было перевести дыхание, может, первый раз в жизни...

Они, конечно, не узнали ее. Ее бы и старик Морвен не узнал. Встали и пошли из аэропорта, взявшись за руки, как питерские школьники. Поехали в город, на могилу безумного Эдгара По. Nevermore...

Заиграли колокольчики трансляции и зазвучали объявления на разных языках с общими названиями городов. Париж, Осло, Антверпен, Афины... Города объявлялись без государственной принадлежности, словно острова единого воздушного океана. Хотя прямо перед ней было яркое электронное табло, пульсирующее цифрами точного времени, температурой воздуха и атмосферным давлением, Таня изредка, в какой-то рассеянности, то ли от пережитого только что потрясения, то ли по каким-то принципиальным соображениям выбранной роли, посматривала на наручные часы.

Вдруг бесцветная мышь фру Улафсен, завсегдатай университетских библиотек и курилок, для которой даже сравнение с синим чулком было бы слишком ярким, почувствовала на себе мужской взгляд. Почувствовала, конечно, Татьяна. Оболочка отрешенно курила свою сигару.

Может, хватит? Но взгляд, видимо, остановился на ней. Ну, и кто это? Так и есть! Какая-то пьяная академическая рожа с усами пшеничного цвета и глазами цвета... Никакого цвета там давно не было. Они с утра уже были залиты. Глаза цвета виски!.. Какая фраза для дебильного современного песенного хита! Жаль, что так и пропадет неиспользованной... Вот и тебе пара в ковчеге, дура-Улафсен. Не упусти свой шанс, старая калоша с Фарерских островов!..

Нет! Ерунда какая! Не похож он на Вадима Ахметовича ни кожей, ни рожей. Но почему вдруг подумалось о Шерове? Из-за похожей дырки в голове, как у этих двоих, Фэрфакса и... Лео? Что-то здесь не то. А ведь верно! Он также похож на Шерова, как фру Улафсен на Татьяну Захаржевскую. Если не обращать внимания на оболочку, если отбросить... Что отбросить? Тело? Материю?.. Нет, срочно нужен отпуск на маленьком забытом богом острове в океане! Какой, к черту, Шеров! Послать его по-русски!

– Что же ты вылупился, старый козел?

– О, простите, мадам! – Татьяна услышала поставленный академический голос. – Вы не поверите мне, но я сразу же узнал в вас русскую! Еще бы! «И желтых глаз ее пустыня...» А когда вы заговорили!.. Может, я недостаточно хорошо говорю по-русски, но названия животных изучают еще в первых классах... Не извиняйтесь, мадам! – Она и не собиралась извиняться. – Позвольте представиться, профессор Георг Делох, историк-востоковед, имею честь быть членом Британской научной ассоциации, профессором Лондонского университета. Изучаю русскую историю, а вернее ее влияние на мировые процессы. А сейчас возвращаюсь с научного семинара к родным лондонским студентам. Впрочем, вы тоже летите в Лондон?

– Почему вы назвались востоковедом, если вы русист? – спросила Татьяна, проигнорировав профессорский вопрос, даже не глядя в его сторону.

– Прекрасно!

Татьяна удивленно скосила глаза на профессора. Он имел способность вдохновляться совершеннейшими пустяками.

– Прекрасный вопрос! Точный, словно удар тореадора в шею быка, или, как вы выразились, козла! Но русист и востоковед, по моему глубочайшему убеждению, суть одно и то же. Только не говорите мне про Петра Алексеевича – реформатора, Петра Яковлевича Чаадаева – сумасшедшего...

Профессор захохотал, откинувшись на спинку кресла. Сам-то ты случайно – не сумасшедший? Татьяне было совершенно все равно: слушать ли в пол-уха треп профессора или лениво шевелить собственные дорожные впечатления. Тем более ученому совершенно не нужен был собеседник, а, может, и слушатель. Как можно было принять его за Шерова?! Неужели так органично вошла в роль дуры-Улафсен? Или это все из-за...

– ...Россия – страна восточная, насквозь восточная. Восток – это ее душа, ее страх, ее проклятье. А Петр Алексеевич пытался Россию на лопату усадить и в Европу, как в печку, засунуть! Помните сказку? А Россия, как Иванушка, растопырила ручки-ножки и не полезла. Потому и выжила, и осталась Россией! Ей же все кому не лень пытались идею придумать, цель указать. Но вспомните немца Шпенглера, предсказавшего гибель западной цивилизации. Когда цель достигнута и полнота внутренних возможностей исчерпана, цивилизация внезапно коченеет, она принимает направление к смерти, кровь сворачивается, силы убывают, наступает стадия упадка...

...этой неожиданной встречи?

Татьяна щелкнула зажигалкой и прикурила потухшую сигару. Язычок газового пламени вдруг вырос, как будто клапан сам по себе открылся до отказа, и опять принял обычный размер...

– Настоящая история началась с Христа. В истории живет человечество после его Рождества, а не в географическом пространстве. Так, кажется, говорил ваш поэт-«небожитель»? Прочтите древнерусские летописи, и вы проникнитесь христианским пониманием истории, видением вселенской борьбы добра со злом, идеей искупления за грехи... Сегодня многие, даже мои ученые коллеги, выдают принятие Владимиром христианства за случайность. Говорят, женщин любил, в спиртном не хотел отказывать ни себе, ни дружине, а потому и выбрал подходящую религию. А ведь год шел тогда 988-й от Рождества Христова! Близился первый миллениум в истории человечества! И небесные уста Семи Ангелов уже тянулись к трубам, чтобы вострубить. И Агнец Божий уже готов был снять печати. И слышна была уже поступь всадников Апокалипсиса!.. И Владимир

Святой слышал это, и пропасть разверзшуюся чувствовал. А вы говорите – случайность!..

...Случайность? Когда-то должно было произойти первое незапланированное, случайное убийство. Прав был Морвен. Ритуал необходим как символическое преодоление случайности человеческой жизни. Орден бессмертен, пока жив ритуал, а человеческая жизнь... пепел?

Татьяна стряхнула длинный серый столбик с тлевшей сигары.

– ...Земля между Балтикой и Каспием, географическое пространство, стало Святой Русью, чревом христианской истории! Россия приняла святой обет за грехи земного мира, как бы жертвенное обещание, и Судный день был отодвинут, и была дана тысячелетняя отсрочка. И в тот момент Русь говорила с Богом, и Богоматерь склонялась над ней, и тогда же возникло на Руси видение русского Рождества не в песках Иудейских, а среди заснеженных равнин, и видение русской Голгофы.. «Удрученный ношей крестной, Всю тебя, земля родная, В рабском виде Царь небесный Исходил, благословляя.» Вот где с тех пор был центр христианского мира, так сказать, пуп земли!

«Москва – третий Рим»! Вот как эту идею сформулировал псковский старец Филофей в XVI веке. Первый Рим пал от ереси и противоречий, второй Рим – Константинополь – сокрушен турками. Миссия России – нести миру христианскую идею, но не только это. Россия продлевает миру время, дает ему шанс одуматься, покаяться. Она на последнем рубеже, с гибелью Третьего царства наступает Страшный суд, конец мира. И осознание Апокалипсиса скрытно и явно – в душе каждого русского человека... И в моей душе, мадам, ведь у меня русские корни, среди моих предков декабрист Басаргин... Вспомните, у Достоевского всякий русский трактует Апокалипсис. Тут и ирония, и великая правда. Потому так открыта трагическая душа русского человека! Куда уж тут спрятаться, если конец миру грядет? В бункере не отсидишься!.. А ведь близок второй миллениум, мадам! Близок!..

...Как тебя развезло, сердешный! Да и она размякла! А ведь того и гляди, профессор начнет грузить про то, как Земля налетит на небесную ось! Пора заканчивать этот планетарий...

– Все это ужасно интересно, но позвольте поинтересоваться у уважаемого профессора всяких там ассоциаций, университетов и прочих кислых щей: какой же выход? – заговорила фру Улафсен после продолжительного молчания. – Если я правильно вас поняла, человек должен поднять лапки и сдаться?

– Нет! Категорически, нет! – профессор аж подпрыгнул, его соломенные усы воинственно топорщились. – Есть такие человеческие личности... Как вам объяснить?

– Да уж постарайтесь, профессор!

...Ну, вот, дошел до самого интересного и сбился. Обычный современный мужчина, хотя и ученый.

– Накануне конца света из человеческой массы выделяются личности, берущие на себя право и ответственность, они приносят себя в жертву, и жертва эта может быть принята. Первым был сам Иисус Христос, потом Иоанн Креститель, Апостолы Петр, Андрей, Павел... И теперь, когда близится...

...Павел жив. Что тут удивительного? Разве и ее где-то не считают погибшей? Но ведь в Шерова была выпущена пуля возмездия за смерть Павла! Еще одна неоправданная смерть? Нет, этот упырь заслужил себе преждевременную кончину... Что он там сказал про жертву?

– Вы хотите сказать, что и сейчас есть такие люди?

– Совершенно верно! И сейчас есть люди, которые собственной подвижнической жертвой могут остановить вращение вселенского жернова. Такие люди... Такой человек...

Профессор вдруг вскочил и ткнул себя в живот. Пляcок Святого Витта еще не хватало фру Улафсен!

– Даосские алхимики считают, что в этом месте у человека сосредоточен главный энергетический центр – Врата Жизненности. Он совпадает с центром тяжести человека. Здесь, в этой области, путем многолетней практики даосы выплавляли внутреннюю пилюлю бессмертия... Так вот. Космос устроен по тем же законам. Только эти энергетические центры — особые люди. На них сходятся тысячи земных нитей и человеческих судеб. В моей теории я называю такого человека *пупок*.

— Какую же жертву должен принести так называемый пупок?

— Вы думаете, можно дать конкретный рецепт жертвы? Но, я полагаю, что он должен привести в порядок свои земные дела, как говорят буддисты, очистить свою карму, и покорно ждать смерти. Своей смерти...

— И где же эти люди сейчас?

— О, не беспокойтесь! Они появятся, когда придет их час, когда судьба мира будет поставлена на карту.

— Я и не беспокоюсь! Меня вообще мало беспокоят ученые фантазии старого...

— ...козла?! Ведь так вы хотели выразиться?..

Словно сквозь какую-то прореху в оболочке, которая и была лондонским профессором, опять мелькал Вадим Ахметович.

— А знаете вы, кто такой козел в русской фольклорной традиции? Это свой домашний черт! Черт, который всегда с тобой!..

Вадим Ахметович глядел на нее из профессорских глазниц и хохотал прямо в лицо. И когда объявили посадку на лондонский рейс, и Татьяна, как всегда уверенно и неторопливо, направилась к стеклянным дверям, ей все еще слышался смех Вадима Ахметовича...

Тайная леди Морвен всегда летала VIP-классом не для того, чтобы подчеркнуть свое социальное положение, просто она не выносила, когда ее помещают в общие шеренги кресел, запараллеливая ее с десятками других рук, ног, голов. Здесь же все было свободнее, может чуть строже, чем в земном кафе. Не изменила она своей привычке и находясь «в шкуре» фру Улафсен. В окне иллюминатора плыло здание аэропорта. По яркой фигуре английского гвардейца времен Кромвеля на фоне Тауэра Татьяна узнала рекламный щит джина

«Бишот». Лондон встречал ее уже на американском континенте примелькавшейся рекламой. Только здесь над шлемом гвардейца контрастным пятном навис огромный черный ворон. Старый житель Тауэра. Самолет оторвался от земли и быстро набрал высоту...

Поспать? Хорошо бы просто поспать. Или понаблюдать за соседями по салону, пока есть возможность быть незамеченной, никому не интересной фру Улафсен? Где наш ученый-пупковед? Летит эконом-классом! Что он там говорил про жертву? Жертва аборта!.. А этот, наверняка, англичанин. Помесь разорившегося лорда и чокнутого футбольного фаната. Домой едем? Пить пиво и орать на стадионе?.. Вот типичный компьютерный червь, переболевший всеми компьютерными вирусами. Даже в самолете с ноутбуком!.. А этой мадам серенький костюмчик фру Улафсен пошел бы куда лучше, чем ее вишневый. Что она там читает? Бабский иллюстрированный журнал. Внимательнее надо было читать, чтобы не походить в своем костюме на бутыль вишневой наливки. Только тебе и смотреть на рекламу нижнего белья! Голый живот и трусики... Пупок... А этот? Какой-то араб в белом бурнусе. Сидит не шевелится, жен, наверное, в уме пересчитывает. С какой сегодня первой поздороваюсь? Какую, как и в какое место? Танец живота... Пупок... Танюша, милая, притомилась? Это Павел сказал той Татьяне в аэропорту. Нет, это он сказал этой Татьяне. Это она притомилась, это ей нужен был отдых... Отдых от одиночества силы и власти, что вели ее по жизни, ни на мгновение не выпуская из своих цепких лап, неся ее на своих черных крыльях...

А со стюардессой что-то случилось! Сколько раз она уже пробежала туда и обратно. А теперь и пилот... С пассажиром, может, плохо. Или... Еще не хватало этого в ее полной приключений жизни! Самолет! Вроде летим, не падаем. Скрежет какой-то! Как гигантским ногтем по листовому железу! Словно кто-то огромный хочет влезть в самолет на ходу! Танюша, милая, кажется, прилетели... И впервые в жизни ничего не сделать, ничего не предпринять. Куда ж ты денешься с подводной лодки, как говорил Ленька Рафалович! Сидеть и ждать. Чувствовать кресло под задницей последний раз! А потом свободный полет? Свободное падение? Ускорение свободного падения? Как там? Эм на Жэ? На Жэ..! А ведь почти прилетели... Британия должна быть под нами... Опять что-то скребется по корпусу... Заткнись ты, старая дура! Что теперь орать! И этот орет, как на стадионе! Проигрывают твои, нет у них никаких шансов.

Да вот же Темза, Тауэр... Лондон под нами! Только бы сесть! Заходим на круг... Если все это случайности, то почему они связались сейчас в один узел. Что у них там сегодня свет на мне клином сошелся?.. Второй круг! Темза, Тауэр... Мы так и будем ходить кругами? И скрежет, и еще какие-то хлопки в турбине! Кажется, молится кто-то? Араб? Нет, этот сидит, как сидел. Кто же это причитает? «Ныне убо время всего моего живота, яко дым прейде. И предсташа ми прочее ангели, посланнии от Бога, окаянную мою душу ищуще немилостиво...» Третий круг! Откуда эти слова? Кто читает эту молитву? Кто? И как хочется повторять за этим невидимым! Как нестерпимо хочется повторять! «Ныне убо время...» Нет, глупости! Ничего нет, ни бога, ни черта! Ничего!

— Вы, кажется, сказали, что ничего нет?

Прямо перед ней в кресле сидел... Фэрфакс.

— Может, вы скажете, что и меня нет? Что у вас галлюцинации? А вот вам и вещественное доказательство обратного. Позвольте вам преподнести от всего сердца, но, извините, из задницы. Вы думали, что вы одна можете шутить рядом со смертью, Таня? Когда ни у меня, ни у вас уже нет никаких шансов?

И Фэрфакс протянул ей цветок магнолии.

— Берите... Тот самый... Не побрезгуйте...

Татьяна с отвращением оттолкнула протянутую руку с цветком.

А ведь тряска прекратилась. Как она могла не заметить этого, и турбины не гудят. И вообще тишина какая-то странная... гробовая. В иллюминаторах мгла кромешная...

— Буэнос диас, Кармен!

В том же самом кресле, где только что сидел Фэрфакс, теперь был этот усатый парень. Как его? Лео...

–...Лео Лопс. А вы – Кармен! Ведь так вы мне представились? Можно я допью?

В руке его оказался тот же стакан, что и за мгновение до ее выстрела.

– Ведь я не сделал последний глоток. А так хочется сделать еще один глоток. А потом еще один... Последний глоток так сладок! Хотите попробовать? Мне не жалко. Ведь вы даже жизнь мою взяли так, мимоходом, случайно, как стакан разбили, и пошли себе дальше... Возьмите стакан. Там еще остался один глоток воды. Но он ведь не спасет вас, как не спас меня. Одним глотком воды этого огня не потушить...

– Какого огня?

– Ты спрашиваешь, какого огня, Танечка?

Этот голос Татьяна узнала сразу! Араб поднялся с кресла, белый бурнус упал к его ногам, и она увидела Вадима Ахметовича Шерова!

– А еще ты сказала, что не веришь в черта? Ты привыкла верить только в то, что видишь? Тогда ты увидишь черта!

Лицо Вадима Ахметовича стало цвета сырой глины, а то, что Таня сначала приняла за торчащие волосы, оказалось козлиными рогами. Шерсть на его теле шевелилась, как от сквозняка.

– Слышишь, Танечка? Они идут!

– Кто?

Вадим Ахметович не ответил. Размеренные шаги многих ног приближались...

– Они уже близко, Танечка. Но ты спрашивала про огонь?!

Он щелкнул пальцами. Занавес в тамбур стюардесс распахнулся. Таня увидела в проеме пылающую жаром топку адского паровоза. И тут же открылась дверь в противоположном конце салона. Оттуда потянуло могильным холодом.

Если она просто сорвалась, не выдержал слабый человеческий механизм, и все это только бред и ничего кроме бреда, то откуда такие детали. Ведь можно отвлечься на детали... Протянуть руку и потрогать внутреннюю обшивку самолета. Подлокотник кресла. Винты, заклепки... Нога затекла. Надо поменять положение в кресле... Вот этот мир, мир вещей, материи. Вот он выпирает, колется, давит. Можно просто укусить себя за руку...

– Что ты делаешь, Танечка? Не надо портить то, что тебе уже не принадлежит. Все отступные уже подписаны, все уже учтено и оприходовано. Осталось только...

– ...в огонь!

– Умница! Ты всегда была очень умной девочкой! И как ты могла заметить: выхода другого нет. В самом буквальном смысле. Так сказать для тех, кто верит только своим глазам. По спецзаказу! И случайности закончились. Последние случайности в твоей жизни – это цветок от Фэрфакса и стакан воды от Лео. Все теперь предопределено, расписано до мельчайшей подробности. Они уже пришли. И теперь начинается ритуал, парад твоего личного Ордена. Ордена Татьяны Захаржевской! Принимай парад, Танечка!

Таня сидела в кресле ближе к бывшему тамбуру стюардесс, где сейчас неземным жаром дышала топка и стоял озаренный пламенем Вадим Ахметович в облике черта. Из могильной ямы в противоположном конце салона клубами выходил туман. И, сгущаясь, он превращался в сначала неясные, но по мере продвижения по салону, отчетливые человеческие фигуры. Когда же они проходили мимо Татьяны, и адское пламя освещало их лица, черты становились отчетливы. И первым она узнала... самого Вадима Ахметовича, только без рогов и копыт. Он медленно прошел перед ней, поравнявшись, повернул голову и посмотрел ей в глаза...

– В огонь! – крикнул черт.

И Вадим Ахметович шагнул в адскую топку...

Кто это? Явно женская фигура. Длинные ноги, но туловище несуразное бесформенное, почти квадратное. Марина Мурина! Ничтожная организаторша убийства собственного дяди-коллекционера. Неудачная наследница, решившая вести двойную игру против нее, Татьяны Захаржевской. И сама попавшая в вырытую яму... Они все так и будут смотреть ей в глаза по очереди? Все, кого она убила?..

— В огонь! — крикнул черт.

Марина исчезла в топке. Теперь мужчина высокого роста. Она уже догадалась. Сергей Залепухин. Вошел в сговор с Муриной, тоже решил погреть руки на дядином наследстве. Погрел? «В огонь!»... Сгорбленный гадкий старик. Родион Мурин. Злодей с историческим прошлым, коллекционер чужих поломанных судеб, а заодно и произведений искусства удавленных им хозяев. «В огонь!»... Дальше Илларион. Тот, который, взрывая машину Татьяны, взорвал самого себя. «В огонь!»... Сколько их? Когда закончится это страшное шествие? Последний взгляд ей прямо в глаза, прямо в душу и «В огонь! В огонь! В огонь!..» Денкташ, Фэрфакс, Лео Лопс... Все? Теперь ее очередь?

— Не спеши, Танечка! Последняя фигура...

Кто это? Кого они забыли? Кто это может быть? Стройная фигурка... Совсем молоденькая девчонка... Идет мимо. Останавливается. Поворот головы... Нет! Нюточка! Нет! Никогда! Никогда...

— В чем дело, Таня? Ты нарушаешь ритуал! — черт Вадим Ахметович придал своей козлиной физиономии укоризненное выражение.

— Остановите! Остановите это! Заклинаю вас всеми святыми! Делайте, что хотите, только не трогайте Нюточку!

— Какими святыми, Таня? Ведь ты не веришь никаким святым. И ты хочешь, чтобы я поверил тебе?

Что она могла сделать? Здесь, где ее земные способности, ее земная удача, ничего не значили? Что можно предпринять, когда все расписано и безвозвратно потеряно для нее? Нюточка! Что ей было делать? Как спасти дочь? Что она сама значит на краю бездны? Кто она такая, Таня Захаржевская? Пупок... Пупок? Это был последний шанс...

– Я, Татьяна Захаржевская, беру отсрочку, чтобы привести все свои земные дела в порядок, чтобы предотвратить то, что я могу предотвратить, чтобы спасти всех, кого я могу спасти, удержав в той земной жизни от этой бездны. А потом я вернусь, и тогда пусть будет ваш огонь! А сейчас я беру отсрочку!

Черт Вадим Ахметович зашипел в ярости, как будто на раскаленную сковородку попала капля воды:

– Да кто ты такая, чтобы брать отсрочку?

– Я – та, на которой сходятся земные нити, перекрещиваются земные дороги, сплетаются человеческие судьбы. Я – *пупок*!

И черт Вадим Ахметович вдруг сник, даже уменьшился в размерах.

– Какую же ты хочешь отсрочку?

– Ровно год.

– Год – слишком много, а вечность – слишком мало... Предоставляется на неопределенное время при условии заместительной жертвы...

И тут створки адской топки захлопнулись. Закрылась дверь в задний салон.

– Какой жертвы? – шепотом переспросила Таня.

– Огненной жертвы из дома твоего... – прошелестел неслышно воздух, и в иллюминаторы заходящего на посадку самолета брызнул солнечный свет...

Уже выходя из здания лондонского аэропорта, Татьяне показалось, что кто-то окликнул ее. Она обернулась. Профессор-востоковед с пшеничными усами и чемоданом такого же цвета помахал ей рукой:

– Счастливого пути, мадам! Помните сказку? Растопырил Иванушка ручки-ножки и в печь не пролез!.. Вы уже уходите? Ну тогда прощайте! А, может, мы еще встретимся? Через неопределенное время?..

Стеклянная дверь закрылась за Татьяной, и она вышла под голубое небо удивительно щедрого в этот последний день июня на хорошую погоду, но все же Туманного Альбиона.

Глава шестая

РАЗБОР ПОЛЕТОВ

(*июль 1995, Мэриленд*)

— Итак, мистер Баррен, вы решили не заходить в дом Фэрфакса и предлагали Лео Лопсу сразу же уехать?

Загорелый фэбээровец, как пишут в американских романах, мужчина с хорошо развитой челюстью, даже поворачивая голову или меняя позу, не сводил с него глаз.

— Правильнее было бы сказать, сначала предложил уехать, а потом, когда Лео позвонил Фэрфаксу по телефону и не получил ответа, я сказал, что в дом не пойду.

— Вы заметили что-то подозрительное? Что вас так насторожило?

Второй фэбээровец, полный мужчина в очках, с седым бобриком волос, принял пас от первого. Мячиком был у них Нил Баррен-Баренцев.

— Нет, ничего особенного я не заметил. Напротив, дом и прилегающая к нему территория показались мне рекламно-стерильными...

— И поэтому вы решили, что в доме никого нет...

Фэбээровцы сыграли в «стеночку». Загорелый бил на точность попадания:

— ...из живых никого нет. Мы правильно вас поняли, мистер Баренцев?

— Мой клиент только сказал, что ничего подозрительного не заметил, — в игру вмешался адвокат Мортон, в экстренном порядке вылетевший сюда из Колорадо, как только в «Свитчкрафт» поступила информация о задержании члена совета директоров. – Ваши уточнения корректируют его показания. Ничего подобного он не говорил.

Адвокат играл на месте «чистильщика».

– Как вам сказать... – Нил задумался.

Действительно, что им сказать? Что по дороге привиделась ему некая Татьяна Захаржевская из Ленинграда, много лет назад похороненная на лондонском кладбище под фамилией Дарлинг? Принимает ли ФБР подобные видения в качестве свидетельских показаний? Не пришлось бы рассказывать всю свою жизнь, как десяток лет тому назад благодарным слушателям из КГБ. Что же им рассказать? Чем их успокоить? Третий глаз? Шестое чувство? Перспектива принудительного обследования в американской психушке его не очень устраивала...

– ...Не будете же вы отрицать, что у человека может быть обостренное чувство опасности. Внутренний голос, например, говорящий: «Стоп! Не ходи туда! Здесь не все так хорошо, как кажется!» Некоторые люди не придают ему значения и нарываются на неприятности. Я тогда, у дома Фэрфакса, отнесся к этому серьезно... По моему, в вашей профессии без такого обостренного чувства интуиции делать нечего!

Фэбээровцы переглянулись, впервые выпустив Нила из-под прицела внимательных глаз, и рассмеялись.

– Неужели ваша профессия развила у вас это замечательное чувство, мистер Баррен? Она так опасна? – Загорелый начал комбинацию на другом фланге атаки.

– Финансовый риск для многих не менее значим, чем угроза их жизни и здоровью, – спокойно отвечал Баренцев. – Крах в бизнесе может привести человека к самоубийству. Я хочу сказать, что опасность – есть опасность...

– Не будете же вы отказывать моему клиенту, – решил встрять адвокат, – в возможности обладать такими способностями изначально, так сказать, с рождения?

– Конечно, нет. – Полный налил себе в стакан немного воды. – Скажите, мистер Баррен, а Лео Лопс почувствовал что-нибудь похожее?

– Мне показалось, – ответил Нил, – что Лео Лопс опасался в тот момент только того, что я дам обратный ход в деле покупки его дома на острове. Поэтому мои слова он истолковывал на свой лад...

Нила перебил телефонный звонок. Загорелый поднял трубку и, сказав «понял», быстро вышел.

Полный остался на некоторое время в меньшинстве.

– Давайте, мистер Баррен, вернемся к тому моменту, когда вы остались один в машине. Спустя какое время вы увидели удаляющуюся женскую фигуру?

– Трудно сказать, признаться, я задремал... Минут сорок, возможно, час.

– Вам она не показалась знакомой? Может, какие-то особенности фигуры или походки бросились вам в глаза? – Игра явно теряла остроту.

Сказать ему, что она была похожа на видение? Как бы толстяк подскочил со стула! «Мы еще можем простить вам обостренное чувство опасности, но видение в качестве фоторобота – это уже слишком!»...

– Обтягивающий комбинезон, стройная фигура, темные волосы, кепка... Повторяю, я видел только удаляющуюся фигуру, и то издалека.

– Вы не видели ее в момент выхода из дома?

– Нет. Повторяю, я задремал... Не исключаю, что Лео Лопс мог мне что-то подсыпать – для размягчения при обсуждении сделки...

Вошел загорелый, сделав полному знак, понятный только им двоим.

– Мистер Баррен, – загорелый теперь улыбался всей своей развитой челюстью, – пленка с домашней видеокамеры в доме Фэрфакса подтверждает ваши показания. Фигура, попавшая в объектив камеры, полностью соответствует вашему описанию. Жаль, что лица предполагаемого убийцы рассмотреть не удалось. Камера установлена над дверью, а длинный козырек кепки закрыл ей лицо. Или ему лицо... Кто знает? Может, это был переодетый мужчина?

— А ведь вы правы! Мне тоже показалось, что у нее странная, мужская походка.

Если уж им самим так хочется пойти по ложному следу, то на здоровье!

— Может быть... Вполне, может быть... — загорелый фэбээровец задумчиво качался на стуле. — Все факты говорят о том, что убийство не случайно, а тщательно спланировано. Вы же, мистер Баррен, в этом деле — главный свидетель. Вы понимаете, что я имею в виду? Вот ваш адвокат уже понял... Вам необходимо на некоторое, я надеюсь, непродолжительное время, пожить в так называемом сейф-хаусе ФБР. Тогда мы можем гарантировать вам полную безопасность.

— Нил, я как ваш адвокат настоятельно рекомендую принять это предложение, — закивал головой адвокат Мортон. — Все, видимо, очень серьезно...

— О'кэй! — Нил не стал держать паузу. — Когда вы запрете меня в этом сейфе, постарайтесь не забыть цифровой код замка.

Фэбээровский дуэт смеялся шутке не подозреваемого, а главного свидетеля. А это совсем другая шутка!

— Мистер Баррен! У нас на всякий случай будет под рукой опытный «медвежатник».

Матч Нил—ФБР оказался вполне товарищеским и заканчивался нулевой ничьей и обменом остротами...

Агент ФБР Роберт Найт мог с полным основанием гордиться собой. Этот русский был совершенно прав насчет обостренного чувства интуиции в их профессии. Случайное предположение Роберта об убийце, переодетом в женщину, полностью подтвердилось. Толстый Вэнс Партон должен был оценить его прозорливость. Ведь сначала именно он, Роберт Найт, выдал эту версию. Потом ее реальность была подтверждена Барреном. И, наконец, факты.

В «линкольне» на шоссе в десяти минутах езды от Балтимора был обнаружен труп мужчины. По документам – турецкий бизнесмен Башироглу. И необходимый в таких случаях набор экспертиз рисует следствию следующую картину. Мужчина скончался от сердечного приступа. Обнаруженный в машине пистолет оказался тем оружием, из которого были застрелены Аверелл Фэрфакс, помощник сенатора Смита, и Лео Лопс, приятель Фэрфакса. Но самый интересный результат дает идентификация убитого. Им оказался известный террорист Мустафа Денкташ, объявленный в розыск в нескольких странах. Необычайно хитрый и опасный преступник, неоднократно использовавший для достижения своих целей самые нетривиальные способы, в том числе переодевания и изменения внешности. Невысокий и стройный, он запросто мог нарядиться в женский комбинезон, изменить походку.

Картина совершенного преступления в общих чертах была ясна...

Первый день на базе ФБР в сейф-хаусе, напоминавшем небольшой дорожный мотель, Нил валялся на кровати, время от времени погружаясь в сладкую дремоту. Просыпаясь, он блаженно потягивался, закуривал и повторял про себя: «Ничего не буду делать! Ничего!» Но когда начало смеркаться, словно сработали светодиоды, и включился внутренний двигатель. Почитать вечерние газеты, посмотреть последние новости по ТВ, просто встать с кровати, размяться, пройтись, выглянуть в окно...

На зеленом травяном газоне прямо напротив его окна человек внушительной комплекции медленно водил по воздуху руками, как бы растягивая невидимую нить, мягко шагал с пятки на носок и лениво поворачивал голову. Было похоже, что он находится на дне водоема, так плавны и непрерывны были его движения.

Вот и обещанный «медвежатник»! Действительно, в фигуре мужчины было что-то от гризли. Тем необычнее показались Нилу его упражнения. Бурый медведь, осторожно играющий с бабочками. Тягучие движения завораживали. Они повторялись с поворотами и сменой направлений. Могучая лапа сопровождала полет то бабочки с юга, то бабочки с севера. Наконец, человек повернулся лицом к заходящему солнцу и сложил руки. Длинная тень протянулась через газон и дорожку.

А потом человек-медведь вдруг повернулся, помахал рукой, и, приветливо улыбаясь, направился ко временному убежищу Нила. И вот он уже, как всякий большой человек, опасаясь дверного проема, входит в этот самый «сейф».

– Хай, мистер Баррен! Как дела? Не скучаете?

– Хай, мистер...

– ...просто Том. Вы позволите? – он уселся в кресло напротив Нила и вытянул огромные ноги. – Человек – странное существо. Если запретить ему выходить, то даже люкс с бассейном, бильярдом и домашним кинотеатром покажется ему карцером. Не правда ли?

– Может быть. Я еще этого не почувствовал... – Нилу хотелось поговорить о только что увиденном. – Здорово это у вас получается. Какая-нибудь китайская гимнастика?

– Тай-цзи-цюань. Старинная оздоровительная система. Лучший способ расслабиться и обрести внутреннюю гармонию...

– Но человеку с вашей фигурой как-то больше подходит бокс или дзю-до, вам не кажется? – осторожно поинтересовался Нил.

– Одно другому не мешает. А ведь когда-то тай-цзи считалась грозной боевой системой.

– Эти медленные движения были опасны?

– Тай-цзи позволяло использовать глубинные возможности человека и тайные силы природы, которые не зависят от возраста и объема бицепса. – Том показал на свои здоровенные мышцы-сгибатели. – Правда, теперь это всего лишь гимнастика психики и массаж внутренних органов, что-то вроде китайской йоги в динамике...

– Вы меня извините, Том, если вас мои слова заденут, – прервал его Нил, – но я, когда наблюдал ваши упражнения, сравнил вас с медведем, играющим с бабочками...

— Ваши слова не могут меня задеть. Наоборот, — он внимательно посмотрел на собеседника. — Вам так показалось? Вы удивительно... как это сказать?.. проницательный наблюдатель, мистер Баррен. Вы, по-моему, с первого взгляда постигли суть тай-цзи и Тома Грисби в тай-цзи...

Грисби... Почти гризли...

—...Ведь каждое из этих движений носит китайское вычурное название. В основном, они связаны с животными. И поверьте, это неспроста. «Погладить хвост птицы Феникс», «Перенести тигра на гору»... Но произошло тай-цзи от древнего танца пяти зверей, одним из которых был медведь. — Том провел рукой по воздуху. — «Медведь, играющий с бабочками». Здорово! Мистер Баррен, вам обязательно надо заняться формами тай-цзи, потому что суть ее вы интуитивно почти постигли...

— Том, вы мне льстите. — Нил приподнялся со стула, приложил кулак к ладони и поклонился, пародируя киношный поклон восточных мастеров.

— Ничуть. — Том засмеялся, оценив поклон Нила. — Я, конечно, не претендую на звание мастера, но готов дать вам первые уроки.

— Вы полагаете, что я здесь надолго обосновался?

— В любом случае вы отвлечетесь и что-то для себя обязательно приобретете. А использовать принципы тай-цзи можно и при работе с лопатой, и при вождении машины, и в бизнесе... А если хотите, я могу обучить вас некоторым способам самообороны на основе тай-цзи.

— Значит, не все боевые аспекты этой системы утеряны?

— Нет, не все. Потом сможете удивить свою охрану. Они наверняка такого не знают.

— У меня нет никакой личной охраны, — ответил Нил удивленным голосом.

— Как? У вас нет охраны?— голос Тома был еще более удивленным. — Мистер Баррен! Вы же состоятельный человек — и не пользуетесь услугами телохранителей. Вы меня удивляете второй раз за вечер.

– Наверное, вы правы. Как-то не верится, что со мной может произойти непредвиденное или не мной запланированное.

– Но и Фэрфакс, наверное, полагал так же. Так думает любой человек, но ведь вы не обычный человек...

В голове Нила вдруг возникла, на его взгляд, неплохая идея.

– Послушайте, Том. А не согласились бы вы поработать у меня телохранителем? Заодно я бы смог научиться у вас принципам тай-цзи. Кстати, что это значит?

– «Великий предел»... – Том в задумчивости барабанил пальцами по подлокотнику кресла.

– Если, конечно, предел ваших запросов не будет слишком велик.

Том расхохотался.

– О'кэй! Можно я немного подумаю? Оставьте мне номер телефона для связи...

Через пятнадцать минут после ухода Тома у Нила произошла новая встреча, совершенно неожиданная. Медведь ушел, а в его теремок, как тринадцать лет назад в Ленинграде, заскочил лягух-квакух. Тот же самый, с толстогубым ртом до ушей, пупырчатым лысым черепом и мясистой шеей, но заметно сдавший, поизносившийся. Эдвард Мараховски! Американский жених его ленинградской соседки Хопы! Вот так встреча!

– Дружище, где же твой знаменитый самовар? Помнишь?

– О! Русский народный аппарат для получения вареной воды! Иван Иванович! Он распаялся, как Советский Союз...

– А как поживает твоя жена Хопа... то есть Лена?

– Мы давно разошлись, тоже как республики бывшего Советского Союза... Понимаешь, Нил, распад Советского государства повлиял на мою жизнь. Наши страны теперь – стратегические партнеры. Друг Билл и друг Борис! А советолог Эдвард оказался в новой политической ситуации ненужным, как старый Иван Иванович самовар. Только русская мафия спасла меня от... как это сказать?...от свалки истории.

— Как, русская мафия?

— Очень просто! «Русские идут!» Старый лозунг зазвучал по-новому. Русская мафия уже в Америке! Вот тогда им и понадобился старый Эдвард Мараховски, специалист по СССР. Теперь я сотрудник аналитического отдела ФБР, специалист по русской мафии.

— Значит, ФБР считает меня связанным с русской мафией?

— Это значит, что я решил проведать своего старого знакомого, — Эд положил пухлую ладонь на плечо Нила, — который, оказывается, находится буквально в двух шагах от меня, на нашей базе. И вот, пока ты еще не уехал...

— А что? Я уже могу ехать? Мне ничего не угрожает?

— Конечно, ты можешь ехать хоть сейчас...

И Эдвард Мараховски коротко рассказал Нилу последние обстоятельства дела.

— Все теперь, действительно, ясно и понятно. Но почему тебя подключили к этому делу, Эд? Неужели из-за меня?

— Ты здесь не причем. Но Лео Лопс...

— Лео Лопс?

— Он же — Максим Назаров. Твой старинный знакомый. Он рассказал тебе, как попал в Соединенные Штаты?

— Джейн, любовь, женитьба.

— А где он встретился с Джейн?

— Сказал, что в Ленинграде. После военных сборов.

— Они встретились в горах Афганистана, у полевого командира Ахмад-шаха Масуда...

Если тебя выкидывают в дверь, влезай в окно. Это репортерское правило Джейн Доу не только хорошо знала, но и регулярно следовала ему на практике. И вот, когда «за деятельность, несовместимую со статусом иностранного журналиста» гражданка Доу была лишена аккредитации в стране Советов, и за ней навсегда захлопнулась дверь одной шестой части суши, Джейн поняла, что настало время лезть в окно. Разумеется, не в окно, прорубленное в свое время Петром Великим. Оно давно было прикрыто железными занавесками. Джейн Доу, ведущий репортер «Вашингтон пост», считала, что окно во внешнюю политику СССР начала 80-х годов находится на Востоке, а точнее, в Афганистане.

Сенсация – это не собака, укусившая человека, а наоборот – человек, укусивший собаку. Это было второе правило американских репортеров, позвавшее ее в дальнюю зарубежную командировку. Бородатые мужики в халатах с берданками, воюющие за свободу своих камней и песков от агрессора, — это не сенсация. А вот цивилизованный япошка, мастер рукопашного боя, оставивший теплый, автоматизированный санузел, чтобы проверить свой «корень характера» на чужой войне, и ставший «учителем» для моджахедов и «ночным призраком смерти» для советских военнослужащих – это сенсация, да еще какая!

Для Джейн собраться в такую командировку – только подпоясаться, как говорят русские. Подпоясаться каратистским черным поясом... Но ей ли было не знать цену черному поясу в США? Пусть холеные бизнесмены и модные барышни думают, что их черные пояса что-то значат за пределами их спортивного зала, где вежливый и улыбчивый инструктор все сделает во избежание случайной царапины и присвоит вам любую степень за безвредную для здоровья – своего и потенциальных агрессоров – гимнастику и так нужные для его здоровья доллары. Элвис Пресли, обладатель заоблачного седьмого дана по каратэ, очень удивился, когда впервые в жизни попытался применить свое «блестящее каратэ» на практике. Король рок-н-ролла решил помочь охране выкинуть со сцены нескольких пьяных поклонников. Наверное, это было очень смешно! Элвис шипит, прыгает, как козел, делает смертоносные выпады, но никто не только не падает, но даже его не боится!

Поэтому Джейн, профессия которой все-таки была связана с реальной жизнью, больше надеялась на свой баскетбольный рост, накачанные мышцы, чем на собственный черный пояс американского каратэ, которое, как ей по секрету сказал ее инструктор, было на самом деле — не японское каратэ, а корейское тенг-су-до. Но в газете «Вашингтон пост» даже белого пояса ни у кого не было. И кому, как не ей, было написать об этом японо-афганском ниндзя?..

Она вышла на след японца еще в Пакистане. В одном из тренировочных лагерей на границе с Афганистаном она увидела первых учеников таинственного самурая. На открытой площадке несколько худощавых афганцев самоотреченно выполняли необычные упражнения. Одни из них наносили рубящие удары деревянными палками, другие — подставляясь под удар, в последний момент уходили в сторону. Палки свистели все резче. Вот молодой парень схватился за плечо. Еще несколько ударов, и бородатый афганец отошел в сторону с рассеченной кожей на лбу...

— Учитель уже неделю назад ушел через границу. Он никому не говорит, когда уйдет и когда вернется. Там, в горах, у него много учеников и врагов. — Вот и все, что могла разобрать Джейн в чудовищном английском одного из воинов ислама.

Со случайными проводниками и попутными караванами Джейн кочевала по афганским перевалам от одного лагеря к другому, два раза попав под огонь советских вертолетов. Но больше ее донимал песок, который был везде. Не только на огромных равнинах и в проносящихся воздушных потоках, но и в ее волосах, на зубах, в глазах, даже, как ей казалось, в суставах. Найти маленького японца среди бесконечных степей, горных вершин, покрытых снежными колпаками, было нереально. Она уже смирилась с тем, что придется делать материал по рассказам третьих лиц, так и не увидев своими глазами главного героя, и решила взять при случае интервью у знаменитого полевого командира Ахмад-шаха Масуда, в горном лагере которого она решила закончить поиски.

Караван, с которым следовала Джейн Доу, состоял из трех груженых лошадей, двух ишаков и нескольких пуштунов. В последний переход они вышли еще затемно. Маленькую группу бредущих куда-то людей и животных окружили символы вечности. Огромное звездное небо, камни, пески и темные силуэты хребтов Гиндукуша.

На рассвете они вышли на площадку в окружении гор, густо поросшую травой и какими-то желтыми цветами. Альпийская лужайка. Как странно, думала Джейн, что любую горную лужайку называют альпийской. Надо будет покопаться в литературе: откуда это пошло?..

Лагерь Ахмад-шаха Масуда располагался в тесном ущелье, по дну которого серебристой змейкой бежала речка, служившая моджахедам дорогой в долину. За последним пикетом, появившимся, как из-под земли, речка делала поворот, и проводник повел караван вверх по еле заметной тропинке. Обогнув скалу, похожую на огромный обломанный зуб, Джейн со спутниками вышли на ровную площадку, стиснутую серыми скалами. В скалистой стене Джейн увидела два темных входа в пещеры. Вверх поднимался дрожащий воздух от бездымных костров. Два десятка бородатых мужчин сидели и лежали вокруг них. Большая серо-желтая собака местной породы лениво выбежала навстречу каравану.

— Джейн! — выстрел прозвучал бы для нее менее неожиданно в этой дикой стране, чем ее имя.

Один из моджахедов, с такой же, как у остальных, бородой, в пыльном, пропахшем костром халате поднялся ей навстречу.

— Не узнаешь своего жениха?

— Мой бог! Макс! Неужели это ты?

— Тихо, Джейн... Не висни на мне! Не забывай, что мы в мусульманской стране...

— Откуда ты здесь? Я глазам своим не верю!..

— Откуда? Из Совдепии, конечно... Прямо, как в индийском кино. Зита и Гита! Любовь без границ и железных занавесов.

— Как тут не поверить, что это — судьба...

— Вот-вот, и я о том же... Но какие песчаные бури тебя сюда занесли?

– Ты разве забыл, что я репортер? Вся моя жизнь – это погоня за сенсацией.

– Какая же сенсация тебя сюда привела? Неужели моя скромная персона?

– Нет, меня интересует один японец, мастер по рукопашному бою, который обучает афганских повстанцев и сам принимает участие в диверсионных вылазках.

– Учитель Танори? Он сейчас отдыхает после ночного рейда...

– Так он здесь?! Вот это удача! Я мотаюсь по лагерям, в песке, в дерьме, в меня летят советские реактивные снаряды... И когда уже потеряла всякую надежду... Нет, мне определенно сопутствует удача!

– А как же я, Джейн? Разве встретить меня – это меньшая удача для тебя? – Назаров скорчил обиженную физиономию.

– Макс, не обижайся...

– Прошу называть меня Максум!

– Ну-ну, не дуйся! Конечно, ты – моя самая большая удача!

– То-то...

Ростом Танори Минору был Джейн по грудь. Коренастая фигура в черном, покатые плечи, узловатые руки. Черные усы и брови на загорелом обветренном лице. И очень быстрый взгляд...

– Мистер Танори, что вас привело в Афганистан?

– Мысль о жизни и смерти.

– Вы хотели помочь афганскому народу в его освободительной борьбе?

– Я хотел избавиться от мысли о жизни и смерти.

Джейн поняла, что пора применять ее каратэ, то есть свои познания в этой области.

– Мистер Танори, я, конечно, не могу считать себя большим специалистом в боевых искусствах, но я четыре года занималась каратэ...

– Настоящее каратэ – это один удар наповал. Кто в современном мире готов превратить свою руку в стальной слиток? Поэтому современное каратэ – это танцы.

– А какую школу вы практикуете?

– Я – второй патриарх школы Сидо-рю дзю-дзюцу.

– В чем особенности вашей школы?

– В простоте и естественности. Весь секрет ее в четверостишье, которое сочинил великий фехтовальщик Камидзуми Исэ-но Ками перед смертельным поединком:

Мгновенье под обрушивающимся клинком
Подобно аду.
Но сделай шаг вперед,
И обретешь рай.

Интервью продолжалось уже около часа, но, кроме слов о жизни и смерти, о шаге вперед, и нескольких имен древних японских стариков, Джейн от своего собеседника так ничего и не добилась. На все просьбы рассказать о его ночных вылазках, следовал лаконичный ответ, что он просто выходит по ту сторону жизни и смерти, а потом возвращается. А эффектное начало очерка было уже почти готово. Солдат Петров, завоеватель, незваный гость хуже татарина, стоит на посту. Думает о непобедимости советской военной машины. И вдруг, черная тень... Оставалось последнее средство. Влезть в шкуру этого рядового Петрова.

– Учитель Танори, позвольте мне тоже сделать этот шаг вперед и попросить вас продемонстрировать свое искусство на практике.

Японец был до того мал ростом, что для эффектного удара ему в голову не требовалась хорошая растяжка. А Джейн как раз обладала почти балетной гибкостью тазобедренных суставов. Поэтому она решила немного пофехтовать ногами перед черными усами маленького японца. Видел ли он такую технику у афганских моджахедов и советских солдат? К примеру, показать ему мае-гери, а ударить этой же ногой маваши...

Черная тень оказалась быстрее ее мысли. Она почувствовала даже не удар, а легкий толчок в грудную клетку, от которого перехватило дыхание. Потом, словно клещи сжали шею и рванули вниз. Ее нос и губы расплющились о каменную грудь Танори. Подчиняясь собственной боли, Джейн упала на колени, и почувствовала, как клещи перехватывают ее шею по-другому, и ей становится невозможно дышать. А потом черная тень выросла до размеров черной ночи...

Когда она открыла глаза, то поняла, что лежит на земле у костра. Над ней склонилось загорелое бородатое, но все равно знакомое, лицо Максима Назарова.

— Очухалась? Ну и молоток! Забыл тебя предупредить, что учитель Танори очень не любит журналистов. А ты еще набралась нахальства приглашать его на поединок! Слушай, Джейн, давай пошлем подальше этих афганцев, русских, японцев и махнем в Соединенные Штаты! Короче, предлагаю тебе руку и сердце!..

— ...Ни на каких военных сборах Назаров не был.— Нил, хотя и тогда еще понял, что Лео Лопс ему врет, слушал Эда Мараховски с большим интересом. — Его забрали на обыкновенную срочную службу, обыкновенным лейтенантом. И через полгода он попал в военный контингент советских войск в Афганистане. Это было время самых больших потерь советской армии. Назаров по отцу был таджиком...

— Вот откуда это восточное в его чертах... — Нил вспомнил красивое лицо с тонкими усиками и...якорек на руке.

— Он сговорился с двумя своими земляками-сослуживцами, и когда у командиров была очередная русская пьянка, выкрал секретные штабные документы и перешел на сторону моджахедов. Кажется, принял ислам. А потом всплыл в отряде Ахмад-шаха Масуда, был его переводчиком, пользовался доверием у афганцев. И вдруг в отряде появилась Джейн Доу, как всегда, в погоне за чем-то жареным. Они оперативно, можно сказать, в полевых условиях заключили брак, и пробивная Джейн, используя какие-то свои каналы, вытащила молодожена в Америку.

— Макс выбрал себе не самый прямой маршрут в Штаты...

– Но он достаточно ловко использовал свою одиссею. На афганской волне под именем «полковника Максума» он читает лекции, участвует в сборе пожертвований в помощь борцам за независимость Афганистана против советской оккупации. В конце концов даже написал книжку «Горячие камни Афганистана»...

– У Гайдара название сдул, – Нил посмотрел на красный огонек своей сигареты.

– У Егора Гайдара?

– Нет, у его дедушки. Кто разобьет горячий камень, тот начнет жизнь сначала, – проговорил Нил задумчиво.

Сколько раз Назаров – полковник Максум – Лео Лопс начинал жизнь сначала!

– А книгу ему не Джейн ли написала?

– Вполне возможно. Книга эта наделала много шума, но не того, на который рассчитывал Назаров. В прессе появился ряд разоблачительных публикаций, афганцы обвинили его в самозванстве. Много камней попало на его овощные плантации! Но у него был сильный покровитель – сенатор Смит...

– Сенатор-ястреб от «Дженерал Дайнэмикс»...

– Да... и его помощник Фэрфакс.

– Фэрфакс – террорист Денкташ – афганские моджахеды... Интересные получаются цепочки! И, надо полагать, Джейн взорвалась в собственном автомобиле как раз в самый разгар скандала вокруг книги «полковника Максума». Или Назаров мне и в этом соврал?

– Нет, так и было... Темная история, – Эд почесал свою розовую голову. – Они куда-то собирались ехать, но Макс вернулся за зонтиком и сигаретами и остался жив... Было подозрение, что взрыв устроил сам муж, прошедший хорошую диверсионную школу в лагерях моджахедов, чтобы получить крупную страховку. Но прямых доказательств не было, а сенатор Смит прикрыл его версией о мести КГБ предателю и смелой антисоветски настроенной журналистке.

– Вот откуда у Макса собственная недвижимость...

– Лео Лопс опять начал жизнь снова и с большой выгодой для себя. Правда, за несколько лет спустил весь свой капитал, и когда ты его встретил, он состоял на побегушках у Смита и Фэрфакса, выполняя деликатные поручения, по части девочек и наркотиков. Нил, как у поэта Есенина? «Мой удел катиться дальше вниз...»

Странная жизнь Назарова, полная какого-то вечного движения снаружи и совершенно пустая внутри, промелькнула перед ним. Веселая и бесшабашная, когда он еще звался Максим, и циничная, жестокая – Максума и Лео Лопса. Эх, амиго, амиго... Мирный советский авантюризм, вырвавшийся на оперативный международный простор...

– Эй, Нил! Что ты загрустил? – Эд хлопнул его по плечу. – Забыл русскую песню «Брось ты хмуриться сурово...»?

Он хмурится сурово... Сурово... Асуров.

С чего это вдруг ему вспомнился Асуров?

А ведь не с пустого вспомнился!

Через час, когда Нил, собиравшийся покинуть гостеприимных фэбээровцев с утра, одолжил у Эда Мараховски машину и немедленно выехал в аэропорт, после долгого перерыва подал голосок его мобильный «Эриксон».

– Да?

– Мсье Паренсеф, вас беспокоят из парижской префектуры. Мы пытались связаться с вами ранее, но ваш номер не отвечал...

– Что вам угодно?

Интонация Нила была не слишком любезной. Утомили его внутренние органы...

– Соединяю с комиссаром Буланже.

И тут же в трубке зазвучал другой голос, напомнивший Нилу грибоедовское «хрипун, удавленник, фагот»:

– Мсье Паренсеф, по обвинению в вымогательстве нами арестован некто Константин Асуров...

Глава седьмая

MON PAPA, MON PAPA...

(июнь 1995, Париж)

Все-таки, правильно говорил классик — не читайте за едой советских газет. И оттого, что эти газеты уже четыре года как именуются российскими, суть не меняется...

Константин Сергеевич Асуров брезгливо отбросил недельной давности «КоммерсантЪ» и попытался сосредоточиться на еде, но в кофе моментально проявилась мерзкая маслянистая пережаренность, и намек на тухлятинку явственно услышался в вареном яйце, и рокфор завонял уже не благородной плесенью, а немытыми с месяц ногами, и апельсиновый сок посулил жестокую изжогу. Асуров с отвращением отодвинул серебряный поднос и жадно, хоть и без всякого удовольствия, закурил натощак.

Прессу он читал наметанным, чекистским глазом, наряду с общедоступной извлекая из газетной строки информацию для служебного пользования. Точнее, теперь уже скорее для личного. И почти всякий раз чтение подтачивало его и без того хрупкую уверенность в правильности когда-то сделанного выбора...

А началось все в тот приснопамятный день, когда его, Асурова, самый перспективный, хотя и весьма непростой в обращении сексот, гражданин, он же мсье, Нил Баренцев навернулся на гладком паркете Георгиевского зала в момент вручения высокой правительственной награды. Баренцев тогда сильно ударился головой, и награда нашла героя лишь два дня спустя, в отдельной палате Центральной клинической больницы, где его несколько раз навестил Асуров. Нил вскоре выписался с паспортом на имя Филиппа Корбо, снабженном отметкой о продлении советской визы, и билетом на самолет до Парижа. А к заботливо собранному багажу прилагался небольшой такой саквояжик, под завязку набитый иконами ушаковской школы.

Впрочем, на таможне туда даже не заглянули, только небрежно бросили в ящик декларацию, из которой следовало, что из страны вывозятся изделия кустарного промысла, не представляющие, согласно имеющимся справкам, никакой художественной ценности. Содержимое саквояжа, равно как и контейнера, прибывшего через неделю на Северный вокзал, положило начало коллекции небольшого антикварного салона, открытого Нилом на Ришелье-Друат, напротив библиотеки. Потом он еще несколько раз наведывался на родину, но значительно чаще к нему самому приходили мрачные личности с посылочками из Москвы. На волне «la perestroika» русские иконы, как и русский авангард, шли нарасхват, но львиную долю доходов раз в месяц забирал и уносил с собой некий развязный господин, отзывавшийся на имя Гектор и упорно делавший вид, что ни слова не понимает по-русски.

В начале девяносто первого вместо Гектора явился улыбающийся Асуров. Улыбаться, казалось, были все резоны: по протекции всесильного генерала Мамедова он сумел-таки выхлопотать себе местечко за бугром, причем не где-нибудь, а в горячо любимом еще со времени гастролей Кировского Париже. «Дезертируешь, подполковник? Как крыса с корабля? – сурово осведомился Мамедов, но тут же смягчился: – Может, и правильно. Что тут ловить? Бардак, бедлам, а скоро такая буза начнется, что ой! С другой стороны, в мутной водице... Нет, не боец ты, Сергеич, не боец».

Как в воду глядел Рашид Закирович – не боец оказался Костя Асуров. Нагуляв к исходу лета ласкового французского жирку и утратив голодный гончий нюх, не разобрался в жаркой, наблюдаемой из безопасного далека, круговерти московского августа и в первый же день пресловутого путча прискакал в полицейское управление с прошением о политическом убежище в зубах. Французы, перепуганные августовскими событиями еще больше Асурова, по запарке моментально просимое убежище предоставили. Разумеется, он тут же лишился и теплого местечка в парижском представительстве Аэрофлота, и уютной, оплачиваемой из закромов Родины квартирки. Взамен ему выдали зубную щетку, стерильно запечатанную в пластик, полотенце с Пер-Ноэлем – здешним Дедом Морозом, талоны на бесплатное питание и койкоместо в эмигрантской общаге, расположенной в самом непрезентабельном уголке Нантерра. Полгода безработный и почти безъязыкий Костя делил комнатушку с двумя неграми из Сьерра-Леоне и камбоджийцем. И каждую неделю, как на работу, пешком тащился на Ришелье-Друат в тщетной надежде встретить там Нила. «Патрон в отъезде, – брезгливо, сквозь зубы, цедил охранник, здоровенным своим телом перекрывая вход в салон. – Звоните, мсье...»

И Асуров звонил, выкраивая на карточку «Франс Телеком» последние сбереженные франки – пособие выдавалось исключительно талонами на еду и лежалой мануфактурой. Однако, в салоне с ним не разговаривали, заслышав его спотыкливую речь, незамедлительно бросали трубку, оба домашних номера Нила не отвечали.

«Хамы! – бурчал себе под нос Асуров, шлепая Елисейскими Полями под секущим зимним дождичком. – Жабоеды!»

А проходя мимо серого здания Аэрофлота, неизменно показывал кукиш гипсовому рельефу Ленина, оставшемуся от той страны, которая коварно обманула его, исчезнув столь внезапно.

Дразнился Асуров, впрочем, с противоположной стороны проспекта, от недавно отстроенного «Макдональдса». От советских, ныне российских учреждений, равно как и от персон, с оными учреждениями связанных, он старался держаться подальше – все же, как ни крути, перебежчик, изменник Родины. И хотя зыбкая новая власть проявляла в этом вопросе не просто либерализм, а либерализм гнилой, и даже поднимала на щит откровенных, матерых предателей вроде Калугина или Гордиевского, Константин Сергеевич не обольщался: все это только до поры, до соответствующего указания.

В марте он получил место смотрителя общественного туалета и, по русскому обычаю подмазав с первой получки коменданта, обзавелся, наконец, отдельной конурой с видом на помойку. Конечно, в своем роде это был большой успех, но перспектива мерить всю оставшуюся жизнь такими вот успехами Асурова не вдохновляла. Пришла пора что-то предпринять. Для начала была, как учили, нарисована схема – замысловатая, с множеством кружочков и стрелочек.

Следующий этап состоял в пошаговом анализе схемы и составлении дерева вариантов, из этого анализа вытекающих.

Вариантов получилось несколько, каждый имел свои плюсы и минусы, но беспроигрышного среди них не было. Асуров вздохнул и решил работать по всем одновременно – а дальше, как карта ляжет.

Для начала набросал несколько документов:

1. Покаянное письмо на имя российского посла с признанием прошлых ошибок и заблуждений и слезной просьбой восстановить права гражданства и помочь вернуться на Родину.

2. Покаянное письмо на имя начальника Управления охраны территорий с признанием истинного своего статуса и перечнем всех известных ему, полковнику КГБ Асурову (для пущей солидности Костя накинул себе звездочку), «кротов», нелегалов и агентов влияния Москвы, действующих на территории Франции.

3. Болванку циркулярного обращения, адресованного самим «кротам», нелегалам и агентам влияния и содержащего незамысловатое требование – энную сумму денег в обмен на молчание касательно их тайной

деятельности во вред Французской Республике. В списке адресатов на почетном третьем месте стоял Нил Баренцев.

4. Проект циркулярного же обращения к криминальным структурам, как местным, так и российским, с предложением «бомбить» по его наколкам как лиц, упомянутых в п.п. 3 и 4, так и состоятельных россиян, прибывающих на жительство в веселый город Париж.

5. Наконец, черновик письма в парижские туристические агентства с предложением собственной кандидатуры на должность русскоязычного секретаря и/или гида-экскурсовода. Этот вариант был по сути капитулянтским, но, на худой конец, устраивал Асурова возможностью вступить в контакт с доверчивыми туристами, с тем, чтобы при первом же удобном случае лохануть их на приличную сумму.

Распихав недописанные бумаги по карманам, Константин Сергеевич отправился на службу, рассчитывая еще поработать над ними в клозетном своем закутке под умиротворяющее журчание струй.

Не случилось.

Едва он облачился в фирменный халат и протиснулся на рабочее место между сверкающим кассовым аппаратом и шкафчиком с моющими средствами и запасными рулонами туалетной бумаги, как в стеклянную дверь вплыла сдобная восточная красавица с выщипанными бровями, сходившимися к тонкой переносице.

— Бонжур, — проворковала она, очаровательно оскалив белоснежные зубки.

— Дё франк, — привычно пробубнил равнодушный к ее чарам Асуров и для наглядности ткнул в прейскурант.

Красавица, нетерпеливо перетоптываясь, крикнула себе за спину:

— Суслик, кинь мой ридикюль, здесь геморрой два франка требует!

Русская, хоть и с акцентом, речь уже встрепенула Асурова, но когда в дверном проеме показался «суслик» с замшевой дамской сумочкой в руке, он вообще чуть в обморок не упал. На него смотрел давно и безнадежно разыскиваемый Нил Баренцев.

Смотрел и не узнавал. На оцинкованный лоток легла пятидесятифранковая бумажка.

— Gardez la monnaie[1], — надменно бросил Нил и повернулся к спутнице. — Я, пожалуй, тоже воспользуюсь.

Асуров сделал приглашающий жест и спрятал денежку в карман. Забурел командор, однако — сорит деньгами даже в таких местах, где ни одному французу этого бы и в голову не пришло. Или перед шемаханской царицей выделывается, кавалер?

Кавалер справился первым и принялся с рассеянным видом прохаживаться по кафельному вестибюлю. На Асурова он обращал внимания не больше, чем на сломанный автомат с презервативами.

— С облегчением, Нил Романович, — угодливо произнес Асуров.

— Мерси, любезный... Костя, ты?! Глазам не верю...

Выпорхнувшая в этот момент из кабинки восточная красавица вскрикнула, застигнутая врасплох скандальной, почти непристойной сценой — ее драгоценный Нил, приз и спонсор в одном флаконе, самозабвенно обнимался с лысым склизким сортирщиком.

Ах, извращенец!

Нил повернул к ней улыбающееся лицо.

— Вот, Лола, позволь представить тебе моего старого знакомца и в некотором смысле наставника, Константина Сергеевича. Костя, это Лола, мисс Азербайджан-92 и будущая королева парижского подиума.

Лола сморщила было носик, но уловив, как мимолетно дернулась верхняя губа хозяина, тут же переориентировалась и приветливо протянула Асурову холеную ладошку. Она была девушка неглупая и прекрасно понимала, что от правильного прочтения таких вот мелких нюансов ее благополучная будущность зависит куда больше, чем от всех стараний стилистов-визажистов.

— Очень приятно...

---

[1] Сдачи не надо *(франц.)*.

Асуров приложился губами к белым пальчикам, унизанным разнокалиберными кольцами.

– Польщен-с.

– Надо же, где окопался! – Нил обвел взглядом лишенный изысков санитарно-гигиенический интерьер. – Работа под прикрытием, или юмор такой?

– Какой юмор? Жизнь... – сокрушенно ответил Асуров.

– Ясно. Одевайся.

«А командного голоса так и не выработал, – подумал Асуров. – Да ему это, впрочем, и не надо».

В «Амбассадоре», куда Нил притащил Асурова, благотворительный костюмчик последнего смотрелся не вполне уместно. Да и химическое, псевдо-клубничное амбре туалетного освежителя агрессивно диссонировало со здешними сдержанными ароматами сладкой жизни. Спустя полчаса Константин Сергеевич мог бы компенсировать моральные издержки, наблюдая за тем, как Лола растерянно ковыряется щипчиками и буравчиками в заказанном из дурацких понтов целиковом омаре. Но на тот момент ему уже не было никакого дела до ее затруднений.

– Нил, ты меня извини, конечно, но ты все-таки непроходимый фраер, – растроганно говорил он. – Я же тебя с самого начала просто использовал. Грубо и цинично... Да, не по своей воле, но как было сказано на Нюрнбергском процессе, исполнитель преступного приказа является соучастником преступления...

– Хоть ты Костюшон, и подполковник, а дурак! – Нил щедро плеснул коньяку в бокал Асурова, Лоле капнул на донышко, а себе налил минеральной. – Ты меня использовал. А теперь я использую тебя. И не просто цинично, а с особым цинизмом.

– Извращенно!

Асуров стукнул кулаком по столу. Дрогнули фарфоровые щипчики в ручках Лолы. Высоко взметнулась струя омарового сока.

– Нил! – Лола со всхлипом показала на запятнанную тысячефранковую блузку.

— Не реви, куплю другую... Сейчас держать салон стало бессмысленно. За полгода полмиллиона убытка. Гроши, конечно, но... Самому заниматься этой фигней нет ни времени, ни желания. А ты у нас искусствовед, хоть и в штатском, опять же повелевать умеешь, да и вся цепочка, на которой держался бизнес, тобой выстроена...

— Цепочки больше нет, — плаксиво сказал Асуров. — Нет больше страны, нет Конторы, а я теперь кто? Отрезанный ломоть, жалкий отщепенец...

— Контора бессмертна, — возразил ему Нил, — а наша страна теперь — весь мир... Нет, разумеется, я тебя не принуждаю, если тебе больше нравится твоя теперешняя работа...

— Языков я не знаю...

Асуров перевернул опустевшую бутылку над бокалом, вытряс последние капли.

— В наклейках запутаюсь, — насмешливо продолжил Нил. — Не знаешь — учи! На первое время выделю тебе человечка. Второе поколение грузинской эмиграции. Интеллектом не блещет, но надежный, проверенный. Вместе будете ковать для меня денежку...

С той встречи минуло более трех лет. Давно исчезла в тумане времени Лола, вскоре оставленная Нилом и незамедлительно обретшая утешение в объятиях богатого грека, сам Нил нечасто баловал Асурова своим обществом — два-три раза в год, не чаще. В салон только заглядывал мельком, за коротким, безалкогольным бизнес-ланчем в соседнем ресторанчике невнимательно выслушивал отчеты, подписывал, по мере надобности, одни бумаги, забирал с собой для изучения другие. Держался корректно, но отчужденно.

«Как неродной, — обиженно думал Асуров. — Ишачишь на него ишачишь... У-у, кровосос!»

Да, нехарактерный приступ совестливой благодарности, обуявшей его тогда в «Амбассадоре», метастазов не дал. Наоборот, чем больше крепло благосостояние, и чем дальше во времени оставалась черная дыра, из которой его, можно сказать, за шкирку вытащил Нил

Баренцев, чувства Асурова по отношению к благодетелю все больше сводились к лютой зависти с отчетливо просматриваемым классовым подтекстом. Хотя, справедливости ради надо сказать, что ишачил Константин Сергеевич больше на себя – на всех уровнях, от оценки поступлений до кассы наличности, такой мухлеж наладил, что половину дохода с предприятия клал себе в карман. А если учесть, что со второй половины выплачивалось жалование сотрудникам, всяческие налоги, страховки, аренды и коммунальные платежи, то хозяину оставалась сумма вообще смехотворная. Так, на багет и чашку кофе.

Константин Сергеевич полагал такое положение совершенно справедливым. В конце концов, если бы не он, заведение вообще не вылезало бы из убытков. Разве не он, Асуров, осторожно, через третьих лиц, восстановил контакты с бывшими коллегами из Москвы и заново отладил каналы поступления конфиската? Разве не он вернул потихоньку большинство прежних клиентов? А кто провел два удачных аукциона? А кто придумал систему продаж через Интернет? Да Баренцеву на него молиться надо!

За три года Асуров накрысятничал себе уютную холостяцкую квартирку с видом на Венсанский замок, «рено» последней модели, гардероб от Макьявелли и кучу приятных пустячков – бриллиантовые запонки, золотой портсигар с перламутром, ротанговую трость с серебряным набалдашником. Но хотелось-то больше. Хотелось-то, как у Баренцева! Константин Сергеевич был уже человеком практически европейским, и зависть его была завистью цивилизованной, конструктивной – мечталось не столько опустить ближнего, сколько приподняться самому.

Но как? Через салон? Это вымя и так уже раздоено до предела, выход на качественно иной уровень требует вложения капиталов – а их у самого Асурова нет, Нил, будь он неладен, же ни про что подобное и слышать не желает. Конечно, если отжать заведение под себя, – а технически это не так уж сложно, тем более учитывая наплевательское отношение хозяина, — можно будет и о кредитах подумать. Но Баренцева-то вряд ли устроит такой поворот, съест его бывший подопечный со всеми потрохами. Больно разные у них весовые категории.

Нет, с Баренцевым придется погодить. Пусть резвится. Пока.

На нем свет клином не сошелся...

Асуров придвинул к себе отброшенную газету и уже с другим настроением взялся за столь огорчившую его заметку. Точнее, интервью. На вопросы специального корреспондента «Ъ» отвечал председатель совета директоров акционерного общества «Татнефтепродукт», экономический советник президента Татарстана Рашид Мамедов. Фотография под заголовком отсутствовала, но Асуров без труда представил себе физиономию бывшего начальника с поправками, внесенными временем и экономическим положением. Наверное, потому и фото не опубликовали, что и прежде-то нехуденькое генеральское мурло в объектив не влезло! Не беда, раздобыть фотку публичного лица — проблема невеликая.

Пробежав взглядом несколько строчек, вчитываться дальше Константин Сергеевич не стал. Все та же пафосная мура, только теперь не про единство партии и народа, а про рыночные преобразования и демократические институты. Необходимость перестроить мышление в соответствии с новыми экономическими реалиями.

Ничего, братец, скоро тебе мышление перестроят. Будут тебе экономические реалии!

Асуров аккуратно обвел заметку красным фломастером и сложил газету в портфель. Дома, вдали от посторонних глаз, корреспонденция будет вырезана и подклеена в специальную папочку и отправлена в хитрый сейф к другим папочкам, содержащим материалы на лиц, так или иначе соприкасавшихся с Асуровым. Фигуранты, осведомители, коллеги, случайные знакомые. Объединяло их одно: все они преуспели в жизни больше, чем он, Константин Сергеевич Асуров. Выросши на соседних кочках единого для всех советского болота, они теперь имели все – деньги и влияние, власть и славу, тогда как он не имел ничего. Ну, почти...

Но несправедливость будет исправлена!

На этой пассионарной ноте размышления Асурова прервал телефонный звонок. Звонили по внутреннему.

Асуров нажал кнопку.

– Ну?..

Кабинет заполнился гортанным голосом Робера Тобагуа, того самого «надежного человечка», что приставил к нему Нил Баренцев

– Батоно Константин... Тут дэвушка...

– И что? Лично ко мне?

– Нэт, но... есть проблэма.

– Наркоманка, оборванка? Гоните в шею!

– Зачем наркоманка? Прилычный дэвушка, только...

– Говори, не томи!

– Мамой интэресуется...

– Так покажи.

– Оригинал спрашивает. Покупать хочет.

– А ценник она видела?

– Видела. Нэ волнует.

– Сейчас спущусь...

«Мамой» Робер называл самый ценный предмет в собрании салона на Ришелье-Друат – диадему, по легенде принадлежавшую когда-то Марии Федоровне, царственной супруге русского императора Александра Третьего, известного каждому парижанину по одноименному мосту.

Легенду эту поведал некий потасканный, более чем скромно одетый шевалье лет пятидесяти, явившийся в салон месяца четыре назад и назвавшийся племянником небезызвестной Анны Андерсон, в конце двадцатых годов выдававшей себя за чудом спасшуюся от большевиков княжну Анастасию. Престарелая Мария Федоровна, давшая самозванке аудиенцию в Копенгагене, внучку свою в ней, разумеется, не признала, но, убедившись, что перед нею не беззастенчивая авантюристка, а психически неуравновешенная жертва навязчивого самообмана, приласкала несчастную и в качестве утешительного приза презентовала ей роскошную диадему. Во всяком случае, так уверял «мушкетер», время от времени артистически закатывая глаза.

Асуров молчал, не столько слушая рассказ, сколько изучая рассказчика. Начищенные до зеркального блеска рваные штиблеты, до боли знакомый аптечный запах «Антиполицая», свежие бритвенные порезы по краям асимметричной эспаньолки – картина вырисовывалась предельно ясная. Константин Сергеевич изготовился уже попросить незваного гостя выйти вон, когда тот с истинно французскими ужимками извлек из внутреннего кармана плохонького плаща надушенный батистовый платочек, а из платочка – вещицу, заставившую зажмуриться даже видавшего виды Асурова.

Диадема представляла собой вычурное плетение золотых ветвей, в центре которого выделялся крест из крупных сапфиров, обрамленный мелкими бриллиантами, а по сторонам от креста разбегались волнистые узоры из рубина и топаза. Подлинность изделия в ювелирном смысле сомнений не вызывала – в отличие от прилагающейся истории. Яркая, вызывающая роскошь диадемы была почти варварской, почти вульгарной, и едва ли императрица Мария с ее безупречным вкусом могла... С другой стороны, если то был дипломатический дар посланцев страны, далекой от культурной Европы? Впрочем, маловероятно – в двух местах отчетливо, без лупы, видны были клейма Винклера, прославленного московского ювелира. Стало быть, подношение от благодарных подданных, скорее всего, купеческого звания. С должным респектом принятое, но не слишком дорогое августейшему сердцу. Потому-то, возможно, государыня с такой легкостью и рассталась с предметом, очевидно ценным. Даже очень ценным. Нулей на шесть.

Пока специально приглашенный ювелир-оценщик определял, какая именно цифра должна стоять впереди нулей, Робер через своих дружков-полицейских оперативно выяснял, нет ли на этой приметной вещице какого-либо криминала, не числится ли в розыске, не подлежит ли реституции. Получив обнадеживающе отрицательные ответы на все вопросы, Асуров подмигнул томящемуся в длительном ожидании «мушкетеру» и назвал астрономическую сумму в сто тысяч франков.

«Мушкетер» картинно воздел руки к небу.

– Сто тысяч?! Сто тысяч чертей, мсье! Я полагал, что имею дело с серьезным негоциантом...

– О, простите, граф... – Асуров с удовлетворением заметил, как при слове «граф» у собеседника взметнулась бровь и мгновенно выправилась осанка. – Неужели я действительно сказал – сто тысяч? Я еще не настолько овладел французским, и особенно путаюсь в числительных. Четыреста! Конечно же, я имел в виду четыреста!

«Мушкетер» аж затряс кудлатой головой.

– Четыреста? Четыреста тысяч франков?

– О да, мсье. Будьте любезны, продиктуйте название банка и номер вашей карточки. И мы незамедлительно переведем деньги...

– Карточка, э-э... – «Мушкетер» резко скис. – Я предпочел бы наличными. Бюрократия, понимаете ли... Проволочки... Да и налоги, вы понимаете?

Теперь настал черед гордо выпрямиться Асурову.

– Мсье, вы хотите, чтобы мы помогли вам уклониться от налогов и тем самым стали соучастниками преступления?

На мушкетера было жалко смотреть.

– Нет, нет, мсье, уверяю вас, ничего такого... Временные затруднения с банком, вы понимаете?

– Понимаю, – отрезал Асуров, уже победителем. – Вы пишете расписку о передаче данного произведения ювелирного искусства в безвозмездный дар художественному салону «Apollon Russe»[1]. И получаете триста тысяч франков наличными. Но через два дня. Такую сумму нам придется заказывать в банке, а завтра там с клиентами не работают.

– Два дня? Но... но у меня через три часа самолет...

[1] Русский Аполлон *(франц.)*.

— Ничем не могу помочь.

Он аккуратно завернул диадему в платок и пододвинул к посетителю.

Тот отодвинул обратно.

— Войдите в положение, мсье... Больная мама-старушка... Голодные дети...

По бегающим глазкам «мушкетера» Асуров понял, что клиент созрел, и цену можно сбросить много ниже пристойного минимума.

— Ой, ну что с вами делать... Робер, посмотрите, сколько у нас на кассе? Шестьдесят шесть тысяч плюс мелочь. Давайте сюда. — Асуров извлек пухлый бумажник, отсчитал три пятисотки. — А это от меня лично. На еду детям и лекарство для мамы.

— О, мсье, благодарю, благодарю вас...

«Мушкетер», пятясь, вышел из салона. Когда за ним закрылась дверь, Робер и молча наблюдавший за происходящим старичок-оценщик дружно зааплодировали.

— Браво, мсье Асюроф, вы настоящая акула! — сказал оценщик на прощание. — Не обидитесь, если счет я выставлю вдвое больше оговоренной суммы?

— Да хоть втрое, — благодушно сказал Асуров.

Диадема была оценена от полутора до двух миллионов франков.

Спустя три дня Робер молча положил Асурову на стол свежий номер «Пари-Суар» и отдельную страничку из какого-то желтого городского таблоида. Статья в «Пари-Суар» называлась «Смерть от графа Полиньяка», и сообщалось в ней о том, что в пустующем, предназначенном к сносу доме на краю исторического квартала Марэ обнаружен труп мужчины средних лет. Согласно найденному при нем десятилетней давности членскому билету Каркассонского общества ревнителей старины покойного звали Жюль Новак-Андерсон. Смерть наступила вследствие остановки дыхания, вызванной неумеренным употреблением алкоголя, причем на удивление приличного — рядом с трупом было обнаружено четыре пустых и одна нетронутая бутылка дорогого коньяка «Граф Полиньяк». Таблоид был более прямолинеен в формулировках: «Эстетствующий клошар захлебнулся собственной блевотиной!» К заметке прилагалась фотография мертвого бродяги в окружении фигурных бутылок. В опухшей пятнистой физиономии не сразу, но однозначно угадывался давешний «мушкетер».

Осторожный Асуров не сразу выставил ценное приобретение на продажу. Еще несколько недель Робер изучал сводки Интерпола, сам Асуров зарылся в копиях архивной описи ценностей Марии Федоровны, полученных из Дании. Ни там, ни там никаких упоминаний о винклеровской диадеме не было. То ли Новак-Андерсон действительно продал им сладкий остаток тетушкиного наследства, то ли отрыл в заброшенном доме тайничок с сокровищем — так и осталось неизвестным.

Наконец, убедившись в отсутствии у своего приобретения криминального прошлого, Асуров вывесил фотографии ценного экспоната на своем сайте и по всем правилам организовал презентацию с легким, но изысканным фуршетом. Явились коллеги-галерейщики, оплаченные журналисты и десяток зевак с улицы. Жрали, пили, квохтали возле колпака из бронированного стекла, под которым на красивом ложе синего бархата покоилось русское чудо, разбирали красивые буклеты, с подчеркнутой небрежностью уточняли цену. Как, всего два миллиона шестьсот тысяч франков за такое бесценное великолепие? О, мсье Асюроф явно продешевил... Однако, воспользоваться благоприятным моментом никто не спешил, и, когда гости удалились, диадема императрицы-мамы перекочевала в сейф управляющего, а ее место под колпаком заняла демонстрационная копия, изготовленная из отборных стразов и латуни высшей пробы.

Любопытствующих было много, потенциальных покупателей — ни одного. Впрочем, рассчитывать на быструю реализацию не приходилось. Подобную покупку могли позволить себе только очень богатые люди, при этом из их числа пришлось исключить серьезных коллекционеров – без документа, подтверждающего принадлежность диадемы дому Романовых, ее музейно-историческая ценность была невысока. А публика такого рода в салоны типа асуровского не захаживает, и никакая реклама в привычном смысле на нее не действует. Оставалось надеяться на то, что на родине называют «сарафанным радио». Жанетта расскажет Жоржетте, та перескажет Ивете, Иветта нашепчет Мариэтте, и так дойдет до Генриэтты и ее пузатого «мотылька» – владельца контрольного пакета в нефтяной компании. Только так...

И вот первая ласточка. Конечно, особо обольщаться не стоит, скорее всего «дэвушка» рассчитывает просто покайфовать, несколько секунд подержав в руках предмет стоимостью в несколько миллионов. Но вдруг?..

Открывая сейф, он лишь с третьей попытки набрал правильный шифр и ключом в дырочку попал не сразу.

Ровное дыхание восстановилось лишь на нижней ступеньке лестницы, ведущей в торговый зал.

– Добрый день, мадемуазель, я управляющий. – Жестом фокусника Асуров извлек из внутреннего кармана футляр черной кожи и распахнул его. – Прошу!

– Ах!

Мадемуазель предалась восторженному созерцанию роскошной диадемы. Робер, на всякий случай, занял позицию непосредственно за спиной посетительницы и не сводил глаз с ее рук, державших сокровище. Асуров же пересказывал легенду покойного «мушкетера» и при этом внимательнейшим образом изучал девушку.

Совсем юна, лет семнадцать, не больше. Из-под нелепого берета с красно-белой кокардой выбиваются темно-каштановые локоны. Легкий темный плащик расстегнут, под ним – глухое мышинно-серое платье. Фасон вполне приютский, но ткань из недешевых, и пошив явно индивидуальный. На изящном запястье платиновый квадрат «Патек-Филипп». Личико почти детское, прямой носик, пухлые губы, густые ресницы, трогательная родинка на правой щечке.

А малышка-то премиленькая!

Асуров нахмурился – про другое надо сейчас думать, про другое!

– Когда-то эта изумительная вещь украшала голову русской императрицы Марии...

– О, бедняжка! – на глазах мадемуазель неожиданно выступили слезы. – Потом ей эту голову отрубил страшный злодей Малюта Распутин, ведь так?

Асуров едва не подавился от клокочущего в груди смеха.

– Не могу точно сказать, мадемуазель...

– Анна. Анна Московиц... Так и было, конечно. У меня по истории высший балл!.. Решено! Я беру!

Чистый, наивный взгляд ее больших, широко расставленных карих глаз не допускал никаких сомнений и колебаний.

– Но, мадемуазель, наш служащий, – Асуров кивком показал на Робера, – должно быть, проинформировал вас относительно цены? Два миллиона шестьсот тысяч франков. На эти деньги можно купить роскошную виллу на Ривьере...

– Наша вилла в Сан-Тропе стоит пять! – гордо сказала мадемуазель. – Через неделю мне исполняется восемнадцать, и папа предложил мне самой выбрать подарок. Я выбрала!

– Поздравляю, Анна, вы сделали идеальный выбор... Теперь, увы, перейдем к земному и прокатимся в банк, ведь вы, я полагаю, не носите миллионы в сумочке.

– Не ношу. И пока не могу сама распоряжаться своим банковским счетом, тем более, папиным. Это ведь подарок от него.

– В таком случае, может быть, позвонить вашему уважаемому батюшке и пригласить...

– Нет, мсье, он на конференции в Нью-Йорке, прилетает только завтра вечером.

– Тогда, вероятно, есть смысл отложить покупку до послезавтра?

Мадемуазель Анна вздохнула и с явным сожалением возвратила футляр с диадемой Асурову.

— Наверное. Только вы никому... — Она подняла голову и в упор посмотрела на Асурова. На мгновение ему показалось, что пол под ним качнулся и поплыл куда-то в сторону. — А давайте сделаем так: послезавтра вы подвезете мою покупку вот по этому адресу. — Она порылась в сумочке, протянула Асурову визитную карточку. — Два часа дня вас устроит? Я предупрежу папу, он вас примет и все уладит. Только пожалуйста, не опаздывайте, он человек очень пунктуальный и ценит пунктуальность в других... Что? Ах, да, наверное, в таких случаях полагается оставлять задаток?

Асуров взглянул на карточку. Виньеточный бордюр, на светло-золотом поле темно-золотые буквы: «Доктор медицины Рене Московиц, Кавалер Почетного Легиона, член Французской Академии, вице-президент Международной Ассоциации Психиатров». И прочее, и прочее, так что внизу едва хватило места на телефоны и адрес. Очень респектабельный адрес, на авеню Гревель голодранцы не селятся.

Анна между тем высыпала на прилавок содержимое своего кошелька. Сто пять франков с мелочью и льготный проездной.

— Это все, что у меня есть при себе... Тогда, может быть, вот это...

Она принялась отстегивать «Патек-Филипп».

Еще раз мельком взглянув на карточку, Асуров сказал:

— Что вы, что вы, милая Анна, зачем? В этом нет никакой необходимости. Не беспокойтесь. Все будет доставлено в назначенное место ровно в назначенный час. Почтем за честь!

— О, мсье, вы так добры!..

Асуров проводил девушку до дверей, на обратном пути достал из кармана футляр, раскрыл, любовно погладил шлифованную поверхность сапфира, подмигнул Роберу.

— Будем надеяться, малышка нашу цацку не подменила.

— Ой, батоно Константин, до инфаркта доведете!

Оба одновременно достали лупы, вгляделись, удовлетворенно хохотнули.

— Я же говорю — прилычный дэвушка.

— А уж богатый! — подхватил Асуров. — Как считаешь — продадим?

— А то!

Асуров посерьезнел, убрал футляр с диадемой.

— Ладно, торгуй тут, а я пойду, кое-что проверю. Береженого бог бережет.

Данные сетевого поиска подтвердили все, сказанное девушкой. Доктор Рене Московиц, 51 год, Эколь Медисин, психологический факультет Сорбонны. Кавалер Почетного Легиона, член Французской Академии, вице-президент Международной Ассоциации Психиатров, вдовец, дочь Анна, 17 лет, частная школа Эдельшулле в Швейцарии. Париж, 20-й округ, авеню Гревель, вилла в Сан-Тропе.

Из интереса Асуров прогулялся и на сайт Эдельшулле. Зеленые горы, аккуратные белые домики, общая фотография выпускного класса, третья слева во втором ряду — Анна Московиц. Увеличение размыло черты девичьего лица, зато четко видны родинка на щеке и красно-белая кокарда на нелепом школьном берете.

Сердце Константина Сергеевича успокоилось.

Из-за углового столика поднялся темнокожий парень в растаманских дредах и яркой рубахе с бахромой, развинченной походочкой приблизился к ней.

— Хэй мэн!

— Хэй мэн!

Они сыграли в ритуальные ладушки и только после этого расцеловались.

— Ну, как оно?.. Я тебе пиццу заказал.

— Как надо... А себе?

— Клево!.. Пивка.

— А у тебя?.. Я бы тоже выпила.

— Сейчас покажу... Еще два пива!

Усатый бармен кивнул и подставил кружку под пивной кран. Хотя обращенная к нему фраза, как и весь разговор, была на американском английском, чтобы понять ее не надо было быть полиглотом. Янки такого типа ничего, кроме пенной бурды, не пьют. Разве что кока-колу.

Пара присела за столик, Анна с удовольствием сняла с себя идиотский берет и тряхнула кудрявой головой.

Парень положил перед ней лист бумаги, разгладил.

— Извини, нарисовал как умею. Разберешься. Это холл, он же — приемная, здесь его кабинет, здесь ванная, вот тут — лестница на второй этаж, в жилые комнаты.

— Линк, я там была и сама все видела. Переходи к главному.

— О'кэй. Значит, вот эта дверь — на кухню. Кухня длинная, тут и тут — кладовые, а выход к служебной калитке — вот тут. Не перепутай.

— Постараюсь. Выход запирается?

— Изнутри, на щеколду и простой замок. Повернешь — откроется. Я проверял.

— Ясно. Калитка?

— С улицы — кодовый замок и электронный ключ. Со двора — одна белая кнопочка, вот здесь, на столбе. Нажимай и выходи.

— От задней двери до калитки?

— Десять шагов по прямой. Промахнуться невозможно...

— Что за улица?

— Нормально. Закоулок. Тихо, ни народу, ни машин. Я прямо напротив калитки встану... Насчет байка я с ребятами договорился. Не «харлей», конечно, «кавасаки».

— Главное — чтобы ехал нормально.

— Вечером доставят — опробуем.

— Заодно маршрут откатаем.

— Слушаюсь, босс...

Тут подали пиво и пиццу, разговор стих.

Доев, Анна стрельнула у Линка сигаретку и с удовольствием затянулась.

— Энни, — трагически прошептал Линк.

Она посмотрела на него с упреком.

– Мы, кажется, договорились. Никакой травки. Потом – расслабляйся сколько влезет, но сейчас...

– Да я не об этом!.. Понимаешь, я... Эта толстозадая Натали... Когда я ее пялил, чувствовал себя таким гадом, таким грешником... Маму вспомнил, они так похожи...

– Вот только нытья твоего мне не хватало! Что ты хочешь? Чтобы я тебя утешила прямо здесь, на столе?

– Я домой хочу...

– Не ной! Мы вообще зачем все это делаем?! Не затем ли, чтобы ты мог спокойно вернуться домой?

Асурову не спалось. Теперь, когда перспектива получения миллионов стала такой близкой и реальной, его терзало чувство острейшего недовольства собой. Он вдруг понял, что с самого начала выстроил всю комбинацию с диадемой неправильно, в корне неправильно. Вся эта шумиха, фотографии в прессе и на сайте, громкая презентация... Идиот! Надо было с самого начала замкнуть все на себя, минуя салон – с «мушкетером» побеседовать в кабинете с глазу на глаз, расплатиться из своих денег, приватно навести необходимые справки, тихой сапой выйти на правильного покупателя. Да, в таком случае все могло бы растянуться на годы, зато можно было бы со спокойной душой забрать бабки, ни с кем не делясь. А теперь... Отодвинуть Баренцева ну никак не получится, разовый приход такой огромной суммы спрятать невозможно, придется играть по-честному, в соответствии с контрактом, хотя и не хочется. Допустим, причитающиеся ему, Асурову, комиссионные по этой сделке, тысяч двести с хвостиком, через хитроумные бухгалтерские проводки можно удвоить. Итого, почти полмиллиона. Уютный домишко в симпатичной провинции, или небольшая яхта, или год не вылезать из лучших ресторанов. Приятно, конечно, но будущего на этом не построишь. Это вам не два шестьсот... Чертов Баренцев! Греет пузо где-нибудь на Багамах или щиплет жирных гусей за карточным столом в Монте-Карло, и даже не в курсе, что другие тут для него надрываются, миллионы ему зарабатывают... Самое обидное, что Нил Романыч, скорей всего, этого даже и не заметит. Что ему два «лимона», когда он теперь их сотнями меряет?! Да и на салон давно уже кладет с прибором... А может, вообще как-нибудь затихарить эту сделку от хозяина? Мол, не было на самом деле никакой диадемы, так, рекламная акция, изготовили красивую побрякушку и распубликовали, для поднятия престижа и привлечения интереса. И копию предъявить, в подтверждение. А покупателю, докторишке этому миллионщику, подсунуть счет с другим номером — не «Русского Аполлона», а лично его, Константина Сергеевича Асурова?

Не пойдет! Не покатит, блин! Слишком много народу видели, нюхали, щупали оригинал — и Робер, верный хозяйский пес, и оценщик, и ювелиры, сработавшие копию, и народ на презентации, наконец, дочурка эта богатенькая — возьмет, да и выйдет в свет в царском украшении. А в свете-то этом самом и Нил Романыч временами вращается...

Короче, лопухнулся ты, подполковник. С другой стороны, еще не вечер...

Асуров перевернулся с боку на бок, посмотрел на светящийся дисплей часов. Действительно, не вечер. Пять утра.

Для поездки к покупателю был заказан черный, сверкающий лимузин с шофером. Чтобы мсье Московиц понял, что имеет дело не с прощелыгами какими-нибудь, а с достойными, состоятельными людьми. Тобагуа управляющий заставил надеть черный смокинг с белоснежной сорочкой, сам же, по долгому размышлению, облачился в «неформальный» серый костюм модного полувоенного кроя, не забыв дополнить галстук булавкой с небольшим, но настоящим бриллиантом.

Дом господина Московица производил впечатление. Даже не дом, а небольшая, утопающая в зелени усадебка, что в городской черте влетело, должно быть, в изрядную копеечку. Ворота раздвинулись сами собой, и сами собой распахнулись стеклянные двери.

– Остаешься на входе, – шепотом скомандовал Асуров, поправил галстук, пригладил три волосинки на плешивом лбу и вошел в дом.

С диванчика в просторном холле поднялась Анна и шагнула навстречу ему.

– Добрый день, мсье, вы точны, благодарю.

Она протянула узкую аристократическую ладошку, и Асуров с удовольствием пожал ее.

По сравнению с первой встречей Анна была совсем другой. Обтягивающий костюм из черной кожи, дымчатые очки-«стрекозы» прикрывающие пол-лица, уверенность в движениях и манерах.

– Отец ждет вас. Я все ему рассказала, он, конечно, хочет взглянуть на диадему. Давайте сделаем так – вы пока побеседуете, а я надену ее и явлюсь вам во всей красе. Папа точно не устоит. Да?

– Да... – проговорил Асуров, откровенно любуясь девушкой.

– Ну так дайте сюда. Надеюсь, вы не забыли ее в своем магазине?

Анна насмешливо улыбнулась.

– Нет, что вы, – залепетал Асуров, – вот она.

Его пальцы на мгновение замешкались, открывая замочки «дипломата», вдруг прошиб пот, и мелькнула несуразная, недостойная мыслишка: хорошо, что Робер дежурит у двери.

Не переставая улыбаться, Анна протянула руку и сомкнула пальчики вокруг заветного футляра.

– Хорошо, – сказала она. – Вам сюда.

Она подошла к двойной белой двери, расположенной прямо напротив входа, постучала. Бархатный мужской голос отозвался:

– Да-да?

– Это Анна. Он пришел.

Дверь распахнулась, на пороге показался невысокий коренастый мужчина с седой бородкой.

Анна отступила на шаг, развела руки в легком полупоклоне.

– Мой папа.

— Очень приятно, мсье, — проворковал доктор Московиц и сделал приглашающий жест. — Прошу...

Асуров шагнул к кабинету. Напоследок, повернув голову, бросил взгляд на Анну. Она ободряюще подмигнула.

Как только мужчины скрылись за дверью, улыбка резко сбежала с ее лица. Быстро, деловито она прошла к другой двери — маленькой и скромной. Распахнула.

Дорогу ей перегородила внушительной комплекции негритянка в белом переднике. Та самая толстозадая кухарка, похожая на мать Линка.

— Мадемуазель, куда вы? Сюда нельзя...

— Доктор велел подать горячий глинтвейн с корицей и яблоком, — не сбавляя шаг, отчеканила Анна.

Тон ее возражений не предусматривал.

Кухарка замерла, раскрыв белозубый рот.

— Поспешите, Натали... — кинула через плечо Анна.

Собственное имя вывело кухарку из ступора. Она кинулась исполнять распоряжение хозяина, переданное через... Через новую секретаршу, что ли? Они так быстро меняются, что не уследишь. Хозяин любит разнообразие...

Анна беспрепятственно преодолела длинную кухню, тамбур, легко справилась с замком, в несколько стремительных шагов пересекла дворик, уже четко видя цель — белую кнопку справа от железной калитки.

Нажала, плавно толкнула калитку, и только оказавшись на улице, запрятала футляр за пазуху куртки.

Возле нее с ревом остановился мотоцикл. Водитель тоже был весь в черной коже, с черным шлемом на голове. Второй шлем болтался на высоком руле.

— Сюда!

Линк убрал руку с педали, Анна сняла шлем, отработанным движением надела на себя, защелкнула застежку, вскочила в седло и крепко обхватила Линка за пояс.

— Ну?! Получилось?

— Да. Газуй!

Мотоцикл вздыбился, резко стартуя, и парочка унеслась в восточном направлении, в сторону Периферик – кольцевой дороги вокруг Парижа.

Там они влились в мощный транспортный поток, на четвертой по счету развязке, не доезжая парка Вилетт, ушли влево, вернувшись таким образом в город.

Разговор у доктора Московица сразу принял какой-то непонятный оборот.

– Располагайтесь, дорогой мой, располагайтесь, будьте как дома...

Доктор гостеприимно показал на кресло напротив внушительного письменного стола. На кожаный диванчик. На кушетку, поставленную в середине светлого, просторного кабинета.

– Спасибо... – Асуров растерянно сглотнул. – То есть, куда именно... располагаться?

– Где вам будет комфортнее...

Асуров выбрал кресло. Доктор кивнул.

– Так, так, хорошо, расслабьтесь, не напрягайтесь. Может быть, рюмочку коньяку?

– Благодарю вас, господин доктор, вы очень любезны...

– Ну что вы, что вы... – Обворожительно улыбаясь, доктор продефилировал к столику с разнокалиберными сосудами. – Что предпочитаете? «Мартель»? «Энесси»? Может быть, «Граф Полиньяк»?

– Нет! – сдавленно вскрикнул Асуров.

Доктор внимательно посмотрел на него и зацокал языком.

– Зачем же так нервничать, дорогой мой, для этого нет решительно никаких оснований. Не желаете коньяк – и не надо...

Московиц уселся напротив Асурова.

Сидел, молчал и улыбался.

Молчал и Асуров, не зная, как все это понимать.

– Итак, мой дорогой мсье... – Доктор прервал паузу за мгновение до того, как она сделалась невыносимой. – Простите, вы не напомните ваше имя?

– Но, господин доктор, какое это имеет отношение?..

– Друзья зовут меня Рене, – прервал Московиц и выжидательно посмотрел на Асурова.

– Константин, – представился, наконец, Асуров. – Константин Асуров.

– Асюров, – почти правильно повторил доктор. – Интересная фамилия... Ах да, Анна мне говорила, вы, кажется, русский?

– Да, – коротко согласился Асуров, не желая вдаваться в биографические подробности. – «Русский Аполлон», антикварно-художественный салон на Ришелье-Друат...

– Надо же, как интересно, мир полон совпадений. Мой дедушка тоже был подданным Российской империи. Не русским, правда, но кое-каким русским словам он меня научил. – Доктор начал декламировать, подчеркивая каждое слово выразительным жестом рук. – Погром. Казаки. Самогон. Жидовска морда. Эбэнамать...

Последнее слово вышло у доктора каким-то идиллически-мечтательным.

Асуров выдавил из себя улыбку.

– У вас явные способности к языкам, господин доктор.

– Рене... Впрочем, как вам будет удобно... Итак, мсье Асюров, расскажите что-нибудь о себе.

– Что – о себе?

От неожиданности получилось почти грубо, но доктор, похоже, неправильной нотки не заметил.

– Все, что посчитаете нужным. Вы ведь, кажется, родились не здесь, а в России. Давно ли приехали? Как вам здесь нравится? Комфортно ли прошел адаптационный период, или вы считаете, что он до сих пор не закончился?

Асуров нервно забарабанил пальцами по столу.

– Доктор, я не понимаю...

– Не надо нервничать, дорогой мой, поверьте, вы пришли к другу, который желает вам только добра... Оказаться в чужой стране, среди чужих людей, с другим языком, другой культурой, другими обычаями –

это само по себе большой стресс. Поверьте, я знаю, о чем говорю. Когда после Сорбонны я прилетел на стажировку в Нью-Йорк, мне очень долго было так тоскливо, так одиноко. Бессонница, безотчетные тревоги, вялость, сменяемая немотивированным возбуждением. Разом пробудились все детские страхи, неврозы. Представляете, полдня я проводил за столом, принимая пациентов, а полдня — на кушетке, сам превращаясь в пациента... Кстати, может быть, приляжете? Поверьте, так будет удобнее. И расслабьте узел на галстуке.

Асуров шумно выдохнул. Все. С него хватит.

— Какой к черту галстук, доктор! Можно подумать, вы не догадываетесь о цели моего визита! Я к вам не лечиться пришел!..

— Конечно, конечно, дорогой мой. Ну, разумеется, не лечиться. Как вы могли такое подумать? Мы просто сидим, беседуем, как два старых друга, делимся своими проблемами.

— Да нет у меня проблем! Никаких проблем! Просто отдайте мне деньги за диадему, которую купила в моем салоне ваша дочь!

— А, так вы говорите — диадему? Моя дочь? В вашем салоне? — Доктор говорил спокойно, медленно, сопровождая слова волнообразными, умиротворяющими движениями рук. — Очень интересно. Продолжайте, мсье Асюров, продолжайте...

— А что продолжать?! Пришла, выбрала, сказала — это ваш ей подарок на восемнадцать лет.

— Восемнадцать? Так-так... Так что, говорите, она выбрала от моего лица? Диадему?

— Именно диадему! Принадлежавшую русской императрице Марии!

— Да-да, понимаю... Русской императрице, конечно, как же иначе... Несомненно, редкой ценности вещь?

— Еще бы! Золото девяносто восьмой пробы! Сапфира девятнадцать карат! Рубины! Топазы! Бриллианты! А работа?! Клейма самого Винклера!

В возбуждении своем Асуров перешел на русский, но доктор по-прежнему кивал, будто понимая каждое слово.

– О да, бесценное произведение! Надеюсь, вы назначили соответствующую цену? Сколько? Миллионов пятьдесят, я полагаю?

Асуров запнулся, поднял голову, встретил ясный, добрый взгляд доктора.

– Нет, не пятьдесят, конечно. Она стоит значительно меньше. Два... три миллиона франков. Но если по-вашему это дорого, мы могли бы обсудить скидку...

Доктор усмехнулся.

– Ну что вы, дорогой мой, какие пустяки. Три так три... Сейчас, извините, я покину вас на минуточку, мне нужно сделать пару звонков. А потом мы незамедлительно прокатимся в банк, и вы получите все сполна. Против наличных ничего не имеете?

Асуров вообще перестал понимать что-либо.

– Не имею... Только...

– Слушаю вас, дорогой мой.

– Неужели вы даже не хотите взглянуть?

– Простите, на что взглянуть?

– На диадему императрицы, естественно.

Доктор выпучил глаза. Похоже, впервые за время их беседы он был не на шутку озадачен.

– Иными словами, вы хотите сказать, что она у вас с собой?

– Да, по просьбе вашей дочери я привез ее сюда. В холле меня встретила ваша дочь, забрала диадему, сказала, что хочет примерить и показаться вам во всей красе... Кстати, что-то ее долго нет, наверное, не может подобрать соответствующий туалет.

– Та-ак... – мрачно протянул Московиц. – Значит, моя дочь. Встретила вас в холле. Такая симпатичная девчушка в черной коже? Зовут Анна?

– Анна, Анна, – подтвердил Асуров. – А что, у вашей дочери другое имя?

– Нет, ее имя – Анна. Только она, извините, две недели назад уехала к тете на каникулы. В Буэнос-Айрес.

– Что! – Асуров вскочил. – Так что же, выходит, та Анна, которая в холле...

— Не моя дочь, — со вздохом подтвердил Московиц. — Более того, до последней минуты я считал, что это ваша дочь. Она появилась здесь несколько дней назад, умолила меня принять ее, поведала горестную историю, что ее отец, русский антиквар, тяжко заболел. На почве культурного шока у бедняги развилась паранойя и бред преследования, якобы кто-то систематически и изощренно ворует у него некие мифические сокровища русской короны, ценность которых измеряется миллиардами. Видели бы вы ее слезы... В общем, я согласился посмотреть отца, то есть вас, назначил время, попросил ее быть поблизости на случай, если потребуется согласие ближайших родственников на госпитализацию... Ах, чертовка, она была так достоверна!

Асуров выслушал рассказ доктора в каком-то ступоре, медленно багровел, часто дышал, сжимал и разжимал кулаки. И только когда доктор замолчал, до него дошел смысл сказанного. И то не весь.

— Так, погодите, выходит...

— Выходит, мсье, нас обоих обвели вокруг пальца.

— А-а-а!!!

Асуров взревел и рванулся из кабинета вон.

В этот момент дверь распахнулась, и в комнату шагнула здоровенная негритянка с подносом в руках.

— Ваш глинт...

Она не договорила — Асуров, как заправский регбист, всем корпусом врезался в нее на бегу. Натали страшно, пронзительно заверещала, но устояла на ногах, только выронила поднос. Ее белоснежный передник, бежевый ковер и светло-серый пиджак Асурова окрасились густым, дымным багрянцем.

Константин Сергеевич даже не заметил этого. Выскочив в холл, безумным взглядом обвел все вокруг, чуть не высадил стеклянную дверь на улицу и не сбил в ног Робера, мирно покуривавшего у цветочной вазы.

— Батоно Константин, что?..

Асуров схватил помощника за шелковые отвороты смокинга, тряхнул с силой.

— Где эта сучка?! Упустил?! Говори, гнида, упустил?!

— Батоно Константин, зачем так говоришь, слушай?! Никто не виходыл, мамой клянусь...

— Да пошли вы все!!! — заорал Асуров и бросился обратно в дом.

Захлопнувшиеся за его спиной стеклянные створки не смогли приглушить его визгливый, как у базарной торговки, крик:

— Аферист! Где ты прячешь сообщницу! Гони деньги или отдай вещь!..

Робер пожал плечами: судя по всему, батоно Константин нарывался на крайне неприятную статью, и пойти соучастником было бы, мягко выражаясь, неумно.

Тобагуа тихо спустился по ступенькам, открыл ворота и вышел на улицу. Помахав рукой шоферу, смиренно дожидавшемуся за рулем лимузина, он открыл заднюю дверцу и плюхнулся на мягкое кожаное сидение.

— Поехали!

— А как же ваш начальник? — не оборачиваясь, поинтересовался шофер.

— Его другие заберут...

— Теперь можно!

Линк высунулся из своего закутка, и увиденное так потрясло его, что он чуть пивом не захлебнулся.

На бельевой веревке, протянутой поперек гаража, висело закрепленное на нескольких отрезках тонкой, прочной лески ослепительное чудо. Сыто лоснилось благородное золото, искрили гранями разноцветные прозрачные каменья.

— Abso-fuckin-lutely fanta-fuckin-stick![1] — выдохнул восхищенно Линк и поднялся, чтобы разглядеть поближе.

— Сам ты «fuckin' stick»! — беззлобно рассмеялась Анна, одетая в мешковатый заляпанный комбинезон. — Э-э, не лапай, уронишь!

[1] Абсолютная, твою мать, фантастика! (*англ., жарг.*)

Бетонный пол под тем местом, где висела диадема, был накрыт клеенкой, поверх клеенки лежали в два слоя старые газеты, рядом стояли два аэрозольных баллончика.

– Ну, насмотрелся? – Анна достала черный респиратор, поднесла к лицу, сделала пару пробных вдохов.

– Точь-в-точь Винки, у соседа нашего собачка такая была...

– Гав-гав! Ну, вали, а то покусаю!

– Не хочу! Хочу еще поглядеть!

– Все равно тут сейчас так завоняет, что сам сбежишь. Лучше сгоняй за той парикмахершей. Пока обернетесь – как раз подсохнет и выветрится.

– Так точно, сэр! – с сожалением отозвался Линк.

Анна взяла в руки баллончик.

– Ну, я пошел?

– Да, и прихвати еды побольше. Процедура, говорят, затяжная.

– Правильно говорят... – Линк с гордостью подергал себя за густой пучок косичек.

Оставшись одна, Анна вновь натянула респиратор, примерилась, и выпустила из баллончика тугую серебристую струйку краски. Точнехонько на сверкающее великолепие царской диадемы.

Драгоценность на глазах превращалась в «фенечку».

Длиннолицая брюнетка за стеклом заученно улыбнулась и наманикюренными ноготками притянула к себе просунутый в щелочку паспорт.

– О, Америка! – Она раскрыла паспорт, и лицо ее на мгновение напряглось. Но только на мгновение, и тут же сменилось прежней улыбкой. – Путешествуете? Как вам понравилось во Франции?

Симпатичная смуглая девушка с множеством африканских косичек смущенно улыбнулась в ответ.

– Sorry, I don't speak French[1].

[1] Простите, я не говорю по-французски *(англ.)*.

— I see...[1]

Брюнетка перешла на сносный английский, задала еще несколько пустых вопросов. А глаза ее так и бегали — то на лицо девушки, то вниз и в сторону. Словно с чем-то сверяясь.

Девушка с косичками терпеливо ждала. Наконец, ноготки выщелкнули ее паспорт обратно.

— Счастливого путешествия, мисс. Будем рады видеть вас снова!

— Спасибо.

Поднялся короткий шлагбаум, пропуская девушку в зал, где ее дожидался парень с таким же обилием косичек. Только в отличие от подруги он был не просто смуглым, а вполне чернокожим.

У следующего барьера, таможенного, выстроилась солидная очередь. Девушка что-то тихо сказала парню, он мелко вздрогнул, она потянула его за рукав, и они двинулись к автомату с колой. Взяли по баночке, присели на свободную скамейку, лениво озираясь.

В будке паспортного контроля, через которую только что прошла девушка, было пусто. В другом конце зала у двери с табличкой «Служебное помещение» о чем-то переговаривалась с усатым мужчиной в темно-синей форме та самая брюнетка с лошадиным лицом. Перехватив ее взгляд, девушка с косичками приветливо помахала рукой. Брюнетка отвернулась.

— Начинается, — тихо проговорила девушка в самое ухо спутника.

Вместе с банкой из-под колы парень выкинул в урну еще какой-то предмет синего цвета.

Вся ручная кладь составляла одну замшевую сумочку на ремне, без эксцессов прошедшую проверку на просвет. Парень и девушка дружно сняли с шеи миниатюрные золотые замочки на золотых цепочках, положили на поднос, туда же выгрузили кошельки, ключи, и сами друг за другом без звона миновали металлические воротца. На пути к стеклянному павильону выхода

---

[1] Понятно... *(англ.)*.

на посадку осталось последнее препятствие – тот самый усач в форме, с которым беседовала брюнетка из паспортного контроля.

– Везете ли вы с собой что-либо, подлежащее декларации?

Его английский был безупречен.

– Нет, нам нечего декларировать, – ответила девушка за двоих.

– Ювелирные изделия, драгоценные металлы или камни?

– Только голды. Две штуки. – Девушка предъявила замочки, которые они не успели надеть.

Усач кивнул.

– Инспектор Эрик Бомон. Прошу вас обоих проследовать за мной.

– Это вы так со всеми, или только с черномазыми... – задиристо начал парень, но девушка дернула его за рукав, и он замолк.

– Идем, Линк.

Первое, что они увидели, оказавшись за дверью с надписью «Отдел безопасности», был их багаж. Обе сумки и рюкзачок стояли на длинном столе посреди комнаты, все вещи были вытряхнуты и беспорядочными кучками лежали вокруг. В одной из кучек заканчивал копаться долговязый патлатый субъект, тоже в синей форме.

– Ваше? – лаконично осведомился Бомон.

– Наше, – столь же лаконично ответила девушка, а парень возмутился:

– Хэй, мэн, какого черта?!

– Спокойно, мистер Соломон, – ответил ему Бомон. – Мы всего лишь делаем свою работу. При благополучном развитии событий вы еще успеете на самолет. А пока прошу приготовиться к личному досмотру. Господин Нонжар, займитесь молодым человеком.

Долговязый выпрямился, криво оскалился и ткнул парня в спину.

– Пошли!

– А вас, мисс, обслужит офицер Вайсмюллер.

Из-за компьютера поднялась круглолицая курносая толстушка. Утиной походочкой приблизилась к девушке.

– За занавесочку, дорогуша. Не бойся, это не больно.

Куда больше, нежели синяя форма, ей пошел бы фольклорный эльзасский костюм с вышивкой.

Девушка растерянно посмотрела на Бомона.

– Что она говорит? Я не понимаю.

Бомон перевел. Начал с усмешечкой, но встретился с девушкой взглядом – и закончил невразумительным блеянием. Даже ухватился за спинку стула, так его шатало.

Едва молодежь развели по отсекам, в комнату просунулась черноволосая, китайско-вьетнамского вида голова.

– Нашли? – спросил Бомон.

– Да, шеф. Упаковка из-под печенья «Бальзен».

– Пустая?

– Ну… – Вьетнамец-китаец замялся.

– Говорите, Лю.

– Там... Использованный презерватив со следами губной помады. Прикажете отдать на экспертизу, шеф?

– Выбросить к чертовой матери!.. Идите, Лю, вы свободны...

Нонжар и Вайсмюллер закончили одновременно.

– Чисто, шеф.

– Чисто, шеф.

– Пусть одеваются, – распорядился Бомон.

– Что будем делать? – свистящим шепотом спросил Нонжар. – Снимаем с рейса и в управление, для дальнейших разбирательств?

– А смысл? Четыре девчонки за два дня, а финтифлюшки нет, как нет. А тут американка, одними пардонами можем не отделаться. – Бомон подошел к компьютеру, посмотрел на цветное изображение роскошной диадемы, на черно-белый фоторобот, занимающий вторую половину экрана. – Точно тебе говорю, не она это. Косички, кожа смуглая, никакой родинки, а главное –

ни слова по-французски... В общем, приноси официальные извинения, сажай в самолет, а я пойду кофейку выпью. Устал...

Не так уж он и устал, заступив на смену всего полтора часа назад. Просто боялся колдовского взгляда этой юной, загадочно-прекрасной американки с цветочной фамилией и африканскими косичками.

Глава восьмая

ВОТ И БЕДА

(*август 1995, Колорадо*)

«Все счастливые семьи похожи друг на друга...» Ну, и пускай! Какое им до кого дело? Тогда в Питере... Леня, Ник и Ваня... наши ребята, с которыми так хотелось встретиться, собраться всем вместе, просто посидеть, поржать. А когда сидели за столом в ресторане гостиницы, и все вроде сбылось, как мечталось, даже лучше... Но было что-то между ними не то, какая-то трещинка что ли пролегла. А когда расстались, долго прощаясь при этом, говоря о дружбе и обязательной следующей встрече, они с Павлом вдруг испытали облегчение.

По несчастью или к счастью,
Истина проста:
Никогда не возвращайся
В прежние места...

А истина не так проста. Может, как раз и надо возвращаться в покинутые тобой места, чтобы показать вечному нытику в твоей душе, что все прошло для тебя там. Там все другое, давно чужое. Одни руины. Живи здесь и сейчас. Радуйся переменам в твоей жизни, пой новые песни, читай новые книги. Что же еще нужно? У Павла на работе все в полном порядке и в плане денег, и, самое главное, что дело свое он любит и знает. Еще как знает! Когда они встречаются с профессором Вилаи, и, забыв об окружающих, обо всем на свете, с горящими глазами, говорят о своей любимой проблеме сверхпроводимости, испытываешь чувство какого-то умиления. Это когда в школьные годы, да и почему только в школьные, мечтаешь: вот бы встретились Пушкин и Лермонтов. И сказали бы друг другу самое главное, или бы просто постояли рядом... Но это, к сожалению, невозможно.

А разве здесь это было возможно? Один бежит из Венгрии от фашистов, попадает в Америку, становится большим ученым, занимается какими-то научными проблемами, читает статью никому неизвестного Павла Чернова из Советского Союза как раз по сути своих исследований, вдохновляется, работает дальше... Другой вынужден оставить науку, мечется по стране, преследуемый, чудом избежавший гибели, попадает в Штаты... Цепь случайностей. А в результате встречаются два этих человека разные по возрасту, по рождению, по всему разные... И заняты теперь одним общим делом. И понимают друг друга с полуслова. Летают высоко над всеми, но рядом. Может, это и есть та самая сверхпроводимость, которую они ищут?

Что это она? Будто про профессора и Павла думает, а на самом деле про себя и Павла. Это они с Павлом летают рядом, далеко от всех остальных, это между ними эта самая сверхпроводимость. Потому и Леня, Ваня, Ник почувствовали себя лишними. Ведь и сказки на этом месте, обычно, заканчиваются. Жили они долго и счастливо. Вот и сказке конец. Кто уж о тихом семейном счастье будет рассказывать? Кто об этом будет читать?..

— Чему ты улыбаешься?

— Так... Они жили долго и счастливо и умерли в один день...

— И похоронили их рядом на высоком холме. Проплывут пароходы: «Привет супругам Розен!», пролетят самолеты: «Привет супругам Розен!», а пройдут пионеры...

— А пионерам здесь делать нечего. Детям до шестнадцати лет...

Лицо Татьяны склонилось над лицом Павла, распущенные черные волосы закрыли их обоих от мира.

— Мы в шалаше, — прошептала она. — Над нами только далекое звездное небо. А рядом лес, поле ромашек и васильков. Стрекочут кузнечики... Ты слышишь?

— Да... А еще...

— Тсс... Молчи. А внизу у реки пасутся кони. Они пьют звездное небо прямо из речки, а гривы у них такие длинные, что касаются дна...

— ...и ослик.

— Какой ослик?

— Маленький ослик с грустными глазами. Можно, он тоже будет пастись у речки?

— Ты мой маленький ослик. Ослик Паша. My little donkey Paul.

— Пол-ослика? Обижаешь!

— Иди ко мне, Большой Брат...

В это утро пятилетний бутуз Алеша, пришедший в спальню родителей, очень удивился, когда вместо двух мягких горных хребтов, между которыми ехал обычно его игрушечный автопоезд, обнаружил тихо посапывавший остров, окруженный океаном одеяла. Ему пришлось вернуться в детскую, где еще спал младший братец Митя, и искать в игрушках эскадренный миноносец «Сент-Луис». Военный корабль сначала патрулировал мирный остров, но началась буря, поднялась волна, и «Сент-Луис» врезался носом в береговые скалы...

Что-то ткнулось в спину, Павел вздрогнул и открыл глаза. Объятья супругов Розен распались. Начинался обычный будний день.

Сесиль еще удивлялась, как Татьяна Розен управлялась с тремя мужиками без домработницы и при этом умудрялась так выглядеть. Сесиль никогда не жила в русской деревне без газа, водопровода и с удобствами во дворе. Она никогда не вкалывала на ленинградской стройке, успевая халтурить и еще бегать на танцы. Бедняжка! Что она видела? С чем могла сравнить? Привычка к комфорту даже в мелочах, не говоря уже о самом необходимом. А главное, чего Сесиль никак не смогла бы понять, было то, что она запросто отказалась бы и от этого односемейного американского дома в Денвере, и от собственной машины и от всех этих примочек цивилизации, и вернулась назад в неустроенность и неприхотливость, но только вместе с ее мальчиками и Нюточкой.

Можно, конечно, было Мите и Леше завтракать в детском саду, но мелкие хлопоты по приготовлению нехитрой трапезы стоят того, чтобы начинать день всем вместе за большим семейным столом в светлой гостиной. Слушать милых малышей и наблюдать Павла в роли отца семейства.

– Мама, почему мы с Митей едим эту кашу, а папа сэндвичи с кофе?

Старший Алексей вступил в период «почемучки» и заодно отстаивания собственных прав.

– Мама, да! Посему ... кофе? – Трехлетний Митя, похожий на деда Дмитрия Дормидонтовича, отца Павла, не только внешне, но и какой-то уверенностью, основательностью, забавлял родителей манерой вставлять в свою детскую речь вводные предложения. – Посему кофе? Хоселось бы снать!

– Потому что папа уже большой, ему не надо расти, как вам.

– И еще потому, – подключился Павел к воспитательной работе, – что папа научился прокладывать траншеи при помощи супергрейдера, а вы еще нет!

Алеша открыл рот с непроглоченной кашей.

– Суп и клейтел, – повторил Митя.

– Внимание! Вот супергрейдер фирмы «Спун энд компани»! – все, включая Татьяну, завороженно смотрели на обычную ложку в руке Павла. – Прокладываем первый туннель с Севера на Юг, не забывая выгружать в рот отработанный грунт...

Каша была съедена в пять минут. Мальчики побежали за игрушечными экскаваторами в свою комнату, чтобы взять их с собой в детский сад.

— Как бы они сегодня не стали ездить по каше своими машинами?

— Придется им сказать, что у «Спун энд компани» выигран тендер на производство проходческих работ... — в улыбке Павла ей показалась скрытая озабоченность. — Ты говорила, что уже присмотрела water bed?

— Да. Сегодня ночью мы были с тобой в шалаше, а завтра будем качаться на волнах.

Она заглянула игриво ему в глаза, но Павел отвел свой взгляд.

— А сколько стоит это удовольствие?

— Полторы тысячи. А что, Паша, что-нибудь не так?

— Да, нет, все так. Ладно, после... После...

Таня отвозила мальчиков в детский сад сама. Вздохнув, она повернула зеркало в салоне машины таким образом, чтобы не видеть заднего сиденья. Иначе она просто не смотрела бы на дорогу, а все время наблюдала за мальчуганами. Теперь ей оставалось только слушать.

Алеша жужжал за спиной, дублировал ее движения, поворачивал воображаемый руль, и время от времени верещал на высокой ноте, очень похоже, но не к месту, изображая скрип тормозов.

— Леша, не пугай меня, — попросила Таня.

Мальчик переключил скорость, и ей стало слышно бормотание младшего.

— Кто-кто в теемочке живет? — тихо сам себя спрашивал Митя и отвечал, изменяя голосок: — Митя — мыска-норуска... Алеса — лягуска-квакуска... Нюточка — ежик-ни-головы-ни-ножек... Папочка — зайчик-побегайчик... Мамочка...

Татьяна прислушалась. Кто же она такая?

— ...и мамочка — кабан-клыкан...

Кабан-клыкан! Но Митя сказал это таким нежным голоском, что кабан-клыкан получился у него еще меньше мышки-норушки.

Давясь от смеха, Татьяна думала, что сегодня вечером до слез рассмешит этим рассказом Павла, а потом будет играть обиженную и притворно хныкать, как маленькая девочка, станет напрашиваться на комплименты, и игру эту можно будет закончить, глядя Павлу в глаза и сбросив на пол халат. Неужели я – кабан-клыкан?.. Как он будет называть ее, когда все это произойдет, что он будет шептать ей? Какие слова ты подаришь мне, Зайчик-побегайчик?..

Тихое семейное счастье она пила маленькими глотками. И время от времени устраивала мальчикам и Нюточке celebrations, приуроченные не к датам, а к собственному ощущению праздника. Сейчас она хотела устроить праздник Павлу. И себе, конечно.

Water bed... Она присела на это чудо альковной мысли, ощущая колыхание прирученных домашних волн под собой. И поймав, боковым зрением заинтересованный взгляд молодого продавца мебельного маркета, прилегла, опираясь на локоть. В огромном зеркале отразилась рембрандтовская «Даная», которой современный художник дорисовал одежду и американского парня в углу картины с плотоядным выражением лица...

Расплачиваясь по кредитной карте, она вспомнила разговор с Павлом, который до этого никогда не интересовался, сколько денег она тратит и на что, полностью доверяясь в этом жене. Может, она что-то не поняла? Не почувствовала? Павел был за завтраком таким же веселым, как всегда, скучные нравоучения превратил в забавную детскую игру. «После...» Что могло случиться? Нет, ей просто показалось. Почему бы ему ни поинтересоваться ценой? Все-таки не такая уж маленькая покупка? Water bed... Вота бед... Вот и беда... Само сказалось... Вот и беда. Какая беда? Откуда?..

К дому Татьяна Розен подъезжала с неясным ощущением приближающегося несчастья. Но, увидев припаркованную машину местного шерифа, не насторожилась, а наоборот успокоилась. Джек Басби, двухметровый приветливый добряк, такой американский дядя Степа, жил неподалеку и был с супругами Розен в приятельских отношениях.

— О, Джек, привет! Как поживаешь?

— Привет, Таня! Замечательно выглядишь! Как Пол, детишки?..

Эти традиционные американские приветствия напоминали Татьяне длинные письма из русской деревни с обязательным перечислением приветов от всех дядек, теток, родственников, соседей. Поэтому она с удовольствием включалась в этот ритуал.

— Джек, может, зайдешь, выпьешь кофе?

Американский «анкл Стив» занял своими мощными руками полстола.

— Таня, чему ты улыбаешься?

— Вспомнила русскую книжку для детей про очень высокого полицейского. Ему в кино сидящие сзади люди говорили: сядьте на пол, потому что вам это все равно. Совсем про тебя, Джек!

Джек добродушно рассмеялся.

— Наверное, очень веселая книжка! Может быть, она есть в английском переводе? Ты мне как-нибудь напиши автора и название... А я в детстве любил книги про индейцев. Знаешь, апачи, сиу, ирокезы?

— Еще бы! Я сама зачитывалась Купером, Майн Ридом, а фильмы с Гойко Митичем... Да у вас такого и не слышали! Был такой югославский киноактер, очень здорово играл индейцев. Популярнее был в Советском Союзе, чем Сталлоне со Шварценеггером.

— Нет, не слышал такого. — Джек допил вторую чашку. — Спасибо! Замечательный у тебя кофе... Значит, Энн пошла в тебя.

— Да, изучает индейские обряды, обычаи. Я даже ей немного завидую...

— А где она сейчас?

— Нюта как раз поехала с этнографической экспедицией в индейскую резервацию... А что случилось, Джек? Говори...

Огромная фигура Джека не могла спрятать смущение.

— Видишь ли, Таня... Несколько недель назад Энн действительно была в индейской резервации, но потом совершенно внезапно, не предупредив руководителя экспедиции, исчезла. Причем скрылась она с музыкантом-негром из местного казино...

– Джек, ты сказал, скрылась?

– Внезапно уехала... Дело в том, Таня, что ее спутник...

Дальше Таня не поняла:

– Извини, куда прыгнул?

– Таня, «jumped bail» – значит, был выпущен под залог и сбежал. В компании Энн.

– Нет! Этого не может быть!

Вот и беда! Она чувствовала, что непременно что-нибудь случится... Нет, это Павел что-то чувствовал, а от него передалось ей.

– Таня, успокойся... У полиции нет оснований ни в чем подозревать Энн. Но мне необходимо с ней переговорить. Для ее же блага. Поэтому у меня к тебе просьба, если Энн появится, позвони, пожалуйста. Мой телефон у тебя есть. И не стоит беспокоиться. Еще раз говорю, у полиции нет оснований для подозрения твоей дочки, но для ее же блага...

В детском саду происходили необычные события во время ланча. Старшая группа единогласно захотела каши. Обслуживающий персонал детского сада такого случая припомнить не мог. Даже толстая чернокожая кухарка миссис Полли оставила свои кастрюли и сковородки, чтобы посмотреть на это чудо.

Все дети внимательно смотрели на Алекса Розена. Тот немного пожужжал, вытянув губы. Потом зачерпнул ложку каши и отправил ее в рот. Тут же одиннадцать ртов зажужжали точно также и заработали ложками в едином ритме. Пауза. Солист Алекс Розен теперь загудел и зачерпнул еще одну ложку каши. Теперь загудел хор, и ложки заскрипели по тарелкам в унисон.

Молоденькая воспитательница Джуди увидела у всех детей на тарелках одинаковые кресты, прочерченные в каше. Что это такое? Неужели, двадцать пятый кадр?! Или какая-то тайная секта воздействует на подсознание детей? А если это... это само... божественное чудо? Им рассказывали на курсах по детской психологии, что одной девочке в Португалии явилась... Надо срочно рассказать обо всем миссис Гаррисон...

Но миссис Гаррисон уже вызвали в младшую группу. Там не было всеобщей каши, но зато игрушечный бульдозер прошелся по всем тарелкам малышей, прокладывая трассу в съедобном грунте. Дорожки получились очень аккуратные, хуже было со скатертью, на которой отпечатались томатные следы гусениц бульдозера. Маленькие дорожные рабочие тоже были с ног до головы в соусе и картофельном пюре. Самым чумазым был Митти Розен...

Павел чувствовал приближение беды, но совсем не с той стороны... Сначала он не придал этому большого значения. Рынок есть рынок! И от временных неудач никто не застрахован. Не все же «Информеду» было поступательно шествовать к вершинам капиталистической экономики. Их успехи подстегнули конкурентов, они выбросили на рынок похожий продукт по более низкой цене. Все нормально. Надо работать дальше, «творить, выдумывать, пробовать»! А маленькая тучка — это еще не гроза. Но появилась еще одна, потом еще... Смежники уверявшие до самого последнего дня, что собираются продолжить взаимовыгодные партнерские отношения, высылавшие бодрые протоколы о намерениях по факсу, неожиданно отказались продлевать контракт. Возникли какие-то необъяснимые недоразумения с банковскими счетами. Курс акций «Информеда» стал неуклонно ползти вниз... Тучи заволокли полнеба. Гроза готова была разразиться в любое мгновение.

Ему бы лучше заниматься чисто научной проблемой углеродной сверхпроводимости, закрыв на остальное глаза! Разве не мечталось ему когда-то без мелочной опеки, без партийного руководства, без ограниченной сметы заниматься любимым делом, причем видеть результаты применения его идей не только в производстве, но и в прибыли фирмы? Что ему еще было надо? Но обжегшись когда-то на голубых алмазах, Павел «дул» теперь на все углероды. Ему казалось, что кто-то невидимый и могущественный играет «Информедом», как детским корабликом, намеренно разоряя его...

Все это Павел сказал вице-президенту фирмы Крису Вилаи.

– Послушай, Пол. Ведь это элементарная диалектика. – Крис откинулся в кресле, выпуская изо рта аккуратные колечки сигаретного дыма. – Со всеми ее противоречиями, отрицаниями, скачками, рывками. Это условия любого движения. Поверь, мне не меньше твоего хочется бесконечного процветания «Информеда», но надо быть реалистом. Это бизнес в условиях свободной рыночной экономики.

– Когда-то мне приходилось заниматься этой самой диалектикой в самой ее извращенной форме. И угробить на нее не меньше времени, чем на минералогию. Потому я тебе и говорю, что с «Информедом» происходит совсем не стихийный, а вполне управляемый процесс. Разве ты этого не чувствуешь?

– Я очень ценю тебя, как одного из лучших специалистов в своей области. Но не станешь же ты утверждать, что лучше меня разбираешься в коммерческих вопросах? – Крис сделал дружескую улыбку по всем правилам мимической техники. – А потому, поверь моему опыту – все очень скоро придет в норму, и цепь этих случайностей... именно, случайностей... прервется. Пока не вижу повода для беспокойства... Да! У меня к тебе просьба. Не стоит высказывать свои предположения отцу. Ты же знаешь импульсивную натуру старика? Примчится, устроит скандал... Договорились? Ну, и хорошо! А если у тебя еще появятся какие-нибудь подозрения, навязчивые идеи, сразу приходи ко мне. Я буду твоим личным психоаналитиком... Шучу, Пол! Шучу...

Я буду твоим личным психоаналитиком... Я буду твоим личным цензором... Что потом стало с поэтом? Что станет с ним самим? Куда он денется, если разорится

«Информед»? Дело было, конечно, не в нем. За себя бы он не волновался, но теперь их пятеро. Теперь у него семья...

Этот день для Павла начался с ночи. Не с времени суток, а с ощущения, что их только двое на всей земле – он и она. Как будто это была их с Татьяной последняя ночь перед долгой разлукой, перед какой-то неведомой войной. А потом было такое же замечательное утро с малышами, попытавшимися бойкотировать кашу на завтрак...

Когда Павел выходил из машины у делового центра, в котором находился офис «Информеда», он обратил внимание на парковавшийся новенький «мерседес», что называется, с иголочки. И уже пропуская в дверях какую-то полную даму, Павел обернулся. Из «мерседеса» выходил Кристиан Вилаи. Он вошел в офис сразу за Павлом и вместо приветствия пригласил всех акционеров к себе в кабинет.

За вытянутым вдоль окна столом сидели основные действующие лица акционерного общества «Информед»: Аланна Кайф, Алекс Кайф и Павел Розен. Во главе стола за легкой дымовой завесой, с сигаретой в левой руке – вице-президент Кристиан Вилаи. Не было только профессора Джорджа Вилаи.

– Прежде чем я сделаю важное сообщение, – начал Крис, – хочу проинформировать вас, что мой отец, профессор Вилаи, вчера вечером с подозрением на инфаркт был помещен в больницу.

– Как же так, Крис? – у Аланны задрожал голос. – Что же ты не позвонил? Как же так? Алекс, немедленно едем к профессору в клинику...

– Подожди, Аланна, – голос Криса был удивительно спокоен. – Я сам об этом узнал только полчаса назад. Но прежде, чем вы поедете в больницу, прошу выслушать меня. Вы взрослые люди, и я не буду тратить лишних слов, чтобы подготовить вас к другой неприятной новости. Скажу только, все в руках господних! Так вот. «Информед» не способен платить по своим финансовым обязательствам. Короче говоря, мы банкроты. Вы прекрасно знаете те условия, в которых в последнее время оказалось наше акционерное общество. «Информед» способен был выдержать любое из этих роковых обстоятельств, но в отдельности. Противостоять же им всем одновременно мы, к большому моему сожалению, не способны. Экстренные меры, которые я пытался предпринять, оказались запоздалыми. Фирма «Информед» прекращает свое существование… – Крис сделал театральную паузу. – Но жизнь, друзья мои, продолжается. В пятницу всех прошу к нам с Сесиль на прощальный ужин…

Можно, конечно, вскочить и закричать: «Я же говорил! Я же предупреждал! А ты что сказал мне тогда?» Глупо и бессмысленно. Тем более дело не в стечении обстоятельств и не в банкротстве, а в умышленно созданных обстоятельствах и преднамеренном банкротстве. И еще. Странное поведение Криса, неожиданно открывшаяся тяга этого мормона-праведника к табаку, к дорогим коньякам, его новенький «мерседес» и неожиданный сердечный приступ Вилаи-старшего… Складывалось такое впечатление, будто Крис примерял на себя новую, чужую роль – и при этом ждал банкротства «Информеда», более того, был каким-то образом замешан в нем и прилагал все усилия, чтобы акционеры не забили тревогу. Говорил складно – а глазки-то все бегали, бегали… Ну что ж! Если все, конечно, так, то Криса можно поздравить! А вот сердце старика Джорджа не выдержало такого предательства от собственного сына… Единственное, что оставалось делать в эту минуту Павлу – это мчаться в больницу, к профессору, вслед за Аланной и Алексом…

Но два телефонных звонка изменили его планы. Первый звонок был от Татьяны. Она плакала в трубку, рассказывая о визите шерифа.

– Павлик! Я этого больше всего боялась… Я все ждала, что в ней скажется ее родная мать… А потом я успокоилась. Такая серьезная, умная девочка. Павлик! Ты же помнишь, сколько она читала… И какие это были книжки… правильные, хорошие книжки… А наше окружение для нее ничего не значило! Понимаешь, ровным счетом ничего! Любовь ничего не значила! Только кровь, кровь ее матери... Она рано или поздно должна была пойти по ее стопам. И я ничего не могла сделать! Я не смогла, Павлик! Прости меня! Прости!..

Он, как мог, успокаивал ее, говорил, что еще ничего не известно, и нет никаких поводов к расстройству, тем более к истерике. Но сам чувствовал, что Таня права, и они не смогли изменить судьбу этой девочки, давно уже расписанную теми же силами, что вели по жизни ее родную мать – Татьяну Захаржевскую.

Второй звонок был из больницы. На том конце провода тоже плакала женщина. Аланна Кайф, захлебываясь слезами, сообщила, что десять минут назад умер профессор Джордж Вилаи...

Дверь тихо приоткрылась и в кабинет отца вошли два маленьких человека.

– Смотри, руками ничего не трогай, – строго сказал тот, который был постарше.

– Холосо, – согласился младший.

Они впервые были здесь одни, без отца. Со стеллажей на них смотрели большие, взрослые книги. Компьютер не светился и не гудел, тихо отражая на темном экране двух маленьких человечков. Сердитые старые дядьки разглядывали непрошеных гостей с больших портретов на стене. Но один старик улыбался им с фотографии, уголок которой был перевязан черной ленточкой.

– Это дядя Джордж. Помнишь его? Он подарил мне эсминец «Сент-Луис», а тебе паровоз с вагонами.

– Да. С вагонами... Конесно, помню... С вагонами...

На письменном столе лежал огромный раскрытый том. Малыши залезли на кресло, потом легли животами на стол. И заглянули в книгу.

– Алеса, гляди! – воскликнул младший, – они... висят!

– Это сталактиты, – пояснил Алеша.

– Стол-локти-ты, – повторил Митя и, что-то вспомнив, убрал локти со стола. – А посему они висят?

Алеша вздохнул по-взрослому:

– Вот и ты стал почемучкой, Митя... Ну, хорошо. Слушай. Мне папа рассказывал. Подземная вода растворяет известняк и капает через потолок пещеры. Потом застывает и получаются такие... Сталактиты. А бывают еще... Растут снизу вверх. Но ты еще маленький. Не поймешь.

– Я не маленький. Мама сказала, сто в детском саду воспитательниса сказала, сто я – главный затинсик!

– Подумаешь, меня тоже сегодня назвали зачинщиком.

– А посему?

– Потому что я дорогу зачинил.

– И я тозе.

– А вообще-то, Митя, это папа – главный зачинщик, ведь это он так здорово придумал играть.

– Алеса, – Митя вдруг надул губы и засопел. – А когда мама с папой вернутся?

– Когда-когда? Не вздумай тут у меня ныть! Обещал меня слушаться? Обещал... Проводят дядю Джорджа и приедут.

– А куда дядя Джордж уезжает?..

Как русской женщине идет траур... Что это он?! Это просто Тане очень идет черный цвет. Как она сегодня бледна и строга! Аланна прячет свое лицо у Алекса на плече. Алекс растерян, не знает куда деть руки, как стоять, и вообще, как себя вести. Лицо Сесиль распухло и стало совсем некрасивым. Крис, в черном костюме и темных очках, поддерживает жену, задумчив и, хотя стоит среди других пришедших на кладбище проводить его отца в последний путь, кажется одиноким.

Восковое лицо Джорджа спокойно и сосредоточенно, как будто он решает очень важную для него задачу и продвинулся в ее решении гораздо дальше всех этих столпившихся вокруг него людей. Джордж был единственным человеком, с которым он мог говорить о своих заветных идеях, который понимал его с полуслова, который был ему и учителем, и другом. Рядом с ним у Павла появлялось удивительное чувство работы над всеобщим необходимым делом. Чувство подвижника и первопроходца. И это где? В Соединенных Штатах! В стране золотого тельца? В стране, где что-то значат только деньги? Какое было чудесное везение встретить такого человека в Америке! А теперь так внезапно его потерять! Спи, старина Джордж! Пусть земля будет тебе пухом!

А Татьяне казалось, что вместе с Джорджем она хоронит и какой-то период своей жизни, период тихого семейного счастья, с общими семейными завтраками и ужинами, с детскими праздниками, пикниками, веселыми шалостями больших и маленьких людей, с их ночами... Она, словно открыла ворота всем бедам, которые собрались перед ее домом: «Пришло ваше время. Заходите!»

Через неделю в доме супругов Розен раздался телефонный звонок:

— Привет, Пол. Это Крис. Не узнаешь старых друзей? Ты там еще не совсем опустился? Я тебе говорил, что все будет в порядке? Так вот, как ты насчет тихоокеанского побережья, штата Калифорния, и маленького заштатного городишки Сан-Франциско? Если не против, то у меня есть для тебя рекомендательное письмо. Куда бы ты думал? Сядь, а то упадешь... В «Блю Спирит»! Подробности при встрече... Впереди у тебя дальняя дорога и не казенный, а собственный дом!..

А через полчаса на голосовую почту пришло сообщение от Нюты.

«Привет! У меня все в порядке, путешествую по Европе, не волнуйтесь. Целую и люблю!»

Но координат для обратной связи так, мерзавка, и не оставила.

Глава девятая

ГЕРОНТОЛОГИЧЕСКОЕ ДРЕВО

(*сентябрь 1995, Санкт-Петербург*)

Уж неизвестно, чего добивалась знойная красотка Ларина, собрав под крышей «Прибалтийской» всех своих мужиков, бывших и нынешних, но одного она добилась точно: разом перевернула всю устоявшуюся, вроде бы, жизнь Люсьена Шоколадова. На другое утро проснулся он, терзаемый не только лютым похмельем, но и ощущением никчемно, губительно прожитых лет... А ведь на месте воскресшего Павла Чернова – как его теперь там?.. Розена-Мимозена, – миллионера, счастливого отца и мужа самой восхитительной, самой желанной женщины на свете мог бы быть он, Люсьен... Да какой, на хрен, Люсьен – Никита Всеволодович Захаржевский, блистательно образованный, в совершенстве владеющий тремя языками, дипломат, кинематографист, специалист по мировой экономике, виртуозный пианист...

А в зеркале отражалась скабрезная, потасканная, педерастическая рожа. Люсьен Шоколадов не желал уходить без боя...

Что ж, как говорил покойный папаша-академик – мы дадим бой!

И весь гей-гардеробчик безжалостно отправляется на помойку.

И огненному аутодафе предается записная книжка с «этими» телефонами и адресами.

И под ножницами парикмахера «артистические» лохмы преображаются в пристойную, неброскую, короткую и вполне гетеросексуальную стрижку...

А потом, в видах дальнейшего жизнеустройства, Никита плотно садится на телефон.

– Нет, никаких переводов предложить не можем, лето, понимаете ли, не сезон...

– Обслуживание иностранных туристов? Извините, штат укомплектован...

– Секретарь-референт со знанием языков и персонального компьютера? А как у вашей дамы насчет бюста?..

– Какие картины, Никита Всеволодович, вся студия третий год без работы...

– Ну, старик, какая летом халтура? Свои-то все по Европе разъехались, в подземных переходах подрабатывают...

– Экономист-международник? Три иностранных языка? Большой опыт административной работы? Нам вообще-то грузчики нужны, без вредных привычек...

– Да, нашей стремительно растущей международной компании жизненно необходимы профессионалы вашего уровня... Да, в любое удобное для вас время с двенадцати до восемнадцати... Нет, резюме не обязательно, дипломы тоже не обязательно, а паспорт с пропиской желательно прихватить...

Вот так, дожив до благородных седин и разменяв пятый десяток, Никита Захаржевский приобщился к торговле флоралайфом!

Вообще, все в этой затее было унизительным от начала и до конца. От начала хоть бы потому, что Никита, как человек здравомыслящий и достаточно образованный, изначально и сам не верил в то, что принимая вовнутрь эту израильско-американскую дрянь, можно взаправду поумнеть... И не только поумнеть, но и похудеть, очиститься от ненужных шлаков, укрепиться в сексуальной потенции, вернуть себе юношескую густоту шевелюры и прочее, прочее, прочее...

И, может, как раз именно от того, что Никита Захаржевский сам ни на йоту не верил во весь этот флоралайф, то и доклад его со сцены дворца Первой пятилетки, что он, Никита, младший менеджер по продажам, делал для потенциальных клиентов, заманенных сюда обещанными фирмой бесплатными подарками, разумеется, не отражал никакой внутренней убежденности.

«Да имейте в себе веры с горчичное зерно», — вспомнилось Никите по этому поводу, когда его начальница Илона принялась делать ему выволочку за полный его провал в амплуа публичного дилера...

Не верил Никита, и все тут!

И все эти лицензии, сертификаты и отзывы розовощеких академиков, по всему Никитиному разумению были чистой воды туфтой. Особенно раздражали его демонстрировавшиеся по всем телеканалам рекламные ролики, где не имеющие никакого стыда актеры и актрисы разыгрывали счастливое изумление, показывая фотографии, какими они были *до* начала курса лечения, и соответственно, рисуясь, какими они стали *после*... Ну мыслимое ли дело, приняв сто пусть и недешевых порошков, сделаться, грубо говоря, умнее?

Вот снова ролик показывают. Актриса, играющая роль типичной домашней клушки, этакой повернутой на детях заботливой мамаши, всерьез рассказывает о том, что ее сын до курса лечения имел самый низкий в классе Ай-Кью, и просто не имел никаких шансов на высшее образование. Тут же для убедительности мамаша демонстрировала фото записного дегенерата с безвольно отвисшей челюстью и безумным взором... Однако, когда мальчик принял все сто прописанных флоралайфом порошков, ай-кью у ее Сережи стал зашкаливать за высшую отметку, и его с радостью приняли в самый престижный столичный университет. И как бы в подтверждение этого, мимо счастливой мамаши, обнимаемый с двух сторон двумя обворожительными красотками, проходил ее Сережа, держа в руках скрипичный футляр и шахматную доску...

Но так или иначе, ничего более достойного и главное — реального, кроме торговли флоралайфом, Никита пока придумать для себя не мог.

И так на вступительный взнос, на покупку лицензии на торговлю этим модным препаратом, Никита израсходовал всю имевшуюся у него наличность, включавшую в себя и последнюю полусотенную долларов, полученную от Ленечки Рафаловича, и миллион четыреста тысяч рублей, которые в антикварном, что на углу Малой Садовой и Невского ему дали за майсенскую пастораль, изображавшую барочного пастушка со свирелькой и такую же пастушку, всю в фарфоровых кружевах и кринолинах... Пасторалька натурального майсенского фарфора была из того немногого, что вообще осталось у Никиты в память о детских годах и о некогда слывшем «полной чашей» отчем доме.

Обманули сволочи, конечно же.

Майсен этот как минимум пятьсот долларов стоил. Но приемщик-товаровед нашел там пару трещин, пару микроскопических сколов, да потом еще и усомнился в подлинности клейма, мол мечики – мечиками, да не совсем такие...

– А какие? – раздраженно переспросил Никита, но тут же согласился на унизительные миллион четыреста тысяч сразу, чем ждать, когда продадут....

Они тут в комиссионке – все как один и жулики и психологи хорошие. Знают, как цену сбить.

Сплошной экзистенциализьм, как сказал бы на это его бывший френд Гусиков... Кстати, что-то давненько его не видел...

Одним словом, с флоралайфом этим как-то сразу у него не покатило.

И эта начальница его – ну просто и смех, и грех. А вернее, наказание Никите за его грехи. И прежде всего, за грех гордыни. Супервайзер компании «Флоралайф» Илона с соответствующим баджем на субтильной груди. Был ты, Никитушка, некогда с людьми высокомерен, так вот и получи теперь за эррогантность свою сполна. Илонка эта, сопля пятнадцатилетняя, теперь строит по стойке смирно тебя, сорокалетнего, с двумя высшими образованиями, мужика... Видавшего лучшие, скажем, времена. Но ей-то – Илоне-супервайзеру, на твои лучшие времена, которые ты когда-то видал, наплевать с прибором... Или положить с прибором... Если можно так выразиться в отношении пятнадцатилетней супервайзерши. Были, конечно, и в англосаксонской культуре свои пятнадцатилетние капитаны, да и наша отечественная культура, тоже знавала Гайдаров-Голиковых, что в пятнадцать лет полками командовали... Но командовать отделением полушарлатанской маркетинговой фирмы — тут ни особой смелости, ни навигационных или иных тактических познаний не требовалось. Разве что наглая самоуверенность знаменитой английской медяшки, что как известно — bold as brass...

В общем, Илона его строила.

Воспитывала его Илона, как молодого бойца дембель воспитывает...

— Никита, вы в своем уме, что вы этой группе покупателей предлагали? Вы предлагали им «лайф-ультра плюс», в то время, когда товар со знаком «ультра плюс» — это для молодых женщин, с гормональными проблемами эндокринной системы, ожирением, задержками, бесплодием... А у вас группа покупателей — мужчины за пятьдесят, с облысением, ослабленной потенцией и все такое...

Илона изобразила в своих сузившихся зеленых глазах полное презрение к нему, Никите — этакому ничтожеству, что никак не может запомнить отличия марки «ультра плюс» от марки «экстра супер».

— И потом, — продолжала нудить Илона, — ну что это за промоушен такой вы устроили? Вышел на сцену с унылой рожей, простите меня за выражение, и начал бубнить, как будто он не флоралайф, а цианистый калий рекламирует, — Илона изобразила унылую харю, как она ее себе представляла, и принялась пародировать его Никиты давешнее выступление со сцены. — Я купил флоралайф в прошлом году, когда от меня ушла жена, и когда меня выгнали с работы... С той поры я стал директором фирмы и женился на молоденькой... да кто вам в это поверит, в то что вы с такой унылой рожей женились на молоденькой, в то что с работы выгнали – в то поверят, а во второе – нет!!! – прикрикнула Илона, – и потом, Никита, вам ведь объясняли, как вам надлежит быть одетым на маркетинговую акцию, разве нет?

Пигалица пялила на него свои зеленые с желтизной глазенки и при этом жевала свой нескончаемый даблминт...

«Les yeux verts – ces des viper...» – Никита неслышно припомнил про себя французскую поговорочку: «зеленые глазки – это гадючьи глазки...»

– Никита, вы же не маленький, в самом-то деле, – продолжала жевать свою жвачку юная наглая супервайзерша...

«Это она жует, чтобы изо рта не воняло, если кто-то из мужчин вдруг захочет ее поцеловать», – подумал Никита...

– Никита, вы член команды, мы вместе продвигаем на рынок товар двадцать первого века, а вы, извините, одеты, как обсос, и это на ответственной маркетинговой акции, – челюсти ее продолжали совершать круговые жевательные движения...

«Не стал бы я ее, даже если бы и очень попросила. И даже если бы литром «Джонни Уокера» проставилась, не стал бы. И даже если бы сто долларов дала...»

– Вы член команды, черт вас побери в конце концов, и вам не стыдно ли, что Машенька Ярцева, она всего три дня работает, а продала втрое больше?

«Ни хрена мне не стыдно, – думал про себя Никита, – мне только вот за поколение мое обидно, что такие сучки незаметно подросли, и где же мы вас проглядели-то?»

– Никита, вы член команды, мы решаем общую задачу, и как ваш менеджер, я обязана назначить вам десять очков штрафа, вы меня поняли?

Илона глядела на него снизу вверх, как если бы она глядела сверху вниз, да еще не просто так, а сквозь линзы микроскопа, а он – Никита Захаржевский, человечище – был не сформировавшейся личностью сорока двух лет, этаким микрокосмом Вселенной, хранителем уникального опыта, а ничтожным микробом, инфузорией на предметном столике ее микроскопа...

Он вышел из ДК имени Пятилетки, где флоралайф проводил свою рекламную акцию, и побрел к Мариинскому, дабы сесть там на двадцать второй автобус.

«Экое место неудобное, – подумал Никита, – ничем отсюда не выедешь, а ведь и опера, и консерваторская сцена, да еще и эта Пятилетка тут же!»

Никита брел, понурив голову, думая про то, чем обернутся ему десять штрафных очков.

– Вот ведь мура какая! – неслышно бормотал он, – всякая мелюзга повылезала откуда-то, словно тараканы на просыпанный сахар, и это называется теперь новым поколением и нашей надеждой на будущее, в то время, как мы уже поколение не то чтобы потерянное, а совершенно никчемное, которое легче убить, чем переучить и прокормить...

С этими невеселыми мыслями он и подошел к остановке двадцать второго, и уже принялся высматривать не вынырнет ли из-за угла военного училища железнодорожных войск белый силуэт долгожданного «Икаруса», как вдруг рядом остановилась машина, и кто-то окликнул его по имени.

Передняя дверца новенькой «ауди» призывно приоткрылась.

Это был Гусиков...

«Ах ты старый педрило, а я ж тебя только сегодня вспоминал!» – удивился про себя Никита, садясь в так кстати объявившееся вдруг транспортное средство...

– Хай, Люсьен, петит ами, – начал было Гусиков...

– Слушай, Гус, давай-ка сразу договоримся, я тебе больше не Люсьен и не петит ами, о'кэй? – сразу ощетинился Никита...

– О'кэй, – ответил Гусиков вполне дружелюбно, – вижу, что ты имидж поменял, и в садик в наш... – Гусиков с многозначительной усмешкой сделал акцент на словах «наш садик», – в клуб больше уже не ходишь?

– Не хожу, – угрюмо буркнул Никита...

Поехали до Никольского собора, там свернули направо в сторону Нарвской заставы...

– Флоралайфом торгуешь? – спросил Гусиков, кивнув на огромный бадж, украшавший лацкан Никитиного пиджака.

– Пытаюсь, – тяжело вздохнув, ответил Никита.

– Ага, жисть новую начал, значитца! – понимающе причмокнул Гусиков, поворачивая на светофоре, – но и я теперь уже не Гус, надеюсь, понятно?

– Ну а ты, судя по машинке, – Никита похлопал ладонью по торпедо, – судя по новой «ауди», дела у тебя идут нормально, ты флоралайфом не торгуешь!

– Не торгую, правильно, я теперь сменил среду обитания, в садик в наш давно уже не хожу, я теперь на таких людей вышел, у тебя голова от высоты закружится...

– Да ну? Кто ж такие? – Никита изобразил на лице участливую готовность изумиться.

– Кто такие, говоришь? А такую фамилию как Гогенцоллерн слыхал? Или Романовы? Дашковы, Татищевы, Голицыны? Валуа, наконец? – Гусиков с некоторым торжеством посмотрел на своего пассажира... – Сегодня, кстати, старый князь Иван Борисович на даче на Каменном коктейль устраивает, не желаешь пару сотен долларов заработать?

От таких речей Никита испытал некое возбуждение, потому как во флоралайфе двести долларов – это почти месячный заработок. А если учесть наложенный на него Илоной штраф...

– Что, где, когда? – выпалил Никита.

– Во-первых, приведи себя в порядок, – назидательно сказал Гусиков, – сходи в парикмахерскую, побрейся, оденься прилично. – Гусиков скосил взгляд на лацкан Никитиного пиджака со значком флоралайфа. – Есть у тебя темный костюм, приличные туфли и свежая сорочка с галстуком?

– Что, приглашаешь меня продвигать флоралайф на правительственной резиденции? – не без куража переспросил Никита. – А то моя начальница тоже мне сегодня выговор учинила за внешний вид.

– Я тебе чистенькую работенку даю. За тапера на светской вечеринке лабать фоновый, так сказать, музон, компри?

Гусиков свернул с Новопетергофского на Нарвскую площадь и по кругу устремился дальше, вырываясь на простор проспекта Стачек.

– Двести баксов? – уточнил Никита.

– Сто сразу аванс и еще сто по окончании суаре, – сказал Гусиков.

– А где, когда? – уже совсем по деловому и без лишнего куража спросил Никита.

– Дачку ка-два на Каменном острове знаешь?

– Знаю, – ответил Никита.

– Вот там, ровно в семь и не опаздывай...

Гусиков остановил машину напротив метро Кировский завод, и высаживая Никиту добавил:

– Интересная публика соберется, скучать не будешь, обещаю... – И, когда Никита уже было почти вылез, окликнул его: – Аванс-то возьми, а то еще придти забудешь...

Придти Никита не забыл.

И даже наоборот, пришел на двадцать минут раньше назначенного.

Время не сумел рассчитать, от метро Черная Речка на Каменный остров оказалось всего пять минут пешком. Вот и пришел с запасом. Думал еще и не пустят, придется ждать.

Но пустили.

Два прапорщика ФСБ в штатском по его звоночку открыли ворота и, проверив фамилию в списке, впустили на территорию.

Никита здесь вообще-то бывал пару раз, хотя и давно. Все было так же, как и тогда. Чисто выметенные асфальтовые дорожки, зеленый газон, двухэтажные корпуса светло-серого камня с огромными, не для северного климата окнами с вечными в них зелеными занавесками...

В холле его встретил все тот же Гусиков.

— А-а-а, молодец, что пораньше пришел, иди, вон там твой стейнвей тебя дожидается, — и еще спросил участливо: — Кофе или чаю не хочешь? Официантов в зале не дергай, тебе не положено, а покормят тебя потом, там где стол для персонала... и гляди, со спиртным там не переусердствуй, ты меня понял?

«Стейнвей» вообще-то оказался «Блюттнером», вполне строил и, если не считать глухой безответной «до» в пятой октаве, то в остальном инструмент был вполне пригоден.

Никита сперва одной правой наиграл из второй части двадцать первого фортепьянного концерта Моцарта, потом, оглядев пока совсем еще пустое фойе, сбацал классическое буги-вуги, плавно переведя его в Шопена...

Снова подошел Гусиков, большим пальцем показывая, что играет Никита, как надо, и даже лучше...

— А что это за люди? — не прерываясь, поинтересовался Никита.

— А-а-а. Дворянское собрание нынче тут, их светлость князь Новолуцкий из Парижа приехать изволили, на, так сказать, пепелище, пользуясь моментом послабления режима к старорежимной аристократии... — витиевато ответил Гусиков и быстро слинял, потому как в залу начал набираться народ.

Вообще, народ, собиравшийся на коктейль в честь князя Ивана Борисовича, что всю свою жизнь, включая оккупацию сорокового — сорок четвертого годов, прожил в Фонтенбло и о России посему имел самое отдаленное и книжное представление, народ, что собрался на коктейль, князя, мягко говоря, удивил.

За подбор «кадров» для собрания, вообще-то отвечали два человека, председатель дворянского собрания Ардалевский-Арташевский и его помощник Гусиков.

Но собрать под крышей госдачи К-2 большое общество только по принципу принадлежности к истребленному большевиками сословию было нереально. Поэтому, устроители не отказывали всем желавшим просто потусоваться.

Здесь кого только не было.

Никита отметил про себя и пару вице-губернаторов, которые своей воровской паханской наружностью напоминали ему строчки из блатной песенки, которую в тайне от родителей они распевали летом на даче: «вон налево прокурор, а он на морду чистый вор...».

Отметил он и пару – тройку известных телеведущих...

Были тут и явные, выражаясь евангельским языком, «нищие духом», прикидывающиеся потомками благородных... Причем, среди таких имелись и явные потенциальные клиенты психбольницы имени Кащенко – с длинными сальными волосенками и с безумными взорами мутных очей. Заметил Никита и пару местных арт-знаменитостей – бородатого художника, специалиста по боди-арту, в вечном его ярко-бордовом костюме и режиссера одного модного заумного театра...

Подле самого виновника торжества неотлучно пасся главный дворянин всех питерских окрестностей, одновременно служивший в мэрии помощником по внешним связям. У него была какая-то сложная фамилия, Никита все никак не мог ее запомнить.

Народу все прибывало.

Официанты разносили шампанское и водку.

Никита аккуратно наигрывал *пьяно-пьяно...* проходя в памяти от популярных вещей из Шумана и Грига до родного Петра Ильича, который со своими местами из «Щелкунчика» всегда вытягивал любую программу...

Публика не обращала на него никакого внимания, но он играл. Самого фортепьянного из всех популярных композиторов, Фредерика Шопена, его ноктюрны от первого до шестого ре-минор, которые хорошо помнил.

Вообще, дьявольски хотелось есть.

Да и выпить бы не мешало.

Но он помнил правила, и до поры сдерживался...

Наконец, Гусиков вспомнил про него и, кометой Галлея пробегая мимо, шепнул:

– Иди вон туда, видишь, куда официанты ходят, там стол для обслуживающего персонала, там и перекусишь...

Вообще, было во всем этом что-то этакое, крайне унизительное.

Вот тут же в зале для гостей он видел десятки знакомых лиц, половине из которых при иных обстоятельствах бы и руки не подал, а вот нате! Нельзя ему, Никите Захаржевскому, с ними с одного фуршетного стола и тарталеточку взять! Потому как он сегодня всего лишь тапер...

На столе в буфетной стояли блюда с закусками, и Никита соорудил себе невиданной толщины бутерброд из трех слоев ветчины с жирком, перемеженных листьями зеленого салата и парой ломтей мягкого швейцарского сыра. Налил себе полстакана водки... Хорошая, ливизовская, «Пятизвездочная»... Из ящика, стоящего рядом, достал бутылочку «хайнекена»... И не желая разделять компании с официантами, как бы подчеркивая свой особый статус творческой интеллигенции, встал в дверном проеме... Вроде как и не гость, но в тоже время и не обслуга...

А рядышком стояли три изрядно поддатых дворянина. Один в военно-морском мундире, два других в штатском. С ними еще стояла одна дама, по видимости иностранка...

– Ах, бросьте вы, Гай-Грачевский, – говорил первый изрядно поддатый дворянин, тому, что был в военно-морском мундире, – лучше солгите нам что-нибудь из ваших приключений, у вас это, ей-богу, здорово выходит, гораздо лучше, чем династические рассуждения...

– Да! Вот помню служил я третьим военно-морским атташе в Восточном Бильбао... И почил в бозе тогда их король. Ну, сами понимаете, во дворце траур, все посольства с соболезнованиями... В дипкорпусе разговоры разные – поговаривают, что если к власти придет малолетний Абу-Хазис Восьмой, то тогда всех нас отзовут, потому как за этим Абу-Хазисом стоят силы реакционной оппозиции... Ну и... Мы, помню, напились все в дрезину...

Никита дожевал свой бутерброд, допил пиво и, вернувшись к столику в буфетной, налил себе еще сто пятьдесят «Дипломату»...

Когда он вернулся в свой дверной проем, господа дворяне уже переключились на другую тему.

— Гогу этого Гогенцоллерна в цари? — хорохорился военный моряк. — Да этой Леониде Георгиновне хрена лысого, а не трона российского, не бывать этому никогда!

— Э-э-э, батенька, — похлопывая своего визави по полковничьему погону, приговаривал изрядно подвыпивший дворянчик, — вы не в курсе, Собчак уже договорился с Леонидой о помолвке Ксюши с Гогой, и более того, Гошу Гогенцоллерна нашего в Нахимовское училище уже заочно записали, чтоб как английский прынец сперва в военно-морских силах послужил, так-то!

— Гогу в Нахимовское!? — захлебнулся от гнева дворянчик в морском кителе. — Да мы его там в гальюнах сгноим, будет салага старшим ребятам фланельку детским мылом стирать после отбоя!

— Не-е-е, господа, Гогу Гогенцоллерна с Леонидой Георгиевной никто не позволит, это господа, отработанный материал, — вмешался второй поддатый в штатском, — мы в Москве так полагаем, что надо доверить тонкое дело выдвижения новой фамилии — нашей церкви...

— Не церкви, а учредительному собранию от всех сословий, — перебил его третий в штатском.

— Какому еще учредительному собранию, да от каких еще там сословий, вы в своем уме? — ответил третьему второй. — Учредительное собрание ваше какую-нибудь хрень придумает, вроде Горбачева или Ельцина...

— Не только! — перебил второго первый, — есть и здравые мысли, вроде дочерей или внучек маршала Жукова...

– И это вы называете здравыми мыслями? – скорчил лицо второй. – Можно довериться только Патриарху и Православной церкви, только в Свято-Даниловом могут решить...

– И решат – Никитку Михалкова! – бодро вставил морской полковник.

– А что? Никита Сергеевич из очень достойной фамилии, между прочим, – вставил первый в штатском. – Помните, как в шестьсот пятнадцатом бояре Мишу Романова тоже сперва с сомнением выдвигали?

– Во-первых, уже не помню, а во-вторых, правильно сомневались, потому как Николай Второй Романов все наше великое дело своим идиотским и совершенно незаконным отречением коту под хвост пустил, – отпарировал второй...

– А чем вам Никита Сергеевич не нравится? – продолжал настаивать первый.

– А Никита Сергеевич ваш – он просто жлоб и быдло, вот почему, – ответил первому второй.

– Это как же так жлоб?

– А так вот, потому что истинные его роли, где он истинно воплотился, это хамло-проводник Андрей в «Вокзале для двоих» и проститут Паратов в этом кино по Островскому... ну, мохнатый шмель на душистый хмель...

– Сами вы батенька, жлоб, – сказал первый, вперившись во второго совершенно пьяными глазами.

– Я жлоб? – переспросил второй. – Да ты со своим Гогенцоллерном, вы оба свиньи, и иди целуйся со своей поросячьей мамой Леонидой!

Второй для убедительности толкнул первого в грудки.

– Я свинья? Да ты сам свинья! – ответил первый, неожиданно въехав второму в ухо...

Подвыпивших дворян бросились растаскивать.

Разделенные на две группы, удерживающими их от боевого соприкосновения товарищами, первый и второй продолжали орать:

– Да ты сам свинья!

– Да я тебя замочу, свинью!

– Да я тебя сам!

Никита понял, что его место за роялем и почти бегом бросился к своему «Блюттнеру».

Размахнувшись растопыренными пятернями, он могучим ФОРТЕ грянул «Боже царя храни».

В зале вдруг стихло...

– Боже царя храни
Сильный державный
Царствуй на славу... – затянул кто-то.

Господа дворяне подхватили...

И вот вокруг Никиты уже сгрудилась публика.

На крышку «Блютнера» перед ним кто-то немедля распорядился поставить бокал шампанского...

– Молодец, – по-отечески похлопав Никиту по плечу, сказал похожий на вора в законе вице-губернатор...

И тут ему попросту стали давать деньги. Сували на крышку рояля и двадцатки доллариев, и полтахи, и даже благородные стохи...

Накушавшийся водочки вице-губернатор, обняв Никиту за плечи и обжигая его горячим влажным дыханием своим, велел сыграть «Таганку»... И, закрыв в истоме глаза, затянул:

– Быть может, старая тюрьма центральная меня мальчишечку по новой ждет!

«Вещего Олега» и «Боже царя храни» пели раз двадцать, не меньше...

И ему все подносили. И ему все наливали...

И он пил, пил, пил и не закусывал...

Очнулся он в четыре часа утра на холодном и жестком диване в каком-то закутке... Жутко болела голова. В горле пылал огонь неугасимой жажды.

Что-то ему снилось?

Он попытался вспомнить...

А снилась ему бабка...

Приснилось ему, что он играет в зале питерской Филармонии, только она теперь не филармония, а снова, как и до революции – Дворянское собрание... И приснилось ему, будто он играет, а господа сидят в зале, где теперь вместо рядов с креслами – столики, столики, столики, а промеж них официанты бегают... И что подходят к Никите господа во фраках и делают заказы, – сыграй мол, любезный для моей девки-Палашки «Семь-сорок»! И отваливает ему, Никите, за заказ золотыми николаевскими десятками – целый мешочек... А второй барин, похожий на злого чечена, подходит к Никите и говорит, сыграй любезный для моей девки-Наташки – лезгиночку, и тоже бросает на крышку рояля мешочек с золотыми десятками... А потом третий подходит, сыграй для корешей моих – «Сидели мы на нарах...»

А бабка...

А бабка машет ему руками из-под верхнего обреза органных труб, оттуда, куда почему-то ведет крутая белая лестница. И Никита хватает свои мешки с золотом и бежит по лестнице наверх...

А эти снизу хватают его за фалды, – стой! А семь-сорок?! А лезгиночку?! А порюхались мы с корешом на нары?!..

Никита спустил ноги на пол. Он спал, не сняв пиджака и туфель. Только вот галстук куда-то пропал. Жалко. Хороший был галстук, еще сестрица Татьяна, не к ночи будь помянута, ему из Англии прислала... Да, ладно. Бог с ним, с галстуком...

Никита пошарил в карманах, там везде были мятые долларовые бумажки разного достоинства. Он повынимал их все, сложил аккуратной стопочкой, пересчитал...

Шестьсот семьдесят долларов...

Pas mal![1]

«Во флоралайфе я хрен такие деньги и за два месяца заработал бы...» – подумал Никита...

Но, однако, надо бы найти опохмелиться, наверняка ведь осталось!...

Он по памяти пошел было в зал, потом через длинный боковой коридор по какому-то наитию прошел в буфетную...

---

[1] Неплохо! *(франц.)*

Налил себе сперва граммов сто водочки.

Выпил залпом.

Потом налил еще сто пятьдесят.

И со стаканом в руке пошел назад в зал, где в полумраке благородно поблескивал его кормилец – «Блютнер»...

Клавиши были не прикрыты.

Вот небрежность!

Никита отхлебнул еще из стакана и сел за рояль...

Взял первый аккорд из Аппассионаты...

– Нечеловеческая музыка, – копируя карикатуру на Ленина, сам себе сказал Никита, и принялся вдруг наигрывать буги-вуги...

– Qui etes vous?[1] – послышалось вдруг за его спиной, когда буги-вуги закончились...

Никита обернулся. Перед ним стоял старый князь.

– Qui etcs vous? – повторил Иван Борисович,

– Je suis tapper. Vous permettez?[2] – ответил Никита.

– Fêtes com ches vous, – сказал князь. – Et comment vous appellez-vous, monsieur tapper?[3]

Никита назвал себя полностью, по имени и фамилии.

Князь издал некое подобие довольного мурлыкания, из которого однозначно следовало, что фамилия Захаржевских ему хорошо знакома.

– Vous êtes bien élevés[4] ... Хотите коньяку, виски или кальвадоса? – уже по-русски спросил князь, – знаете, Никита, здесь все теперь пьют виски и текилу, и я этого не могу взять себе в толк... Водку вот уже не могу пить по состоянию здоровья, а глоток коньяка... – князь помолчал, как бы сбившись с мысли и по-старчески позабыв, о чем давеча шла речь, но мысли, потоптавшись в его склеротических извилинах, поехали даль-

---

[1] Кто вы? *(франц.)*

[2] Тапер. Вы позволите? *(франц.)*

[3] Как вам будет угодно. Как ваше имя, господин тапер? *(франц.)*

[4] А вы недурно воспитаны *(франц.)*.

ше, и он все же закончил начатое: – Так вот, если мы сейчас перейдем в кабинет, я угощу вас превосходным кальвадосом… Ему сорок лет этому кальвадосу, я купил его в Анфлере в Нормандии, это истинный нормандский вкус…

Приглашение старика выпить пришлось как нельзя кстати. Они поднялись на второй этаж. Возле потрескивающего березовым полешком уютного камина Никиты стояло только одно кресло.

– А вы садитесь к инструменту, господин Захаржевский, – сказал князь, беря в руки квадратную бутылку и наливая ему на два пальца с половиной.

– Ну что я вам говорил, дружок? – сказал князь, когда Никита, выпив, состроил удовлетворенную гримаску. – Это же лучше всякой шотландской сивухи?

– Vous êtes a raison, mon Prince[1], – кивнул Никита, втайне желая тут же повторить.

– А для тапера вы неплохо воспитаны и образованы, – во второй раз отметил князь, – я лично знавал двух Захаржевских…

Князь снова замолчал, а Никита предался счастливому ощущению проникновения благородного алкоголя в самые сокровенные уголки его истощенного похмельем организма.

– Сергей Васильевич Захаржевский, одна тыщща восемьсот семьдесят девятого года рождения, окончил Николаевское кавалерийское училище, в Первую мировую воевал у Драгомилова и Великого князя Николая Николаевича, потом в Гражданскую был на Степном фронте, командовал Зюнганским калмыцким полком, потом тринадцатой конной бригадой… И между прочим, это он вашего этого… Ча-па-я в Урале утопил, хе-хе-хе… – князь довольно захихикал, – так что, думаю, если бы ваши начальники в годы Сталина хорошенько бы покопались в истории, то вам и родителям вашим…

---

[1] Совершенно справедливо, князь *(франц.)*.

Князь снова замолчал, видимо энциклопедическая точность воспоминаний снова наткнулась на препятствие в виде склеротического сосуда...

— Так вот, с Сергеем Васильевичем Захаржевским мы вместе в Фонтенбло, да в Сербии не одну бутылочку за преферансом, хе-хе-хе...

И снова мысль наткнулась на склеротический сосуд...

Никита боялся показаться невоспитанным и внутренне с великим трудом перебарывал желание налить себе в стакан еще на три пальца.

— А вы налейте себе еще, дружок, не стесняйтесь, — читая его мысли, сказал князь. — Знавал я и еще одного Захаржевского и, кстати, не родственника Сергею Васильевичу, тот служил начальником штаба второй пластунской бригады у Корнилова, был ранен тяжело... умер совсем недавно, в Льеже двадцать пятого апреля одна тыщща девятьсот пятьдесят четвертого года... Захаржевский Иван Александрович, светлая память его! — князь с чувством перекрестился на православный манер... — Не родственник он вам?

Никита что-то нечленораздельное промычал и на всякий случай тоже перекрестился и придал своему лицу выражение благоговейности...

— А своих предков-то надлежит зна-а-а-ать! — повысив голос, протяжно прикрикнул князь. — Знаете своих прабабок, прадедок-то, или позабыли, как Иваны не помнящие родства?

Никита было растерялся даже от такого напора, но, придав лицу еще больше благоговейности, на всякий случай утвердительно кивнул и вымолвил:

— Бабушка нам рассказывала, что род наш вообще-то древний, и что вообще прабабка наша из Шотландии...

Князь кивал каким-то своим мыслям...

— Ну и что для вас предки, что для вас предки, Россия, родина? Вы хоть словами-то ее можете определить? Березы, что ли, здесь, на Каменном острове? Так они и в Бельгии с таким же успехом произрастают. Слышали, небось. Где спать лег — там и родина?..

Старик снова взял долгую склеротическую паузу...

— Родина, милейший — это понятие емкое... и понятие ее дано видать не всем — это как музыкальный слух и чувство рифмы. Вот женятся все или почти все люди — а счастье в браке обретают только единицы. Получается — либо в постели с супругой не все как в мечтах, либо на кухне ругань и поножовщина! Так и с родиной. Страну обитания каждый в паспорте имеет — а любить ее и ценить умеют далеко не все. Это как дар. Мне родина — это и улица, на которой я... — старик вдруг всхлипнул, — Фурштатская улица, куда я теперь на старость приехал поглядеть на окна нашей старой квартиры... И... И ощущение ее государственных интересов, когда там во Франции, что приютила меня, газеты читаю... И ее ракеты, если угодно. И все нынешние эмигранты, что приезжают теперь, я их не по-ни-ма-ю... Мол, там жить хорошо, где творчество и быт! — Старик спорил сам с собой. — Бросьте трепаться! Для меня выехавший человек, как сирота. Как вечный беспросветный сирота...

Никите стало крайне неловко от того, что старик откровенно рыдал, он содрогался рыданиями, слезы душили его, они лились по его щекам, личико князя, и без того изрытое морщинами, сморщилось еще более, а плечи так трогательно дрожали, что Никита не удержался и, вскочив, обнял старика, прижав его к груди и приговаривая что-то вроде «ну, да что вы, что вы, не надо, не надо...»

Когда князь пришел в себя и белым батистом вытер слезы, он сказал:

— Друг мой, сыграйте мне... Сыграйте мне, знаете... Утро туманное...

Никита взял аккорд.

Потом другой...

И неожиданно для самого себя вдруг правильно пропел весь романс ...

От начала и до конца...

— Я... Я просто обязан помочь вам... — лепетал, утирая слезы, князь, — я просто обязан, просто обязан помочь вам исследовать вашу родословную...

Он велел подать ему портфель, что лежал на секретере, долго копался в его внутренностях, потом достал оттуда золотой «паркер», чековую книжку...

— Во Франции, знаете ли, все уже смеются над нами стариками, а что поделаешь, привычка вторая натура, не доверяю я этим ле карт манетик, мне привычнее чек...

Старик написал на бланке сумму, поставил роспись, оторвал чек от корешка и протянул его Никите.

— Вот тут вам средства на ваши генеалогические поиски, Никитушка! И в добрый час!

Никита глянул на бумажку...

Банк Сосьете Женераль

Пятьдесят тысяч франков...

Глава десятая

НА ВЫСОТАХ ТВОИХ...

(*сентябрь 1995, Португалия*)

Американец Дэвид Лоусон, этот крайне экстравагантный секретарь лорда Морвена, который прекрасно вел дела, но при этом носил совершенно ужасные костюмы и мог запросто появиться на коктейле в «Ритц», в пиджаке, купленном где-нибудь на Портобелло-Роуд в прет-а-порте для японских туристов, так вот, этот самый Лоусон предложил три абсолютно, по его собственному определению, очаровательных места проведения свадьбы. Будущей леди Морвен особенно привлекательным показался вариант организации торжества в центральной Франции в замке Озе ля Ридо, что расположился на живописном берегу Луары в среднем ее течении. Замок, принадлежащий одной американской авиакомпании, с которой у Морвена были довольно тесные контакты, сдавался внаем, и имел все необходимые для такого случая компоненты. Комфортные комнаты королевского уровня для отдыха именитых гостей, превосходный парк для торжеств на вольном воздухе, вышколенный персонал, и все необходимые средства связи... Превознося достоинства этого варианта, Лоусон два или даже три раза напомнил патрону, что сам Генрих IV охотился в окрестностях Озе ля Ридо и в замке свято хранят комнату, где Его величество провел несколько ночей... «Жил-был Анри Четвертый, Он славный был король», — невольно припомнилось при этом Татьяне, и она принялась было насвистывать мотивчик из «Гусарской баллады», но...

Но лорд забраковал красивый Озе ля Ридо потому, что тот был слишком удален от ближайшего аэропорта в городе Тур, куда надо было бы еще добираться два часа на автомобиле. От предложенного Лоусоном вертолета, как средства доставки гостей, Морвен, скривив гримасу, отмахнулся, мол, не все пожилые дамы пожелают садиться в вертолет.

А от варианта Ниццы, точнее – от пятизвездного отеля «Малибу», где, кстати, за месяц до планируемого торжества состоялось очередное бракосочетание пятидесятипятилетнего гитариста «Роллинг Стоунз» Билла Уаймена с юной чешской фотомоделью Мартинкой Бааровой, отказалась мисс Теннисон.

Ницца показалась ей слишком банальной.

Третий вариант Лоусона – замок Кастелло дель Мурос в Португалии, что почти на берегу Атлантического океана, и всего в сорока минутах езды по прекрасной автостраде от Лиссабонского аэропорта, понравился всем. И жениху, и невесте. Сам замок вознесся над океаном на высоту более полутора тысяч метров, и со стен замка, видевших еще и арабских завоевателей, и колонны франко-испанских рыцарей-реконкистадоров, открывался такой вид, что казалось, на Западе, за дальней кромкой горизонта если и не саму Америку, то паруса Колумба и Васко да Гама видно точно! А внизу, под бесконечной серпантиной горной дороги, в местечке под названием Кашкайш, был и костел XIV века, в котором кстати говоря, крестили будущего вице-короля Бразилии дона Педро де Кашкайш... Как тут было Татьяне не вспомнить знаменитое – мало ли в Бразилии Педров?!

Может, это как раз и сыграло решающую роль в том, что она с булыжной твердостью заявила благоверному, что желает сочетаться именно там...

Морвену, при его совершенной индифферентности к англиканской церкви, было в принципе все равно. Лоусон даже специально связался с настоятелем костела св. Себастьяна, и там ответили, что обвенчают жениха – представителя англиканской церкви – с невестой греко-византийской ортодоксии при условии, если те ознакомятся с общими догматами папской церкви и прямо в костеле подпишут соответствующий конкордат... Оба, и Татьяна, и ее жених, к вопросам религии относились с вялой иронией. Поэтому, к перспективе быть обвенчанным не в англиканской, а в католической церкви, лорд Морвен отнесся с меньшим вниманием, чем к гастрономической части банкета.

Но решающим фактором в вопросе выбора места, стал тот момент, что все члены орденского синклита дали согласие на проведение очередного заседания здесь же – в Кастелло дель Мурос.

Не пустить прессу совсем – было нельзя.

Фотографы-папарацци из «Бильд», «Ньюсуик» и «Пари-Матч» щелкали затворами фотоаппаратов всю дорогу – от самых трапов двух чартеров, заказанных Лоусоном, парижского и лондонского, на которых прилетело большинство гостей, и до самого замка...

Родня Романовым – граф Ленарт Висборг из дома Бернадотов и сэр Элтон Джон собственной персоной, принц Кристоф Шлезвиг-Гольштейн-Зондербург-Глюксбургский с принцессой Элизабетой Липпе и сэр Пол Маккартни... Кинорежиссер Стивен Спилберг и все еще бесподобная Клаудиа Шиффер, звезда Голливуда Колин Фитцсиммонс и балерина Майя Плисецкая, мультимедийный мультимиллионер Гейл Блитс с супругой Мириндой, теннисистка Штефи Граф с мировым иллюзионистом Дэвидом Копперфильдом...

Вообще, Фитцсиммонс и Дэвид Копперфильд по утверждению грязно-желтой «Сан», согласились отметиться на свадьбе скучнейшего лорда Морвена только благодаря перспективе позаниматься серфингом на знаменитом пляже близ Капа дель Рока, что всего в семи километрах от замка Кастелло дель Мурос.

Но это так – грязные слухи, без которых не бывает и грязных газет!

На самом деле, Колин Фитцсиммонс прилетел в Португалию имея весьма четкие намерения найти денег на реализацию новой продюсерской идеи... Но, уверенно полагая себя хорошим актером и еще лучшим игроком в покер, он умел скрывать истинные желания, прикрывая их за покерным лицом до той поры, пока партнеры по игре сами не попросят его взять то, что ему нужно.

Гости прогуливались по смотровой площадке, обустроенной на одной из крепостных башенок, откуда открывались воистину волшебные виды на горы и океан...

– Замок перестраивался много раз, и в том виде, в каком мы его видим теперь, он был в конце девятнадцатого века переделан из тех руин, что остались от реконкисты, – со стаканом «Чивас Ригал» в руке давал пояснения лорд Морвен.

– Вид отсюда просто превосходный, – кивал Фитцсиммонс, держа в руке стакан с «Баллантайн».

– Это молодая леди Морвен сделала такой выбор, – не без гордости сказал старик, делая маленький глоток виски.

– Я все еще не представлен леди, – заметил Фитцсиммонс.

– Это легко поправить, – ответил Морвен, – я уверен, она будет рада знакомству с вами.

А молодая леди в это самое время была в комнате самого дорогого для нее существа на свете, своего Нилушки, своего маленького Ро...

Так он, двухлетний, назвал сам себя там, на острове, в первый вечер их знакомства. Таня с дедушкой Максом сидели за шахматами в гостиной, малыш ползал по ковру, играя со всякими диковинами, а Лиз, его физическая мать, лежала наверху в наркотическом забытьи. В какой-то момент сосредоточиться на шахматах оказалось просто невозможно – мальчонка отыскал среди игрушек раскрашенную калебасу, изготовленную из африканской тыквы-горлянки и самозабвенно лупил по ней крокетным молоточком. «Гром победы раздавайся, веселися, храбрый росс...» – с улыбкой заметил дедушка Макс. Мальчик поднял голову, ткнул себя пальчиком в грудь и раскатисто повторил: «Ро!» С этого момента маленький Нил, сын несчастной Лиз Дальбер и Нила Баренцева, стал для нее Ро, храбрым россом...

– Ро, я прошу тебя, – делая акцент на слове «прошу», говорила Таня, – я прошу тебя переодеться и выйти к гостям.

Но юный Нил и ухом не повел. Демонстративно отвернувшись от своей приемной матери, без пяти минут четырнадцатый лорд Морвен всем своим видом показывал, что его интересует только электронная игрушка, на большом экране которой он, ловко манипулируя пультиком, стравливал двух монстров – хищного ящера Tirannosaurus Rex с каким-то эклектическим японо-китайским витязем в рогатом шлеме викингов, размахивавшим двумя кривыми турецкими саблями...

– Ро, это просто неприлично, – настаивала Таня...

– О приличиях ты говоришь, а прилично выходить замуж за этого урода?

– Своей непочтительностью ты причиняешь мне боль, милый Ро, – сказала Татьяна, скрестив руки на груди, как скрещивают их, подходя к причастию. – Позволь напомнить тебе, что лорд Морвен всегда был к тебе добр и щедр, в конце концов, он – твой родной дед, а с этого дня ты можешь называть его папой, а меня – мамой.

– Ты не мама, ты лучше, ты Тата! И дед у меня есть – это дедушка Макс, и папа есть, только я его не знаю, а Сэр мне не папа!

– Дорогой мой Ро, – медленно и с дидактической установкой в голосе принялась говорить Татьяна, – ты живешь в обществе, которое накладывает обязательства...

– Noblesse oblige?[1]

– Именно! Обязательства перед той собственностью, которой управляет наше сословие, милый мальчик мой.

Про другие, только ей одной известные обязательства, она не могла сказать *никому*. Да и про то, что сегодня лишь *публикуется* ее тайный брак с Коро-

[1] Положение обязывает *(франц.)*.

лем Иллюминатов, скрепленный орденским обрядом более пяти лет назад, ребенку знать необязательно. Пока.

– И поэтому ты выходишь за этого вялого, скучного, холодного...

– Милый Ро, далеко не все находят лорда Морвена таковым... – Тане на ум вдруг пришла старая еще советских времен песенка: «Все могут короли, все могут короли!» И она сама себе вдруг улыбнулась, припомнив этот незамысловатый мотивчик.

– Если ты думаешь, что я когда-нибудь смогу называть Сэра Dad или Papa...

– Если ты думаешь, что это продлится долго...

– Тата, я не понял, что ты хотела этим сказать? – переспросил Ро.

– Ладно, friends? – спросила Татьяна, раскрывая юному Нилу свои объятия.

– Ладно, friends! – согласился мальчик как-то неохотно. Но согласился, обнимая свою Тата.

– Тогда переодевайся, и выходи к гостям, я тебя жду...

– Я тебя люблю.

– И я тебя люблю.

Первой к гостям вышла леди Морвен.

– Darling, позволь представить тебе нашего гостя, мистера Фитцсиммонса, – целуя ей руку, обратился к невесте лорд Морвен.

Татьяна протянула другую руку Фитцсиммонсу, и с легким кивком головы проговорила обычные в таком случае «how do you do» и «enchanté!».

Лорд, воспользовавшись случаем переадресовать Фитцсиммонса Татьяне, поспешил перейти к другим гостям.

– А я вас помню, – сказал вдруг Фитцсиммонс, наклоняясь почти к самому ее уху, – вы ведь и в самом деле Дарлинг? Таня Дарлинг? Не забыли Хэмпстед?..

Легкая дрожь пробежала по ее открытой в вечернем платье спине. Она ослепительно улыбнулась.

– Да, помнится, лет восемь назад одна желтая газетенка писала о моем сходстве с какой-то Дарлинг. Кажется, она была бандершей.

Если Фитцсиммонс ставил себе целью как-то смутить леди Морвен, то результат получился строго обратный.

– О, пардон, я, разумеется, ошибся. И, конечно же, никому не скажу о своей ошибке, ma parole[1]!..

От остатков смущения голливудскую звезду спас верный Танин Нил.

Как хороший мальчик, он, подойдя к матери, приветствовал всех общим поклоном, послушно ожидая, когда его Тата станет представлять его гостям.

– Это ваш мальчик? – удивленно спросил Фитцсиммонс. – Надо же, такой взрослый.

– Bonjour, monsieur, – с легким поклоном приветствовал актера Нил-Ро и тут же поинтересовался, – а вы снимаетесь в новом кино?

– Да, и сам выступаю в роли продюсера.

– А про что это кино?

– Про русских моряков, – ответил Фитцсиммонс, и тут же вдруг предложил Тане, – а что, а не хотите ли отдать мне вашего замечательного мальчика на месяц съемок? Я сделаю для него роль юнги на русском корабле!

– Отличная идея, Тата! – воскликнул мальчик.

Таня одернула мальчика, сказав ему по-французски:

– Coduisez vous bien, monsieur! Ayez patience[2]!

– А что! – настаивал Фитцсиммонс, – из парня получится превосходный юнга русского флота!

– Уж лучше в Голливуд, чем в школу, – подтвердил Нилушка, но уже без неприличествующих ему эмоций...

– Фильм про русских моряков? – переспросила Фитцсиммонса леди Морвен. – А знаете, мой муж на-

---

[1] Даю слово! *(франц.)*

[2] Ведите себя прилично, мсье! Имейте терпение! *(франц.)*

верное захочет поучаствовать в этом проекте своими деньгами...

— Вы уверены? — переспросил Фитцсиммонс с покерным лицом...

— Ваши фильмы всегда имеют априорный кассовый сбор, и лорду Морвену, мне кажется, это будет интересно, поскольку тема фильма...

— Интересна вам? — поспешил ей на помощь Фитцсиммонс.

— Может быть, — ответила Тата и, обняв Ро за плечи, перешла к другой группе гостей.

Когда по кругу Татьяне и ее приемному сыну были представлены все собравшиеся, Нилушка не преминул заметить матери, что все-таки Маккартни и Элтон Джон — это отстой, и что лучше бы было пригласить на свадьбу кого-нибудь из «Спайс-Герлз», типа Мелани Си или Бритни Спирс, которые все равно — тоже отстой...

А когда им представили Гейла Блитса, юный Морвен сказал ей на ухо:

— Лучше бы ты за Гейла вышла — имели бы мы бизнес на электронных игрушках...

— Дурачок, — ответила Тата и пожала руку своему маленькому Ро.

Заседание Капитула было назначено на без четверти двенадцать.

Гейла Блитса предупредили, что ему следует быть одетому в черный фрак... Как требует того ритуал.

Местом заседания была выбрана знаменитая Цистерна дель Пена замка Кастелло дель Мурос.

Цистерна дворца и замка фамилии дель Пена имела довольно интересную историю. Цистерна представляла собой потайное подземное сооружение, выстроенное в период захвата арабами Южной и Западной Португалии. По слухам, в Цистерне скрывались от нашествия и юлианские монахи, и местная христианская знать, в частности и сами дель Пена, которые и дали имя Цистерне.

Ходили легенды о том, что захватив Кастелло дель Мурос, арабы перебили всех представителей мужской линии дель Пена и замуровали их в стенах Цистерны... Ходили слухи и о несметных сокровищах, сокрытых за толстыми сводами из черного кирпича...

Обо всем этом Гейлу Блитсу, облаченному во фрак, шелковый цилиндр и плащ, по пути в Цистерну поведал мистер Лоусон...

Внутри Цистерна производила сильное впечатление. Ощущение было такое, что из комфортной второй половины XX века тебя выдернула какая-то неведомая и безжалостная машина времени, и забросила в самый отдаленный уголок страшного средневековья.

Причем, впечатление это усиливалось и тем обстоятельством, что спускаясь по вырубленным в скале ступеням, Лоусон освещал дорогу не электрическим фонариком, а самым натуральным, нещадно чадящим сырою нефтью факелом.

– Театр абсурда, насилие над научным прогрессом, – отметил про себя прагматик Гейл Блитс, – Goodbye, Silicon Valley... – пропел он на мотив Элтон-Джоновской «Goodbye, Yellow Brick Road», которой в оригинальном исполнении наслаждался еще два часа назад...

– Я, Тираннозаурус-Рекс Восемнадцатый, властью данной мне Капитулом, спрашиваю тебя, жалкий гомункул, признаешь ли ты власть Верховного Ордена и принимаешь ли ты наши уставы и закон, как высший закон своей жизни?

Гейл Блитс, едва давясь от душившего его смеха, тем не менее, покорно стоял на коленях, испытывая при этом крайнее неудобство.

Неужели не могли подушечку мягкую предусмотреть?

Он, скосив глаз, исподлобья поглядел на лорда Морвена, выряженного в пурпурную мантию с горностаями, опирающегося на самый настоящий топор средневекового палача... «Еще чего доброго, эти ради своих игрушек и взаправду голову отрубят, – подумал Гейл Блитс, и его даже передернуло от этой мысли, – брррр!»

Но члены Капитула, рассаженные в круг, безмолвно взирали на ритуал посвящения.

– Принимаешь ли наш закон? – грозно возопил лорд Морвен.

– Да! – пропищал Гейл Блитс, всерьез опасаясь, что назад дороги уже нет.

Он понимал, он давал себе полный отчет в том, что если эти престарелые дурни и играют в какую-то бутафорную секретность, то за театральным этим антуражем по-настоящему стоят самые большие и реальные капиталы всего мира.

– Гомункул, во имя Капитула, ты становишься нашим братом, но в напоминание тебе о бренности всего перед интересами Ордена, мы символически отрубаем тебе голову...

Гейл Блитс в точности знал все тонкости ритуала. Он был посвящен в детали еще за неделю...

Ах, чего не сделаешь ради власти! Ради вхождения в самый тайный совет самых могущественных людей этого мира?

Два помощника магистра поднесли самую настоящую плаху...

Левое ухо, прикоснувшись к срезу, ощутило влажную прохладу подгнившей древесины...

Откуда-то грянул Бахом орган.

Топор коснулся шеи...

... и вспыхнул свет.

Яркий свет.

– Каждое утро и каждый вечер отныне ты будешь начинать и заканчивать свой день, вспоминая, как тебе отрубают твою голову, – сказал лорд Морвен, вручая Гейлу Блитсу пластиковый пакет, в котором была.... его, Гейла Блитса, голова...

Новопосвященный прекрасно понимал, что при современных технологиях можно сделать все, что угодно... Тем более, при тех деньгах, которыми располагает Капитул...

Ему предложили кресло, которое слуги вынесли на середину круга, и он сел в это кресло, так и продолжая держать в руках эту идиотскую отрубленную голову...

– Капитул слушает тебя, – сказал лорд Морвен.

И Гейл Блитс начал свой доклад.

Как человек деловой, он тут же настолько увлекся своей речью, ее темой, что уже через минуту был совершенно в своей тарелке, как если бы докладывал не десятку ряженных в мантии с горностаями, собравшемуся под сводами средневековой Цистерны, а нормальному совету директоров где-нибудь у себя на Уолл-Стрит...

– Господа, – начал Гейл Блитс, – с моментом создания быстродействующих процессоров, с моментом объединения всех компьютеров в единую мировую сеть и с подключением всех банков в единую систему электронных платежей, мир реально подошел к той черте, перейдя которую можно всерьез говорить о возможности установления режима полного контроля за всеми процессами финансовых потоков...

Гейл откашлялся, обведя аудиторию изучающим взглядом. На него смотрели – кто с нескрываемым вниманием, кто с благосклонной усмешкой явного высокомерия...

– Господа, до того момента, когда все... Я повторяю, все процессы на этой планете, включая даже случайный чих больной старушки, будут взяты под контроль одного центра управления, фигурально выражаясь, одной кнопки... – Он сделал ударение на слове «одной»... – И я надеюсь, что этим одной-единственной кнопкой будет именно наша кнопка, повторяю, до этого момента осталось совсем немного.

Нужно только решить несколько вполне решаемых технических проблем.

Но я хочу заметить, господа, что еще тридцать лет назад, в то время, когда уже было знание о компьютерах, данное нам Норбертом Винером, никто и понятия не имел, что можно будет создать и Силиконовую долину, и всемирную сеть Интернета... Да, господа, наука и прогресс двигаются по резко восходящей экспоненте, и власть будет принадлежать в этом мире не тем, у кого только тупые деньги, но тем, кто будет вкладываться в прогресс, а именно – вкладываться в исследования в области управлений...

Он снова оглядел собравшихся.

На него глядели уже без усмешек.

– А какие этапные проблемы предстоит разрешить, прежде того, как мы получим нашу кнопку? – спросил с места один из членов Капитула.

– Среди прочих, это проблема ориентирования и пространственного позиционирования, – ответил Гейл. – Дело в том, что наш мир в своем многообразии просто является элементарно – набором перемещающихся или недвижимых объектов, и имея общий контроль за физическими перемещениями этих объектов, для того, чтобы влиять на эти перемещения, необходимо уметь позиционироваться в пространстве с величайшей точностью... А для этого... – И он достал из кармана несколько шариков, – а для этого надо, как ставит задачу общая наука, надо сперва изучить, потом определить, потом классифицировать, и затем – использовать утилитарно....

Он снова показал Капитулу железоникелевые шарики – застывшие капельки расплавленного метеоритного вещества.

– Некоторые из них имеют безупречную сферичность и являются идеально магнитомягкими и магнитопроницаемыми. Это те свойства, над которыми бьются и никак не могут получить наши лаборатории и промышленность, создавая самую ответственную деталь гироскопа – его ротор. Напоминаю вам, что гироскоп – это прибор для точного наведения предмета на цель, будь то ракета, подводная лодка, да все, что угодно. А из этих шариков можно изготовить почти микроскопические гироскопы на магнитной подвеске, сохраняющие исключительную ориентировку на цель с точностью до первых сантиметров на расстоянии сотен километров. А если дополнить такой гироскоп микроблоками с оптимальными пьезорезонаторными характеристиками, получим сверхкомпактную приемно-передаточную систему, подпитывающуюся энергией какой-нибудь постоянно работающей радиостанции и идеально следующую заданным курсом.

— А на каком летательном аппарате целесообразно установить такую систему? — спросил лорд Морвен.

— На биологическом. Птицы, господа! Летают, где хотят, не привлекают внимания, безошибочно следуют заданным курсом. Наши шарики-гироскопы — это пока максимально доступный аналог тем природным гироскопам-микрочипам, встроенным в мозг птицы. В перспективе, конечно, необходимо создание кибер-птицы, обладающей всеми достоинствами биологического носителя, но лишенной его недостатков. Кибер-рыбы. Или кибер-мухи...

— Кибер-слона!

— Разумеется. Все будет зависеть от поставленной задачи. Узнать о противнике все — или уничтожить...

— Да, наши вояки такие разработки с руками оторвут. Какая минимизация человеческого фактора! В условиях, когда один погибший солдат обходится казне дороже, чем организация и вооружение целого батальона...

— Не вижу смысла посвящать в наши разработки вояк. И вообще государство. Со временем, по мере надобности, мы, конечно, сможем продать им кое-что из готового и вновь выступить в роли спасителей западной цивилизации. А пока... Владеющий такими технологиями владеет миром.

— Но работам такого масштаба нельзя гарантировать полную секретность. Рано или поздно произойдет утечка, и тогда...

— Господа, я готов ознакомить вас с развернутым планом действий. Именно для его осуществления мне и понадобятся ваши капиталы. Прошу заметить, не столько финансовые, сколько политические...

Сражение, если назвать его речь сражением, было выиграно...

Вылетая из Лиссабона личным самолетом, Гейл Блитс был уже не только Оглашенным гомункулом, кандидатом в Птеродактили второго круга, обязанным в течение всего годичного испытательного срока держать в своей спальне копию собственной отрубленной головы. Он улетал с санкцией на создание в Аризоне нового собственного исследовательского центра, должного затмить и Силиконовую долину.

Но теперь ему были нужны люди.

Много умных и талантливых людей!

Глава одиннадцатая

СТРАСТИ ПО ФРАНЦИСКУ

(сентябрь 1995, Сан-Франциско)

Веселый провинциальный паренек Генка Симаков, университетский однокурсник Павла, знакомясь с девушками, любил, как бы невзначай, упомянуть, что родом он из Сан-Франциско. Самое забавное, что говорил он почти правду. Сан-Франциско Генка называл свой родной город Ивано-Франковск по звуковой аллитерации. За пять с лишним университетских лет шутка стала банальностью, все к ней привыкли, и далекий калифорнийский город так и закрепился за Геной Симаковым второй родиной.

И первые дни, когда Павел и Татьяна отмечались у местных достопримечательностей и памятных мест, ему все казалось, что где-то здесь в Библейском или Шекспировском саду Сан-Франциско гулял славный российский паренек Гена Симаков и, клеясь к местным герлам, рассказывал им, что он родом из самого Ивано-Франковска, но ему, разумеется, никто не верил.

По мнению Павла, имени Франциска Ассизского, который проповедовал отказ от роскоши и призывал «жить, как птицы небесные живут», больше бы подходил, скажем, Владивосток, тоже прилепившийся к Тихому океану, но с другой его стороны, тоже окруженный сопками, с улицами, то поднимающимися на горку, то спускающимися вниз. Но разница между городами была такая же, как между принцем и нищим из одноименного романа, если бы встретились они не мальчиками, а пожилыми людьми. Сан-Франциско, естественно, в роли царствующего короля, благородного и ухоженного аристократа, а «Владик» – грязный забулдыга с улицы Отбросов.

С холма Твин Пикс, куда Павел забрался уже на второй день своего пребывания в Сан-Франциско, ему открылся весь знаменитый калифорнийский город. С небольшим, по американским меркам, числом небоскребов в финансовом квартале центральной части города, среди которых выделялась пирамидальная «Трансамерика», с грандиозным мостом «Голден-Гейт», хорошо видным даже в сгущающемся тумане. Белый, сверкающий город Святого Франциска с заливами и мостами, с зыбкими очертаниями океана лежал перед ним. И, как большинство людей, смотрящих на свой город с высоты, Павел повернулся к океану и, довольно приблизительно выбрав точку в западной части Сан-Франциско, проговорил: «А вот наш дом...»

Дом Павла, хотя и полностью соответствовал американским канонам Западного побережья, но заметно отличался от преобладавших в городе белых двухэтажных особняков викторианской архитектурной эпохи. Он представлял собой современную одноэтажную конструкцию на стальных опорах, с плоскими крышами на разной высоте, переходящими в нависающие консоли, с раздвижными стеклянными стенами. Широкая застекленная гостиная выходила прямо на песчаный пляж океана, а к летнему угловому кабинету примыкал открытый бассейн с океанской водой. Как бывшему советскому школьнику было не вспомнить задачку про трубу и бассейн! Сколько времени в свое время потратил Павел, втолковывая несчастной Елке, что в одну трубу вода вливается, а в другую выливается. «Зачем нужны такие дурацкие задачки!» – кричала в слезах сестренка.

Чем-то Павлу нравился огромный серый камень в окружении каких-то растений, похожих на комнатные фикусы, наполовину лежащий на зеленом газоне, наполовину наползавший на плиточное обрамление бассейна. Павлу вспоминались сразу камни Карельского перешейка во множестве разбросанные по побережью Финского залива, принесенные когда-то двигавшимся по земле ледником. Мысль о леднике действовала на Павла так же, как формула аутогенной тренировки «Мой лоб приятно прохладен»...

— Буэнос диас, синьор Пабло!

— Доброе утро, синьора Лючия!

Мексиканка Лючия, его домработница, устраивала Павла своей расторопностью, аккуратностью и еще насмешливым отношением к «зажравшимся янки». И хотя она была ровесницей Павла, он относился к ней, как к своей латиноамериканской толстушке-тетушке.

— Как поживает ваша очаровательная дочка?

— Что ей сделается, синьор Пабло! С утра Долорес уже куда-то упорхнула с подружками. Мои подзатыльники не успевают ей вдогонку.

— По-моему, вы несправедливы к ней. Что бы мы делали без ее помощи? Как бы мы справлялись с нашими мальчуганами? А они от нее без ума, ходят за ней, как цыплята. И слушаются ее во всем.

— Да, здесь она хорошо играет роль строгой воспитательницы, зато дома она отрывается за все часы пристойного поведения. Все летит кувырком, все вещи пропадают, а потом возникают неизвестно где!..

— Не ругайте ее, синьора Лючия! Зато она не ходит, а танцует. Она все время танцует...

— Это верно, сеньор Пабло. Она не чета этим толстозадым янки. Даже ее американские ровесницы носят такие джинсы, в которые могли бы поместиться и я, и Долорес, и наша тетушка Тереза...

В силу известных особенностей русского характера Павел успел привязаться к Лючии и ее пятнадцатилетней дочурке. Считал их почти членами своей семьи. В шутку он называл ворчливую толстушку Лючию Йерба-Буена, то есть «добрая трава». Так именовалось первое испанское поселение на сорока холмах, которым вскоре завладели расторопные американцы и переименовали его в Сан-Франциско в 1846 году.

Долорес исполняла роль baby-sitter, то есть присматривала за Митей и Алешей. Щепетильный в этих вопросах, Павел фактически нарушал закон о найме рабочей силы, взяв в няньки несовершеннолетнюю девчонку. Но Татьяна очень его просила, и он пошел на поводу у жены. Формально же Долорес просто приходила играть с мальчиками. Она к ним действительно привязалась! Такие очаровательные малыши! И кто мог запретить Павлу делать Долорес небольшие подарки, пусть и регулярно, и почему бы не деньгами? Девочка сама купит себе, что захочет...

Дорога на работу занимала около сорока минут. Столько требовалось двухместному открытому «Порше», что бы домчать своего хозяина от дома на Пасифик-Элли драйв до небоскреба в финансовом квартале Сан-Франциско.

«Вы оставите свое сердце в Сан-Франциско!» – кричал Павлу рекламный щит на трассе. «Типун тебе на язык!» – мысленно отвечал ему Павел, обдуваемый встречным тихоокеанским ветром.

Приятно щекотало ностальгические питерские рецепторы официальное название его нового места работы: Северо-западный филиал фирмы «Блю Спирит», научным консультантом которого он теперь и являлся ровно с десяти часов утра. «Хай!» – говорил он черному охраннику с шеей быка и лицом ребенка. «Хай! – говорил он Чарльзу, менеджеру строительной фирмы, встречая его у лифта. После чего Чарльз выходил на двадцать втором, а Павел поднимался на двадцать девятый, где «Блю Спирит» снимала ни много ни мало восемьсот дорогостоящих квадратных метров, начиненных всем необходимым, а большей частью совершенно лишним, для успешного плавания по бурным и коварным морям современного бизнеса. «Хай!» – говорил он уже в последний раз секретарю фирмы.

И начиналось это удивительное манипулирование словами, цифрами, многозначительными паузами, озабоченное созерцание экрана монитора, поддакивание в телефонную трубку, тасование папок и неотъемлемый ежедневный поиск нужной бумажки, словом, то, что зовется большим бизнесом, но при ближайшем рассмотрении производит довольно скучное впечатление.

«Блю Спирит» консультировала своих клиентов по широкому кругу разнообразнейших вопросов экономической деятельности, предоставляла услуги по исследованию и прогнозированию рынка, технико-экономически обосновывала все, что угодно, проводила маркетинговые исследования и составляла изощренные стратегические программы, то есть, занималась консалтингом. Время от времени, поднимая как по тревоге своих юристов, сыпала параграфами федеральных законов и прикрывалась номерами конституционных поправок.

Как-то раз Павлу потребовалось сделать несколько копий с документов. Подняв крышку копира, он обнаружил забытый кем-то из бухгалтеров счет. Обычный офис-склероз. Ничего особенного. Но сумма, выставленная их фирмой какой-то «Конрад энд Дэвис интернешнл компани» за срочную работу, была, мягко говоря, неожиданной. 18 миллионов долларов! И за какую же такую уникальную работу? За то, что программист Рой до обеда постучал по клавиатуре и уронил со стола толстенный справочник, опрокинув кофе на ковролин?

Неужели и здесь, на калифорнийском побережье, продолжаются денверские чудеса? Правда, там деньги исчезали в черном цилиндре фокусника, а здесь они волшебным образом появляются в огромных суммах, стоит только постучать немного по клавиатуре компьютера...

God bless Friday![1] Еще не хватало забыть про мероприятие! Да и как тут позабудешь, если ровно за восемь дней прислали приглашение. В пятницу намечено корпоративное мероприятие. Причем приезжают коллеги из головных офисов в Бостоне и Лос-Анджелесе. Фирма заботится о поддержании командного духа среди своих сотрудников. Ох уж этот командный дух! Кружок из обнявшихся и стукающихся лбами, раска-

[1] Слава Богу, пятница! *(англ.)*

чивающийся и подпрыгивающий, а главное орущий: «Мы – одна команда! Мы победим!» Куда роднее тихая песенка про заводскую проходную... Но отказаться невозможно, тем более у Айзека Гольдмана, члена совета директоров, – день рождения, так удачно совпавший с корпоративной поездкой в Канаду по дорогому охотничьему туру «Хантинг тур компани», который, естественно, оплачивает фирма, а радушным хозяином будет, разумеется, Айзек.

Сбор всех приглашенных был назначен на частном аэродроме «Air Kiss»[1]. Павел ехал на это еще не подстреленное барбекю уставшим и раздраженным. Советские рабочие пятницы, когда мужская часть трудового коллектива, скидывается и «гудит» в обязательном для всех порядке, если только ты – не паршивый интеллигент-отщепенец, достали Павла через столько лет в Соединенных Штатах! Тихий уик-энд с Татьяной и детьми послал Павлу air kiss пониже спины.

Но сильный боковой ветер Павловыми молитвами отсрочил мероприятие до субботы. И был вечер, и было утро.

На небольшом частном аэродроме между белых пузатеньких «Цессн» прохаживались коллеги «блю спиритисты». В центре композиции был, конечно, Айзек Гольдман, член совета директоров компании, черноволосый толстячок, немого похожий на Наполеона, но видимого нам глазами не Толстого и Бондарчука, а неизвестного постановщика провинциального водевиля. Рядом с ним был его неизменный помощник Гарри Колтонд. Такого узкого лица, как бы сплюснутого дверью в момент осторожного заглядывания в кабинет шефа, как у Колтонда, Павел за всю свою многолетнюю физиогномическую практику еще не встречал. Были еще несколько человек их лос-анджелесского отделения, среди которых рыжей курчавой шевелюрой классического шотландца выделялся О'Рэлли.

---

[1] Воздушный поцелуй *(англ.)*.

Оставляя с последним вздохом сожаления свой «Порше», Павел уже слышал голос Айзека, который рассказывал что-то очень забавное, казалось, не только «блю спиритистам», но и самолетам, и припаркованным машинам. Его реплики сопровождались неизменным смехом.

– О! Мистер Розен! Прошу обратить внимание у Пола в глазах уже что-то хищное! Настоящий охотник! Джентльмены, предлагаю мистера Розена выпускать на оленя без огнестрельного оружия! Нет ли у кого-нибудь индейского томагавка? Наш Пол жаждет крови!..

Охотники летели двумя «Цесснами». Павла сначала забавляло пришедшее в голову сравнение Айзека с Наполеоном. Этакий затерявшийся во времени американский Бонапарт в окружении своей старой гвардии! Избежавший Березины и Ватерлоо, но зато не знавший и Аустерлица. А потом началась такая болтанка, что старая гвардия почувствовала себя, как на старой Смоленской дороге. Даже Павел, на чем только не летавший в годы своей геологоразведческой молодости, вынужден был напрячь все силы, чтобы удержать у себя внутри кусок пиццы с сыром, опрометчиво проглоченный по дороге. Один только Айзек как ни в чем ни бывало сыпал остротами, от которых Павлу приходилось еще хуже, чем от воздушных ям.

– Пол! Хотите свежий анекдот, как раз к случаю? – Айзек считал своим служебным долгом отвлекать бледных коллег от неприятных внутренних ощущений. – Встречаются два приятеля. Один другого спрашивает: «Когда ты, наконец, женишься?» А тот ему отвечает: «Я не могу вступать в супружеские отношения, потому что меня укачивает»!

А Павлу упорно лез в голову совет Леньки Рафаловича от морской болезни в сильный шторм. Вешается крученый телефонный шнур. Когда он, провисая, качается вниз, делаешь выдох, поднимается вверх – вдох. Или наоборот... Или Ленька брехал...

Павел воспринял приземление уже как большую удачу сегодняшнего дня.

То, что Канада похожа на Россию, Павел слышал много раз. Но слышать, как известно, одно, а не только видеть, но и вдохнуть, после калифорнийских нагретых песков, живительный хвойный бальзам, это совсем другое. Павел сначала опешил от осторожной лесной тишины, но американский десант скоро освоился и начал деловито обживать лесные просторы Квебека.

Переодетые в охотничью амуницию клерки выглядели забавно, особенно Айзек Гольдман, умудрившийся, кроме всего прочего, напялить тирольскую шапочку с фазаньим пером. Рядом был его неизменный оруженосец Колтонд, которого охотники вполне могли подстрелить за сходство узкой физиономии с антилопой гну. Повезло ему, что это было не африканское сафари!

Павел, когда надел сапоги, опоясался патронташем и получил в руки «зауэр» двенадцатого калибра с красноватым деревом приклада, почувствовал себя вновь молодым геологом Пашей Черновым, бредущим с партией по просторам родной страны. Вот за той сопкой их лагерь, и уже слышится гитара Юрки Марченко и смех девчат, готовящих их фирменный геологический кулеш, это когда в котелок ссыпается все, что есть в рюкзаке: пшено, гречка, рис, килька в томате, сардины в масле, все, чем богаты прилавки сельских лабазов... Куда там их буржуйскому барбекю до пахнущего лесом и костром кулеша советского геолога!..

Павел обрел свои былую геологическую походку и нарушил субординацию, то есть обогнал пыхтящего и топавшего на весь лес Айзека. Перед Павлом теперь маячила только спина проводника-француза, скверно говорившего по-английски и называвшего ружье на старинный манер «фузе».

Проводник вел их между сопками, чтобы господа американцы не притомились на подъемах, к небольшой, но извилистой речке, к которой в это время года олени сходились, чтобы полакомиться особой травой, которая растет по краям тихих лесных проток, местной разновидностью водяного лютика.

Когда они вышли к протоке, стало смеркаться. На западе догорала заря. За лесом ее не было видно, но и в небе, и на земле уже чувствовалась надвигавшаяся борьба света и тьмы. Проводник-француз и Павел остановились, поджидая несколько подотставших своих спутников. За ними по лесу, описанному Фенимором Купером в своих знаменитых романах, шло маленькое, но нахальное племя клерков «Блю Спирит», во главе с Изей – Соколиным Глазом и Колтондом – Чингачгуком-Большим Змеем, следом шагал шотландский стрелок из романа Вальтера Скотта.

Француз расставил охотников по номерам, больше заботясь, чтобы эти американцы не перестреляли друг друга, а олень – дело десятое. Бон шанс, господа американцы!

Павел стоял в густом кустарнике, где протока впадала в небольшое озерцо. Место это показалось ему до боли знакомым. Конечно! Склон, поросший соснами, небольшая площадка, где они ставили палатку. Он, Поль, и его «мушкетеры». Один за всех и все за одного! Карельский перешеек. Двадцать минут от железнодорожной станции «Горьковская». Северная Америка. Канада. Квебек...

Когда он повернул голову к протоке, то замер от неожиданности. Крупный олень стоял по колено в воде, опустив рога. Павел только слегка задел ветку кустарника карабином, но олень поднял голову и насторожился. Было так тихо, что Павел слышал, как с оленьей морды капает вода. Барбекю! Неужели эти лощеные, ни в чем себе не отказывающие мерзавцы сожрут это благородное животное, чтобы потом было о чем трепаться перед своими шлюхами. Барбекю!

Павел не стрелял. Выстрел прозвучал справа. Еще один. Айзек палил из обоих вертикальных стволов своего «меркеля», преподнесенного ему в подарок коллегами. Олень рванулся назад через кустарник и мгновенно скрылся. Слышен был только шум веток и голоса сбегавшихся охотников.

Егерь-француз внимательно осмотрел траву.

— Ранен? Есть кровь?

— Нон...

Охотничий домик мало напоминал фанзу дальневосточных и сибирских следопытов. Это была небольшая гостиница со всеми удобствами, но стилизованная под французский трактир времен Ришелье и Людовика XIII, с массивной деревянной мебелью, лестницами и перилами, которые, как известно по многочисленным фильмам о трех мушкетерах, запросто ломаются падающими телами гвардейцев кардинала.

Оленье мясо было в холодильнике. Так что убежал олень, но барбекю никуда не убежало. И еще было много виски. Очень много. Изя промывал свою душевную рану. Рогатая скотина показала хвост члену совета директоров «Блю Спирит»! Даже тирольская шапочка альпийского стрелка не помогла!

— Давайте выпьем за настоящую акулу бизнеса Айзека Гольдмана, — рыжий О'Рэлли поднялся со стула. — Такая акула еще не снилась Спилбергу! Но главное, что ты, Айзек, хороший парень! С днем рождения тебя!

Мужская компания как-то постеснялась затянуть «Happy Birthday to you», а просто заорала на многие голоса. Айзек поднялся со стула и попросил слова.

— Друзья мои! Спасибо вам, конечно, но день рождения у меня был в среду. Да и какая это дата — тридцать девять? Один год до сорока. Вот через годик, одиннадцатого сентября 1996 года я бы хотел собрать вас всех с женами у меня дома. Но все равно я очень тронут. Спасибо вам!

Павлу показалось, что Айзек обращался не столько ко всем присутствующим, сколько к нему лично. Может, он просто посмотрел на Павла в этот момент, или повернулся к нему. Странное ощущение. И это напоминание даты. Неужели думает, что кто-то забудет его поздравить? Но ему ведь показалось, что этот забывчивый кто-то, для которого все это тщательно разжевывалось, как раз он сам — Павел Розен...

— Нет, только настоящий шотландский виски, — вдохновенно говорил за столом О'Рэлли, — и никаких ирландских вариантов. Пойло должно быть натуральным. Огонь кельтских костров и песни воинственных варваров. Вот, что такое виски! В этом напитке – бог, выпил его и стал богом...

– Языческим богом, – подметил Айзек. – Заметь, дружище! Выпил мелкого языческого божка. Мелкого и завистливого, который только и ждет, чтобы сделать кому-нибудь пакость, если его забудут подкормить.

– Зато выпил и почувствовал всю крепость духа! А жевать тело единого бога в виде теста?

«Что этот рыжий все мне подмигивает через стол?» – подумал Павел, а шотландец продолжал:

– Айзек, дорогой мой, вот ты уплетаешь сейчас оленину, а олень разве относится к классу кошерных животных?

– Если мне не изменяет память, – сказал Павел, которому надоели постоянные заговорщические подмигивания О'Рэлли, – в пятой книге Моисеевой перечислены животные, которых разрешается есть по библейским канонам. Если я не ошибаюсь, можно есть скот, у которого раздвоены копыта и который жует жвачку.

– Браво, Пол, – Айзек показал большой палец, – Ты точен в цитатах, как раввин.

– Значит, оленя есть можно?

– Можно и оленя, и зубра, и буйвола, и камелопарда...

– Кого? Леопарда?! – кто-то пьяно заржал.

– Смесь кэмела и леопарда – это жираф.

– Интересно, кто кого из них трахнул, чтобы родился жираф!

Опять всеобщий гогот.

– А если жвачку жует, а копыта обычные?

Павел, поощряемый довольным Айзеком, продолжал библейский ликбез:

– Только, если присутствуют оба признака. Кэмела, например, есть нельзя, зайца тоже, и свинью нельзя, потому что жвачку не жует.

– Дать ей «Дирола с ксилитом» и на вертел! – вставил О'Рэлли.

– А птицу?

– Чистую птицу ешьте, – Павел постепенно переходил на второе лицо, входя в роль проповедующего Моисея. – Но не должно есть грифа, коршуна, орла, сокола, кречета...

– Понятно, – сказал шотландец. – Гербовая птица орел – не кошерная.

Тут вступил Изя:

– Заладил, братец-кролик О'Рэлли! Кошерная, кошерная... Кошерной называется пища, приготовленная специальным «чистым» человеком, и другие «грязные» руки до нее не дотрагиваются. Вот и все. А при чем здесь порода?!

– Правильно, Айзек! Все должны делать специалисты–профессионалы! – закричал здорово поддатый шотландец. – Давайте выпьем за специалистов из «Блю спирит»!..

Нет ни эллина, ни иудея, бывает мало виски... Окружающее поплыло перед глазами Павла, лица стали сливаться в одно светлое пятно... Но не должно есть всякого ворона с породою его, ибо сам он ест вас, и детей ваших, и внуков ваших...

Очнулся Павел уже на калифорнийском аэродроме с легкомысленным названием «Какой-то там поцелуй». «Блю спиритисты» расползались по машинам и потихоньку сваливали. Павел, мучимый страшной жаждой, зашел в конторку аэродрома, где в небольшом баре спросил себе воды со льдом. Раскаленное нутро тут же превратило ледяную воду в крутой кипяток. Хотелось просто окунуть морду в реку, как вчерашнему оленю. Павел зашел в туалетную комнату и в зеркале увидел свое похмельное отражение с тирольской шапочкой Айзека на голове. Фазанье перо пораженчески торчало вниз. Трофей пьяного братания!

«Порше» впервые видел своего хозяина в таком плачевном виде. Как бы педали не перепутал! Но встречный воздушный поток будет ему полезен. А Павел уповал на прямые и гладкие калифорнийские автотрассы.

И на время, которое, как известно, лечит все, даже похмельный синдром.

– Подождите, мистер! Вы забыли!..

К нему бежал парень-механик в ярко-желтом комбинезоне, от цвета которого Павлу опять сделалось нехорошо. В руке он держал маленький чемоданчик.

– Вы забыли! Или кто-то из ваших!..

«Порше» мчал Павла к побережью. На соседнем сиденье лежал этот оставленный кем-то из «Блю Спирит» плоский чемоданчик ноутбука. Голова Павла еще болела, но мучился он уже другим.

Чей он? Кто был вчера с ноутбуком в руках? Не помню! Нет, погоди! Когда Айзек стал рассказывать какой-то очередной анекдот, при этом активно жестикулируя руками, Колтонд, его верный Гарик, услужливо принял из рук начальника ... ноутбук. Ясно, это айзеков личный ноутбук.

Павел резко затормозил. Инерция резко отдалась в больной голове. Все сложные вопросы, завязанные в гордиев узел, решаются одним ударом меча! Надо просто взять и открыть заветный чемоданчик. «Введите пароль». Ну, конечно! Вот дурак! Как он может войти без пароля? Так можно набирать искомую комбинацию всю оставшуюся жизнь. А если попробовать на дурачка? Что там обычно набирают, чтобы самому не забыть комбинацию? Кличку собаки. Имя жены. День рождения. Когда у Айзека день рождения? Погоди. Он же сам мне сказал. Мне сказал?.. Один год до сорока. Так, спокойно. Девяносто пять минус тридцать девять. Пробуем. Какие-то «новые приключения неуловимых»! Штабс-капитан Овечкин. «Революция началась»...1109–1956... Хотя нет, у американцев сначала идет месяц, потом число...

Пропело свою песенку Windows-95. Как ребенок, в нетерпении рвущий упаковку подарка из-под Рождественской елки, Павел, не обращая внимания на проезжавшие мимо машины, собственные головные боли и позывы в желудке, листал файл за файлом.

Нет, ребенку рождественский подарок очень понравился! Это было лучше, чем солдатики или железная дорога! Это было куда более захватывающим, чем «Граф Монте-Кристо» или «Последний из могикан»! «Блю спирит» в своих апартаментах-офисах, соразмерных с футбольным полем, играла в грязные игры и играла по-крупному. Этот случайный счет на восемнадцать миллионов был даже смешон по сравнению с теми суммами, которыми крутила его фирма.

Первая из двух основных схем такого консалтинга одновременно напоминала и пьяный кавалерийский налет, и подмешивание в водку куриного помета. Под видом форвардных разработок клиентам фирмы навязывались инвестиции в заведомо слабые и бесперспективные фирмы, стоящие на грани разорения, но щедро делившиеся с «Блю Спирит» полученными денежными средствами, что на далекой, но продвинутой в таком бизнесе родине, давно получило название «откат».

Вторая же часть инвестиционного бизнеса была еще проще. Через «Блю Спирит» отмывались большие деньги под несуществующие договорные работы. Сотни миллионов перечислялись компании Колумбийским отделением Сити-Банка под оплату якобы выполненных исследований, в том числе выполненных... мистером Розеном, им самим, Павлом!

Эх, говорила бабушка: от трудов праведных не наживешь палат каменных! Да ему ли этого было не знать! Ведь схема отмывки грязных денег везде примерно одинаковая, разница в деталях, или бумажках. Вместо товара, накладных, погрузочно-разгрузочных и товарных документов, которые действительно может проверить ревизия налогового управления, Павел читал лаконичные рекомендации и консультации на четырех-пяти страницах машинописного файла. Продукт интеллектуального труда! Не поддающийся формальному учету и так щедро оплаченный!

Но все это были мелочи, хоть и неприятные. Все это были запахи чужой кухни. Главное было в другом. В том, что Павел теперь знал. И они знали, что Павел знает. Компьютер фиксировал все включения! Это и значило: «влип!» Здесь Павел и узнал буквальное значение поговорки – «На чужом пиру похмелье!» И еще вспомнилось множество жемчужин народной мудрости: «Знают двое – знает свинья», «Меньше знаешь – лучше спишь»… А проще говоря, куда же ты влез, пьяный кретин!

Стоит ли вообще возвращать ноутбук владельцу? Может, лучше помалкивать? Нет! Глупости! Парень-механик скажет им, что отдал его этому господину в черном «Порше». Сказать, что не открывал? Прикинуться чайником? А будут ли они вообще проводить внутреннее расследование, когда в деле замешаны такие деньги? Будут ли они задавать лишние вопросы? Правда, была у Павла маленькая надежда, что Айзек не будет распространяться о своей дырявой голове, и пропажа, и находка ноутбука останутся между ними. Хуже, если Айзек уже поднял шум и начал гласные поиски. Как в такой ситуации поведут себя остальные пауки, можно только догадываться…

Стоп! Все эти рассуждения не стоят ломаного гроша, если… Если что? А сам ли ты влез? А, может, кто-то подтолкнул? Что же ты стоишь? Заходи, дорогой! Куда? На день рождения! Разве ты забыл? 0911–1956. Все было просто разыграно для него одного. Неужели ему просто подбросили этот треклятый ноутбук? Его просто подставили? На чужом пиру – похмелье…

В понедельник с утра прилетели бостонские вороны с Айзеком во главе стаи. Нет, не было киношной сцены из какого-нибудь «Мертвого сезона». Просто к рабочему столу Павла подошел улыбающийся Айзек.

– Не забыл братание пьяненьких охотников? Мы с тобой одной крови: ты, Быстроногий Олень, и я, Соколиный Глаз… Как это меня угораздило? А ты знаешь, что в Пентагоне в год сотрудники теряют около тысячи ноутбуков. Значит, и мне простительно… Ну, спасибо! Я твой должник, а долго оставаться должником я не люблю…

А потом вдруг тихо, как бы невзначай:

— Смотрел?

Павел подал Айзеку его тирольскую шапочку:

— Мы же с тобой теперь одной крови. Ты и я...

Айзек улыбнулся как-то потерянно, нахлобучил тирольскую шапочку и пошел к выходу. Павел не знал, что видит Айзека Гольдмана в последний раз. Таким он и запомнился ему в шикарном дорогом костюме с помятой тиролькой на голове...

На следующий день его навестил верный Айзеков оруженосец с коробкой. Зачастили что-то к нему из Лос-Анджелеса, зачастили. Колтонд пришел по делу, то есть задавал какие-то дурацкие вопросы, говорил какие-то прописные истины. И напрашивался на единственный вопрос: что тебе в конце концов надо? Выяснилось это тогда, когда Колтонд встал и, прощаясь, вдруг как бы спохватился:

— А ведь мне поручено передать тебе небольшой презент. Так сказать, за хорошую работу в команде.

Колтонд придвинул Павлу коробку из-под небольшого ксерокса. Внутри лежали аккуратные пачки долларов.

— Что это такое? — Павел водрузил коробку на край стола.

— Зарплата для посвященных, — тихо проговорил Колтонд.

— Каких посвященных? Во что посвященных?

— Как посвященный, ты должен понять. — Колтонд неуместно улыбался.

— А если я не понимаю? — Павел начал заводиться. — Если я не посвященный? Есть вещи, которые недоступны моему пониманию. Такие вот вещи в себе. Такая вот жизнь по понятиям...

— Что ты этим хочешь сказать? — наконец-то лошадиная улыбка исчезла с лица Колтонда.

— Теперь ты уже не понимаешь? — Павел вдруг вспомнил любимый фильм про таких же, в сущности, бродяг-эмигрантов, как и он. — Жизнь не умещается в коробку из-под ксерокса, господа нищие! Не вмещается!

— Клоун, — Колтонд взял коробку в руки.

– Может, и клоун, но не фокусник, не черный маг, – ответил Павел.

– Я надеюсь, что ты хорошо подумал.

Колтонд сунул коробку под мышку и, не прощаясь, направился к выходу.

В этот вечер у своего дома Павел как обычно вынул из почтового ящика вечерние газеты. Навстречу ему бежали по дорожке от дома Митя и Алеша. Он наклонился и развел руки в стороны, готовясь принять малышей в объятья, и замер... «Член совета директоров «Блю Спирит» погиб...» Развернувшаяся газета ударила в глаза крупным кеглем заголовка. Мальчики очень удивились, когда отец вдруг, забыв их поймать, выпрямился и уставился в газету. «...погиб в автомобильной катастрофе!» Не может быть! У обочины 25-го шоссе в шести километрах от Бостона был найден труп Айзека Гольдмана в перевернутом «Альфа-Ромео». Айзек не справился с управлением! Павел вспомнил его рассказ в охотничьем домике, как старый Абрам Гольдман, будучи в сильном подпитии, усадил семилетнего сына за руль, и с тех пор Айзек не представлял себя без машины. Даже мечтал стать знаменитым автогонщиком, но комплекция не позволила сбыться детской мечте.

Почему-то Павел не удивился, когда в конторе «Блю спирит» появились двое афроамериканцев обоего пола, исполненных сознанием государственного долга. Они игнорировали всех встречных, словно были заряжены на единственный объект. И этим объектом был Павел.

– Вы Пол Розен?

Им можно было даже не предъявлять свои корочки, жетоны ФБР были у них на лбу. Все, на что он теперь имел право, это: не отвечать на вопросы, сделать один телефонный звонок, вызвать адвоката... Еще ему позволили протянуть руки и скрепили этот жест металлическими браслетами.

Павел шел, сопровождаемый по бокам двумя маврами. Сотрудники фирмы повыскакивали из своих конторских нор. Такой спектакль в Северо-западном филиале разыгрывался впервые.

На двадцать втором этаже в лифт вошел Чарльз, менеджер строительной фирмы. «Хай!» – сказал он Павлу, и ехал до первого этажа с открытым ртом. Пленка со скоростью прокручивалась в обратном направлении.

Через тридцать минут, как Павла привезли в участок, подъехал адвокат, один из Саймонов. И тогда Павлу ткнули в лицо фотографию улыбающейся девчушки. Знакома ли она ему? Конечно, это крошка Долорес! Давно ли он состоит с ней в интимных отношениях? Полный бред! Он не состоял с ней в интимных отношениях! Он даже не думал об этом! Она приходила поиграть с моими малышами, вот и все. Она же славный веселый ребенок!..

Тогда он увидел перед собой черное широкое лицо с приплюснутым носом и толстыми губами.

– Ты здорово влип, «снежок»! Ты пялил пятнадцатилетнюю девочку, возбуждаясь, старый кобель, от ее невинности и смуглого цвета кожи! Ты, наверное, думал, что хорошо бы так перетрахать всех черных и цветных?.. Заткнись и слушай! Ведь ты же так думал?! Это написано на твоей гнусной физиономии, как рекламный слоган! Ты ответишь за все по полной программе, и это я тебе обещаю. Это будет супер-шоу для твоей белой задницы!..

Глава двенадцатая

СВИДАНИЕ ПОД ЛИПАМИ

(*октябрь, 1995, Берлин*)

Когда-то Кройцберг – Крестовая Гора – был центральным и очень респектабельным районом Берлина, но роковую роль в его судьбе сыграло послевоенное разделение германской столицы на оккупационные сектора. Тогда не только Берлин, но и вся страна была разрезана надвое, само ее имя на несколько лет исчезло с карт, замененное зоологической «Бизонией», после чего вернулось удвоенным – Германия федеративная, организованная по плану американца Маршалла, и Германия «демократическая», железобетонный сталинский монолит. Если бы демаркационная линия, извилистая как Шпрее, прошла чуть южнее, оставив Кройцберг в советской зоне, то район разделил бы судьбу соседнего Фридрихшайна и вскоре прирос всякими пограничными режимными объектами, серьезными госучреждениями, добротными по социалистическим меркам домами для проверенных партийцев, чьи закаленные мозги были невосприимчивы к тлетворным капиталистическим миазмам, сочащимся с той стороны. Но Западный Берлин жил по приземленным меркам экономического реализма. Прежний центр, притертый к нейтральной полоске с ее блокпостами, колючей проволокой, ослепляющими прожекторами и собачьим лаем, оказался окраиной, причем глухой и бесперспективной. Обгорелый, пустующий с тридцать четвертого года рейхстаг, громадный дикий парк Тиргартен, чугунный Бисмарк в окружении чугунных валькирий, осыпающаяся колонна Золотой Эльзы – а вокруг оставленные войной пустыри, изредка перемежаемые ветшающими кварталами с усталыми, утратившими надежду обитателями. Начавшееся экономическое чудо долго обходило эти места стороной, зато потом хлынуло потоком «гастарбайтеров», преимущественно турецкого происхождения. Им тоже надо было где-то жить, а здесь, под сенью знаменитой, возведенной в одночасье Стены, цены на недвижимость были самыми низкими в городе.

Со временем турки вытеснили немцев – не столько в буквальном смысле, сколько энергетически. Они богатели, обгоняя в этом отношении аборигенов, расправляли плечи, обильно прирастали детишками и выписанными из дома родственниками. С немцами же происходило обратное: те, кому хоть как-то улыбалась фортуна, норовили быстрей перебраться в другие районы, а оставшиеся скукоживались, теряли жизненный градус, без боя уступали первородство смуглым, говорливым пришельцам.

Но некоторые селились здесь потому, что нравилось.

– Сейчас в это трудно поверить, но когда-то здесь был самый отвязный райончик в городе. Травка на каждом углу, и ни одной сытой филистерской рожи, ни одного шуцмана, особенно с наступлением сумерек. Боялись, гады! – рассказывал друзьям и постояльцам Северин, седой, жилистый, с острыми, как у эльфа, ушами.

У Северина была богатая биография. В юности удрал из дому, ходил по морям, партизанил в Намибии, Бирме, Никарагуа, искал золото инков, пересидел в нескольких тюрьмах разных стран, ишачил на аравийских нефтепромыслах, вернулся убежденным пацифистом и анархистом, на оставленное бюргерами-родителями наследство прикупил дом на Кох-штрассе, в трех кварталах от исторического Checkpoint Charlie, выращивал во внутреннем дворике марихуану и за символическую плату сдавал жилье братьям по духу. К их числу безусловно относилась юная американская парочка, прибывшая три дня назад по рекомендации общих друзей, — негр и белая девушка, в одинаковых дредах, прикрытых одинаковыми красно-желто-зелеными беретами.

Ребята покидали рюкзачки в отведенную им комнату, с гитарой и барабанчиками спустились во дворик. Гостеприимный хозяин потчевал их пивом и травой, а они его — ритмичными, душевными рэгги и лондонскими новостями. Потом парень догнался «колесами» и вырубился, а девчонка, внезапно посерьезнев, в нескольких лаконичных предложениях изложила Северину цель их приезда в Берлин.

— Да-а... — протянул после долгой паузы Северин, вглядываясь в цветные фотографии. — Если то, что ты говоришь — правда, значит, правда и то, о чем ты не говоришь. А если это так, то я вряд ли смогу помочь вам.

— Двадцать процентов.

Северин лишь молча улыбнулся.

— Тридцать? Сорок?

— Нет — даже за девяносто.

— А Рик говорил, что ты можешь все, — разочарованно проговорила девушка.

— Почти все, — уточнил Северин. — Угнать машину из запертого гаража, подделать документ, изготовить фальшивый паспорт, вытащить кошелек у зазевавшегося бюргера, в конце концов, голыми руками лишить человека жизни. Другой вопрос — хочу ли я все это делать? Нет, не хочу. Равно как не хочу носить цветы на ваши могилки или бегать по адвокатам, составляя петицию об условно-досрочном освобождении. Потому что любая попытка сбыть эту вещь, с моей ли помощью или без нее, может закончиться только так. Вас либо прикончат, чтобы самим завладеть драгоценностью, либо сдадут легавым, чтобы получить обещанное вознаграждение...

— А почему ты решил, что за нее назначена награда?

— Дитя, дитя, дитя... Да будь товар чистый, ты давно бы выставила его на Сотби, а не моталась бы по свету и не втюхивала старым проходимцам вроде меня... Между прочим, вы что, так и перлись через все границы с этой штуковиной?

– Зачем? Она приехала самостоятельно, причем в такое место, где никому и в голову не придет искать ее... Кстати, кое-кто только что похвалялся, будто может изготовить любой документ? Хотя бы это сделаешь для меня? В долгу не останусь...

– Их виль... Простите, кто-нибудь говорит по-английски?

Розовый немчик в будочке у турникета оторвал взгляд от Умберто Эко в бумажной обложке и, увидев, что девчонка прехорошенькая, расплылся в улыбке.

– К вашим услугам, мисс.

– Добрый день! Понимаете, у меня возникла проблема...

Должно быть, обрадовавшись, что наконец-то может поведать кому-то о своем затруднении, девушка говорила быстро, взволнованно, сбивчиво. Юный вахтер понимал далеко не все, но не перебивал, откровенно любуясь иностранкой. Даже многочисленные африканские косички, обычно нелепые на европейских головках, удивительным образом гармонировали с большими, как у серны, миндалевидными карими глазами, придавая незнакомке вид экзотический и таинственно-манящий.

– Так к кому я могу обратиться? – закончила она вопросом.

Вахтер растерянно заморгал.

– Альзо, фройляйн... Ой, извините... То есть, к нам по ошибке попали ваши вещи? Я правильно понял?

– Да. Я приехала на Берлинский конкурс фольклорных ансамблей, но в лондонском офисе что-то напутали и вместо «Дойче Опер» переслали весь мой реквизит в «Штаат-Опер»...

– Неудивительно, такая путаница здесь происходит все время. Стены давно уже нет, а наш Берлин до сих пор – два города в одном. Два международных аэропорта, две центральных улицы, две городских ратуши, два университета, две национальных оперы. Мы, на Унтер-ден-Линден, то есть, на Востоке, а «Дойче Опер» в Шарлоттенбурге, это Запад...

– И там мне послезавтра выступать. А не в чем... Так вы поможете мне разыскать мои вещи?

– Почтовыми отправлениями у нас занимается экспедиторский отдел. На чье имя была посылка?

– На мое.

Она протянула вахтеру раскрытый паспорт с американским орлом.

– Энн... А я Дитер Хофбауэр, очень приятно... Момент... – Вахтер набрал трехзначный номер, пролаял в трубку что-то вроде «хенде хох», произнес длинную немецкую фразу с вопросительным завышением на конце, выслушал короткий ответ и, сказав «данке», повесил трубку. – Вы бы присели, Энн. Они просмотрят все документы и перезвонят.

– Спасибо, я постою.

Она занялась изучением развешенных по стенам фотографий и афиш, глянула на доску, пестревшую многоцветными объявлениями. Обернулась на телефонный звонок. Вахтер молча слушал, при этом невесело кивал, закончив разговор, обратился к ней.

– К сожалению, на ваше имя ничего не поступало.

– А это не могло как-нибудь пройти мимо них? Ведь на коробке наверняка было написано «конкурс», и она могла сразу попасть к устроителям какого-нибудь конкурса, минуя администрацию оперы. Вот смотрите, – она показала на большой плакат, изображавший поющего юношу во фраке и девушку в пышном белом платье. – Финал конкурса молодых вокалистов имени Ольги Баренцевой. Может быть, есть смысл обратиться к кому-нибудь, кто занимается этим конкурсом... Ну, Дитер, милый, я вас очень прошу, это так важно для меня...

Она едва сдерживала слезы.

– Да, Энн, я попробую...

Следующие пять минут казались вечностью. Но и они истекли.

Вахтер положил трубку и обратил к ней сияющий взор.

– Ну вот, похоже, ваши вещи отыскались. Третий этаж, кабинет двадцать восемь, господин фон Тресков. Там на двери такой же плакат, так что не ошибетесь...

Господин фон Тресков, во внешности которого и впрямь наличествовало что-то рыбье, был корректен, но по-немецки педантичен. Не угодно ли юной леди предъявить документ, подтверждающий, что она в действительности является тем лицом, за которое себя выдает? Паспорт? Зер гут! Программа фольклорного конкурса в «Дойче-Опер»? Так-так... Ах, американо-ямайский коллектив «Кул Тафари»? Зер гут! Данке шён, юная леди, прошу на месте проверить содержимое, после чего оставить расписку, что передано в целости и сохранности... Да, разумеется, можно по-английски...

Энн сняла оберточный пластик, сорвала бумажную обертку с фанерного ящичка, размером с большой художественный альбом, выдвинула крышку и высыпала содержимое на стол. Она брала в руки каждый предмет по очереди и укладывала обратно в ящик. Два веера. Кожаный амулет на ниточке. Пять бисерных фенечек на руки, и одна, пошире и подлиннее, на шею. Красно-желто-зеленая тюбетейка, той же гаммы шаль и тонкие шаровары. Набор металлических украшений, блестящих, как новая консервная банка, – перстеньки, ручные и ножные браслеты, корона, чешуйчатый поясок...

– Все на месте...

Господин фон Тресков поднял руку, призывая ее подождать – он начал важный телефонный разговор.

Должно быть, он не только родился в Восточной, еще недавно социалистической Германии, но и обучался где-нибудь в Москве. Во всяком случае, по-русски он говорил довольно чисто, лишь интонации выдавали в нем немца.

– О, господин Баренцев, какая честь... Да, господин Баренцев, мы все с волнением ждем... О да, Ольгу Владимировну мы разместили в лучшем номере отеля «Хилтон»... Да, мы предлагали, но ваша матушка предпочла «Хилтон», поскольку это совсем рядом с оперой... Ах, так? О, мы несказанно счастливы, ваше присутствие, несомненно... Буду счастлив лично... Да, и небольшой банкет после концерта. Министр культуры, бургомистр, несколько депутатов, выдающиеся деятели культуры, почетные гости... Да-да, и позвольте заверить вас, что если бы не ваше щедрое участие...

Фон Тресков положил трубку, обтер пот с раскрасневшегося лица, тихо выдохнул:

– Шайзе!

Это слово Энн знала прекрасно.

– Что-то случилось, господин фон Тресков? – участливо спросила она.

– Ничего... Трудно разговаривать с очень богатыми... Итак, юная леди, все на месте?

– Да, благодарю вас. Вы меня просто спасли.

– Пустое. Бумага на столе. Пишите расписку...

Пустив в ход все свое обаяние, Энн напоследок выпросила у администратора пригласительный билет на заключительный концерт финалистов.

– Остановите здесь, – распорядился Нил и сверился со светящимися часами на приборной доске. – Сорок минут. С избытком. Вы все запомнили, Том?

– Да, босс, – отозвался мощный охранник, которого Баренцев переманил-таки из ФБР после инцидента в Мэриленде. – В двадцать пятнадцать я появляюсь в холле «Хилтона» с чрезвычайно озабоченным видом и передаю срочный пакет для мистера Баррена. После чего мы отбываем на Николас-Зее...

По знаку хозяина Том вышел из машины и открыл заднюю дверь.

Нил вышел, с удовольствием вдохнул свежий вечерний воздух.

– Все, пока свободны. Вон в том расцвеченном магазинчике подают неплохой горячий шоколад.

– Но, босс, я должен довести вас хотя бы до входа в отель.

– Том, это не Москва. Это Берлин. Здесь стреляют только в специально отведенных местах.

Не дожидаясь ответа, Нил двинулся наискосок через Жандармен-маркт.

Он любил этот город. Откуда бы он ни прилетал, ни приезжал сюда, всякий раз чувство было такое, будто с непогоды возвращался в теплый дом и облачался в любимый, перенявший все контуры тела халат. Чувство родины? Тогда почему оно дремало в Париже, где прожито столько лет, и сменялось на нечто противоположное, когда Нилу приходилось изредка заглядывать на фактическую, анкетную родину? Даже немецкий язык, который, в отличие от английского и французского, Нил не изучал ни в школе, ни в университете, покорился ему быстро и безболезненно, словно вынутый из неглубокой подкорки. Уж не дедовская ли немецкая кровь была тому причиной?

Возле старинной церкви, построенной когда-то беглыми французскими гугенотами, он замедлил шаг. До слуха явственно донеслось:

– То не ветер ветку клонит,
Не дубравушка шумит,
То мое, мое сердечко стонет...

Пели двое. Женский, почти девчоночий голос был небольшой, откровенно любительский, но подкупавший чистотой и искренностью. Мужчина, наоборот, пел профессионально, в мастеровитой джазовой манере, при этом чудовищно коверкая русские слова.

Разобравшись, откуда доносится пение, Нил принялся огибать громадный серый портик. Песня резко, на полуслове, оборвалась.

На площади, под позеленевшим от времени памятником Шиллеру разворачивалась драматическая сцена. Двое рослых мужчин, в которых даже на таком расстоянии, даже в густых вечерних сумерках, безошибочно угадывались полицейские, широко расставив ноги и поигрывая резиновыми дубинками, наблюдали за тем, как длинноволосый парень в берете поспешно запихивает в чехол гитару. Перед полицейскими стояла стройная девушка, тоже в берете, и что-то темпераментно им втолковывала, судя по всему, безрезультатно.

Нил подошел поближе.

– Но мы участники международного конкурса! – восклицала по-английски девушка. – Почему мы не можем здесь репетировать?!

– Ферботен, ферботен... – устало повторял полицейский, явно не понимавший ни слова.

– Что здесь происходит? – осведомился Нил.

Полицейский повернулся в его сторону, мгновенно среагировал и на дорогой кожаный плащ, и на повелительную интонацию, и на надменное нордическое лицо.

– Уличные музыканты, майн херр! – доложил он. – Иностранцы. Побирушки. Не положено.

– Ах так...

Нил посмотрел на девушку. Хорошенькое, вполне европейское лицо, трехцветный растаманский берет и чертова уйма змеистых африканских косичек.

– Какая-нибудь бумажка с печатью есть? – быстро и тихо спросил он по-английски. – Для немца это все.

– Знаю, просто вытащить не успела.

Девушка сунула руку за пазуху расшитой бисером косухи.

– Молодые люди приглашены на международный конкурс, – пояснил Нил полицейскому.

– Йа-йа...

Топорное лицо под фуражкой оставалось непроницаемым.

– Вот!

Девушка с торжествующим видом протянула блюстителю порядка сложенную вчетверо бумаженцию. Тот развернул, принялся читать, шевеля губами.

– Они красиво пели, – сказал ему Нил.

– Возможно, – согласился тот и вернул бумажку девушке. – Переведите молодым людям, что даже участникам международного конкурса не разрешаются несанкционированные выступления в историческом центре города. Пусть отправляются за Бранденбургские ворота, в Тиргартен, и там репетируют хоть до утра.

– Я переведу, но позвольте им еще одну песню лично для меня.

– Сожалею, майн херр, не положено.

О материальном поощрении Нил даже не заикнулся – с берлинской полицией подобные предложения бесперспективны и чреваты неприятностями.

– Увы, ребята, стражи порядка непреклонны. Предлагают репетировать в лесу, – сказал Нил по-английски.

– А благодарные белочки будут кидать нам орешки, – с усмешкой отозвалась девушка. – Ладно, Линк, потопали отсюда, будем репетировать на заднем дворе.

Чернокожий парень перекинул гитару через плечо.

– Откуда вы такие, ребята? – спросил вдогонку Нил.

– А с Африки, дяденька, – бросила девушка через плечо. По-русски.

Увидев, что инцидент исчерпан, полицейские с достоинством удалились. А Нил постоял еще несколько секунд, глядя вслед уходящей парочке, и пошел своей дорогой.

Ольга Владимировна Баренцева любила привлекать к себе внимание, причем с годами эта склонность только усилилась. За последние десять лет она изрядно раздалась вширь, но это обстоятельство нисколько ее не смущало. Она с нарастающей активностью использовала яркий театральный макияж, одевалась то в алое, то в сверкающую парчу, то окутывала монументальный свой торс облачком черного шифона и, не стесняясь, радовалась тому обстоятельству, что куда бы она ни вошла, все взоры моментально обращались на нее.

Она не изменила себе и на этот раз – восседала в центральной нише, у всех на виду, в синей шляпке с полуметровыми волнистыми полями и прозрачным шлейфом, небрежно переброшенным через спинку диванчика, и звучно, на весь зал, выговаривала молоденькой официантке:

– Это, милочка, уже ни в какие ворота! Я же просила минеральную без газа, но с лимоном.

– Опять проблемы?

Нил, незаметно подошедший сзади, склонился над Ольгой Владимировной и легонько поцеловал в щеку.

– Нилушка! Боже, ты меня напугал! Хорошо, что ты пришел, моего немецкого не хватает, чтобы объяснить этой чучеле, что я хочу негазированной воды с лимоном, чашку кофе и что-нибудь легонькое-легонькое... Кусочек торта с меренгами и взбитыми сливками. Представляешь, врач велел воздерживаться от жирной пищи, пришлось отказаться от супа...

– Мама, вообще-то сливки – тот же жир.

– Но не взбитые же! Там один воздух, и в меренгах тоже. К тому же у немцев такие бесподобные десерты, такой соблазн. За обедом подавали восхитительный апфель-штрудель, я не удержалась, съела две порции...

– Значит, воду, кофе и пирожное со сливками?

– Тут у них еще есть такой вкусный-превкусный кекс с ромовой подливкой...

Нил улыбнулся и сделал заказ. Себе он взял цветочного чаю.

– Представляешь, здесь все меня узнают. И постояльцы, и персонал, и даже прохожие на улице. Улыбаются, рассыпают комплименты моему вокальному мастерству, несколько раз попросили автограф, а вчера утром принесли в номер роскошную корзину цветов от неизвестного поклонника... – оживленно рассказывала Ольга Владимировна. – Нет, что ни говори, а немцы – на редкость культурный народ. Я даже подумала, что зря не взяла для сцены свою подлинную девичью фамилию. Хельга Бирнбаум, представляешь!.. Теперь уж поздно, вся Европа знает меня как Ольгу Баренцеву...

Нил молча кивал. Самое интересное заключалось в том, что Ольга Владимировна нисколько не заблуждалась. Европа действительно знала ее. И насчет цветов в номер никаких распоряжений Нил не давал, и все знаки внимания объяснялись отнюдь не разительным ее сходством с Монсеррат Кабалье...

Конечно, нельзя было не признать, что если бы не сын, про Ольгу Владимировну, скорее всего, забыли бы. Ну, не совсем, конечно – все же народная артистка, многолетняя прима ведущего театра. Почетные проводы на пенсию с присовокуплением какой-нибудь правительственной награды, участие в концертах ветеранов сцены, появление на телеэкране в рубриках «Третья молодость» или «Негаснущие звезды»... Оперы и сольные концерты были теперь для нее исключены, часами выстаивать на ногах, изящно двигаться и хотя бы издали казаться молодой — все это осталось в прошлом. Да и голос, хоть и не утративший былой наполненности и мощи, предательски дребезжал, особенно в высоких регистрах, и мог выйти из-под контроля в самых неожиданных местах. На советской сцене она могла бы еще продержаться некоторое время, но в условиях жестокой рыночной конкуренции и при полном бессилии профсоюза... Нил нашел матери крупного и очень дорогого продюсера, работавшего с несколькими звездами первой величины. В одной из лучших парижских студий был записан ее сольный альбом. Достижения современной техники и ограниченное лишь платежеспособностью количество перезаписей позволили вычистить все дефекты, которые невозможно было бы спрятать при живом исполнении. Параллельно были записаны два эффектных, изобилующих компьютерной графикой видеоклипа. Они с успехом прошли по ведущим музыкальным телеканалам, а один из них, экспериментальный, в перспективном направлении «фьюжен», даже выбился в европейские чарты и провисел там несколько недель. В музыкальном отношении клип представлял собой прощальную арию Тоски, неожиданно и искусно перемежаемую залихватским рэпаком типа «айс-айс-бэби». Что же до видеоряда — достаточно сказать, что Ольга Владимировна сама себе чрезвычайно понравилась. За первым альбомом последовал второй, удостоившийся престижной музыкальной премии, участие в пышных гала-концертах, где натуральная Баренцева усердно раскрывала рот под льющуюся из динамиков фонограмму и, если была в ударе, совсем по-честному выдавала на бис что-нибудь несложное, но эффектное.

Свои вложения в мамины таланты Нил отбил года

за полтора и теперь получал с них очень неплохой дивиденд, на который изначально никак не рассчитывал. Даже на родной матери ухитрился нажиться!

– Мы так редко видимся! – выговаривала сыну Ольга Владимировна, прихлебывая «Аполлинарис». – Это позор какой-то!

– Мама, но я же здесь...

– Еще бы ты не был здесь! Конкурс имени твоей матери! Между прочим, пока еще живой матери, хотя тебе, наверное, глубоко безразлично! За три года не удосужился побывать ни на одном моем концерте!

– Дела...

– Дела у него! Какие у тебя могут быть дела? На службу не ходишь, землю не пашешь...

– Между прочим, если бы я ходил на службу и пахал землю, мы бы здесь не сидели.

Резкость слов Нил разумно смягчил вкрадчиво-мурлыкающей интонацией, и Ольга, воспринимавшая любую речь скорее музыкально, чем смыслово, на эту интонацию и среагировала:

– Ладно, ладно, не подлизывайся, мог бы все-таки хоть иногда навестить старую, больную мать... Кстати, у нас в Петербурге недавно опять грохнули какого-то авторитета...

– Мама, я ничего не понимаю, переведи, пожалуйста, на русский...

– А это и есть современный русский язык, сейчас все так говорят, даже очень культурные люди, даже по телевидению... Так и быть, перевожу на эмигрантский: убили одного крупного бандита, то ли взорвали, то ли застрелили, неважно. И я за полцены приобрела у его наследников замечательный коттедж, скорее, особняк в пригороде. В Парголово, если помнишь такое место. Три этажа, двенадцать комнат, сад с фонтаном, подземный гараж, трехметровый бетонный забор с колючей проволокой...

– Последнее скорее напоминает тюрьму.

– Состоятельные люди должны заботиться о своей безопасности, не перебивай... Чистейший воздух, рядом лес, озеро, хорошая дорога, прекрасное снабжение. Идеальное место для жизни, для отдыха, а уж детям-то какое раздолье... Ты не отворачивайся, ты лучше скажи, когда у матери внуки будут? Самому вон через полгода сорок стукнет, а все холостякуешь. Ну, не вышло с Сесиль, с другой выйдет, зачем на себе-то крест ставить? Думаешь, матери приятно?..

Никогда еще Нил не был так рад появлению своего Геракла-охранника.

— Том, я здесь! — крикнул он через зал и помахал рукой. — Мама, прости, это мой... мой секретарь, должно быть, что-то важное...

— Важнее родной матери, — проворчала Ольга Владимировна.

Нил сделал вид, что не слышит ее.

— Срочный пакет, сэр, — сказал, приблизившись, Том. — От руководства филиала компании... Добрый вечер, мэм.

Ольга смерила богатыря безразличным взглядом и полностью переключила внимание на пропитанный ромом кекс.

Нил вскрыл пакет, глазами пробежался по строчкам вложенного послания и встал со стула.

— Извини, мама, непредвиденные обстоятельства, срочно созывают совет директоров, я должен там быть...

— Вот так всегда! И часа для матери выкроить не хочешь! Вот только попробуй, только попробуй мне не придти завтра на концерт!

Нил приложил руки к сердцу.

— Приду! Приду непременно! Как там теперь в России выражаются очень культурные люди? Падла буду, век воли не видать?

Ольга Владимировна рассыпчато засмеялась, махнула полной рукой.

— Иди уж! Завтра не опаздывай!

— Буду точен, как король!

Нил послал маме воздушный поцелуй и, застегивая на ходу плащ, пошел вслед за Томом. Его ожидала партия в покер с президентом местного отделения «Свитчкрафт», онемеченным босняком по имени Христо Янычарович и банкиром Киссельгофом. Оба партнера были ему не очень симпатичны, и он решил выставить их на максимальные суммы.

И немедленно из-за квадратной белой колонны на галерее показалась физиономия Константина Сергеевича Асурова. Бывший подполковник с прицельным прищуром посмотрел в удаляющуюся спину Нила, вновь скрылся за колонной и появился с противоположной стороны уже целиком. Приосанившись, ступил на широкую лестницу, крытую красной дорожкой, неспешно спустился и приблизился к столику Ольги Владимировны.

– Солнышко, вот и я!

– Костя! – в голосе Баренцевой слышался упрек. – Где ты пропадал?

– Прости, родное сердце, – Асуров прижался губами к лоснящейся от тонального крема щеке певицы. – Всей душой летел к тебе, но переговоры сильно затянулись.

– Ты много потерял. Здесь был Нил, он только что ушел, вы разминулись буквально на минуту. Но не беда, завтра увидитесь в опере, я обещаю, что примирю вас, и он снова возьмет тебя на работу...

– Душенька, если бы это было так просто! Теперь я, пожалуй, не смогу пойти с тобой. И, знаешь, я не особенно жалею, вот если бы там пела ты, я бы не пережил. Но зато после концерта я тебе гарантирую волшебный вечер. И, само собой, волшебную ночь!.. Двойной коньяк! – кинул он проходившей мимо официантке и вновь обратился к Ольге. – Надеюсь, ты не сказала ему, что я здесь и с тобой.

– Ты же просил не говорить, хотя, мне кажется, совершенно напрасно. Нил очень отходчив, мне ли не знать собственного сына. Прошло уже четыре месяца, и он все забыл. К тому же, он и сам повел себя не лучшим образом. Он поступил с тобой слишком жестоко, не мог же не понимать, что ты не по злому умыслу, а по неопытности...

– Нет, нет, Нил Романович был справедлив и великодушен. Если бы не он, я бы еще много лет гнил в тюрьме...

Асуров подхватил очень кстати поднесенный бокал и с чувством осушил.

– Noch ein Mal![1] – выдохнув, скомандовал он несколько опешившей официантке и предварил вполне ожидаемые возражения подруги: – Любимая, не беспокойся, я меру знаю.

А хорошо бы, однако, надраться до бесчувствия, чтобы хоть так, хоть на одну ночку избежать пылких объятий мадам. Что-то на седьмом десятке больно уж оне охочи сделались по этой части, прямо Мессалина какая-то, о душе бы лучше подумала, самое время... Но, конечно, мечту надраться придется отложить. Ничего не попишешь, товарищ подполковник, платить надо за все...

Скандал, разразившийся тогда в доме прославленного психиатра, дорого обошелся Константину Сергеевичу. Разгоряченный стычкой, но не потерявший голову доктор сделал прибывшей на место происшествия полиции заявление: неизвестный господин обманом проник на территорию частного владения и в грубой форме потребовал от хозяина денег или ювелирных изделий на сумму три миллиона французских франков. Заявитель, доктор медицины Рене Московиц, требует квалифицировать произошедшее как попытку вымогательства в особо крупных размерах и принять к правонарушителю соответствующие меры. На яростно сопротивляющегося Асурова без колебаний надели наручники и препроводили в участок. Там он при первой же возможности выступил со встречными обвинениями: доктор с малолетней сообщницей, назвавшейся его дочерью, обманом завлекли его в свое логово, где похитили принадлежавшее ему ценное ювелирное изделие стоимостью в три миллиона франков. Тетка-следователь посмотрела на него, как на насекомое, и кисло

[1] Повторить! *(нем.)*

осведомилась, не соблаговолит ли мсье подкрепить свои голословные заявления какими-либо документами или свидетельскими показаниями. Ах, соблаговолит? Очень интересно, мы слушаем...

И началось самое страшное. Правоохранительные органы плотно занялись салоном на Ришелье-Друат. Хотя факт материального существования злополучной диадемы подтверждался многочисленными свидетельскими показаниями, ни одного юридически значимого подтверждения, что оное произведение ювелирного искусства является или когда-либо являлось законной собственностью «Русского Аполлона», обнаружено не было. Ни договора о купле-продаже, ни сопряженных с этой сделкой движений по банковским счетам, ни даже отметок в инвентаризационной книге. Более того, предмет стоимостью в несколько миллионов франков не был даже застрахован!

Попутно вскрылись вопиющие злоупотребления, касающиеся всех без исключения аспектов коммерческой деятельности салона. Присутствовал весь ароматный букет — и фиктивные договора, и подложная финансовая документация, и уклонение от налогов, и нарушения правил работы с наличностью. В полное изумление повидавших всякое дознавателей поверг установленный в салоне электросчетчик, который при переключении на ночной тариф начинал вращаться в обратную сторону, накручивая уже долги энергетической компании данному потребителю. «Русский Аполлон» был немедленно опечатан, а все его счета арестованы.

Особую пикантность делу придавало то обстоятельство, что владельцем этой хитрой лавочки оказался не кто иной, как Нил Баренцев, миллиардер, светский лев и филантроп, член совета директоров «Свитчкрафт» и дюжины других транснациональных корпораций, владелец множества процветающих предприятий, человек, входящий в двадцатку самых богатых людей Франции. Великолепное подтверждение классической фразы — все крупные капиталы нажиты нечестным путем.

Прокурор города, у которого мадам следователь запросила санкцию на арест Баренцева, долго не мог придти в себя от шока. Потом снял трубку и попросил соединить его с министром.

На другой день министр назначил следователю аудиенцию.

— Господин министр, — с порога заявила она. — В демократическом обществе законы одинаковы для всех, и никакие миллионы не освобождают от ответственности за совершенное преступление. Предупреждаю вас, что не уступлю ни давлению, ни подкупу...

— Присядьте, инспектор Лори, — прервал ее министр. — Я не намерен ни давить на вас, ни, тем более, подкупать. Я всего лишь взываю к вашему здравому смыслу. Скажите, какую примерно сумму, в результате всех выявленных вами злоупотреблений, могло бы присвоить лицо, их совершившее?

— Точную цифру знает лишь само это лицо, но речь может идти об очень большой сумме. До миллиона франков. А если приплюсовать те три миллиона, которые вымогались у доктора Московица...

— Ну, такое арифметическое действие едва ли будет юридически правомочным, но для наглядности давайте приплюсуем. Получим, если не ошибаюсь, четыре миллиона. А по данным «Фортюн де Франс», за один только прошлый год личное состояние мсье Баренцева увеличилось на шестьсот миллионов. Прошу заметить, мадам, долларов. В пересчете на франки это составит приблизительно два с половиной миллиарда... Инспектор Лори, ваш годовой оклад составляет, кажется, сто двадцать тысяч франков?

— Сто сорок. Зимой я получила повышение.

— Поздравляю... Путем несложных подсчетов можно убедиться, что для мсье Баренцева те четыре миллиона, о которых вы говорите, — это примерно то же, что для вас двести франков. А уж тот миллион, который вы, чисто теоретически, могли бы ему инкриминировать, — и вовсе пятьдесят франков. Чашечка кофе, рюмка пастиса и пачка сигарет. Скажите, ради этого вы пошли бы на должностное преступление, рискуя при этом потерять все – работу, репутацию, свободу, наконец?.. Поверьте, я отнюдь не питаю иллюзий насчет кристальной честности богачей. Полагаю, и Баренцев не исключение. Но несоразмерность масштабов... Я неплохо знаю мсье Баренцева и уверяю вас, он отнюдь не похож на идиота. Не сомневаюсь, что в этом деле он скорее жертва, но уж никак не преступник. Я распоряжусь, чтобы его немедленно известили о случившемся. А вам советую сосредоточиться на персоне этого мошенника управляющего, как его там...

– Асуров, господин министр...

Баренцев, который, по словам его адвокатов, должен быть прилететь из Америки несколько дней назад, с возвращением не спешил. Его мобильный телефон не отвечал.

А Костя Асуров уже больше недели парился на нарах в следственной тюрьме. Конечно, по сравнению с изолятором ГБ на Каляева здесь был санаторий, но по сравнению даже с самым задрипанным советским санаторием... С другой стороны, лучше уж здесь, чем лицом к лицу с разгневанным Баренцевым. Так все повернулось, что Нил его теперь в порошок сотрет...

Но Нил вообще не удостоил его своим обществом.

Когда Асурова привели на очередной допрос, мадам Лори попросту встала и вышла из кабинета, а ее место занял мэтр Зискин, один из своры баренцевских адвокатов.

– Оливье, счастлив вас видеть!

Асуров, шапочно знакомый с адвокатом, протянул руку. Зискин никак не отреагировал.

– Патрон согласен взять вас на поруки, – деревянным голосом проговорил он. – Ознакомьтесь с условиями вашего освобождения из-под стражи. И подпишите.

Зискин подтолкнул к Асурову несколько бумажек.

Условия были жутковатые. В обмен на свободу Асурову предлагалось за счет собственных средств погасить все фискальные и прочие недоимки, которыми в результате его незаконной деятельности было обременено предприятие «Русский Аполлон», включая все пени и штрафы, на общую сумму в один миллион четыреста тринадцать тысяч восемьсот двадцать семь франков пятьдесят сантимов.

– Бред какой-то! – возмутился Асуров. – Откуда я возьму полтора миллиона?!

Адвокат молча показал на следующую бумажку.

Договор о безвозмездной передаче движимого и недвижимого имущества ликвидационной компании «Зугцванг-3». Квартира. Автомобиль, не откатавший и трех тысяч километров. Вклады, размещенные на трех банковских счетах, включая и номерной анонимный депозит в Швейцарии.

– При существующих ценах на жилье и валютном курсе за вами остается от пятнадцати до сорока тысяч. Патрон вам их прощает.

– Ах, спасибо ему, благодетелю! А если я не подпишу?

Зискин спрятал улыбку в пышных усах.

– Тюрьма здесь, конечно, неплохая. А вот после суда вас могут перевести в не столь приятное местечко...

– Давайте ручку... Ну все, я теперь свободен?

– Не спешите, мсье. Вы ознакомились не со всеми документами...

В следующей бумажке говорилось, что он, Константин Асуров, принимает на себя обязательства по компенсации морального и материального ущерба нынешнему владельцу «Русского Аполлона» господину Нилу Баренцеву. Перечисление позиций, составляющих ущерб, занимало три убористо распечатанных листа, а общая сумма зашкаливала за девять миллионов.

– Это уже разбой! Какие, к чертям, девять миллионов, он что, свихнулся?! Да я же ему этот салон из руин поднял, на блюдечке преподнес! Это он мне должен!

– Прекратите брызгать слюной, Асуров, и выслушайте меня. Своими махинациями вы нанесли ущерб деловой репутации моего патрона, которая дороже не только девяти миллионов, но и девяти миллиардов. Если бы я не был профессиональным юристом, обязанным стоять на страже закона, я вам сказал бы, что полагается за такие дела.

— А вы скажите!

— Не дождетесь. Лучше подписывайте.

— А если я подпишу, а потом не стану ничего платить?

— Рискните, коли угодно. Только позвольте напомнить, что освобождение ваше является условным, дело не прекращено, а лишь приостановлено.

— Да? И на какой, интересно, срок?

— Здесь же сказано — на пять лет. Либо вы за это время погашаете свой долг, либо отправляетесь в тюрьму на двадцать лет без права апелляции. Можете не сомневаться, это мы вам организуем.

— Да уж...

— Все платежи прошу проводить через нашу контору, «Зискин и Перельман», адрес вы знаете... И еще, уже на словах. Патрон просил передать вам — если с ним что-нибудь случится, все ваши долговые обязательства перейдут к другим людям... скажем так, куда более жестким... Вы меня поняли?

Первое, что сделал Костя, оказавшись на свободе, — зашел в телефон-автомат и набрал номер Нила.

— Слушаю!

— Нил, это Константин Асуров, надо бы объясниться...

— Константин Асуров? Простите, я такого не знаю.

Конечно, Асуров не был бы Асуровым, не будь у него надежно припрятанной заначки на черный день. Достав ее, он и рванул... Куда? Да к своей старой во всех отношениях зазнобушке, Ольге свет Владимировне, благо она как раз принимала участие в грандиозном концерте по случаю очередного объединения Европы. В Брюсселе, рукой подать...

Намерзся, как собака, у входа, налаялся с охраной, но своего все же добился — по пути от дверей до лимузина, выщепила она его близоруким взглядом из толпы поклонников, признала.

– Костя!

– Оленька!..

Он не знал, какие отношения связывают ее с сыном, возможно, Нил уже посвятил ее в эту малоприятную историю, а потому его версия событий была выстроена крайне дипломатично, с предельной приближенностью к фактам, с покаянным признанием своей вины, но при полной подмене мотивировок. Дескать, по глупости погорел, по неопытности, хотел как лучше для Нила Романовича... Баренцева ни в чем не винил, наоборот, всячески восхвалял за благородство и справедливость, ни словом не обмолвившись о том, что драгоценный ее сынуля лишил последних средств к существованию, пустил, можно сказать, по миру...

С разомлевшей от ласк Ольги Владимировны Асуров взял твердое слово: сыну об их отношениях – ни гу-гу!..

– Северин, ты гений! Сегодня твои бумажки выручили нас дважды... Линк, доставай!

Линк, улыбаясь во весь рот, извлек из сумки бутыль хорошего французского коньяка.

– «Курвуазье»? Я тронут... Жаль только, что после желтой лихорадки, которую я подхватил в Бирме, мне категорически запрещены крепкие напитки, даже в малых дозах. Ничего, выпью пивка... – Северин открыл холодильник, но ничего, похожего на пиво, там не обнаружилось. – Так, похоже, кончилось. А «Кайзер» давно закрылся... Слушай, Линк, может, сгоняешь на заправку, у них круглосуточно? Как выйдешь, через мост налево. А мы с Энн тем временем поджарим мясо и приготовим салат.

Линк поднялся.

– Да я и сам больше пиво уважаю...

– Кошелек в куртке, куртка в прихожей, – напомнила Энн.

Северин отправил замороженные антрекоты в микроволновку, выложил на тарелку сыр, достал из буфета бокалы, разлил коньяк.

– Твое здоровье! Прозит!

– Но тебе же нельзя коньяк!

– Кто сказал? – Северин поднес бокал к губам, сделал маленький глоток. – Блаженство!.. Кажется, есть один способ решить вашу проблему.

– Ты о?..

– О ней самой. Есть у меня в Амстердаме один умелец, Йос Власминк, честнейший парень, в одной камере сидели... Я тут утречком с ним связался, поговорили на нашем птичьем языке. В общем, он готов взглянуть на вашу вещь, но...

– Что ты замолчал?

– Рисковать он не хочет. Золото пойдет в переплавку, камешки – поштучно... По прикидкам, в цене потеряете раз в пять, рынок сейчас не очень... Но других вариантов предложить не могу, да они и вряд ли существуют. Ты подумай.

– Я подумаю. Линку ничего не говори. Я должна сама принять решение.

– А зачем, по-твоему, я его за пивом отправил? Только смотри, не очень долго раздумывай, Йос ждать не будет...

– Налей еще, я, кажется, заболеваю. Голова трещит, продуло, наверное... А болеть некогда... Мне нужно дня два, от силы три. Хочу попробовать одну штуку. Если не получится, тогда, наверное, придется ехать к твоему Йосу...

Глава тринадцатая

КРОКОДИЛЫ, ПАЛЬМЫ, БАОБАБЫ. И ЖЕНА...

(*октябрь 1995, Кения*)

Новый каталог принесли с почтой.

Лизавета, не вставая с кровати, принялась рассматривать последние поступления в магазин — именно в магазин, потому что магазин, публикующий каталог, был единственным в городе. Сезонные скидки произвели на нее сильное впечатление, и Лизавета с несвойственным ей темпераментом, даже толком не позавтракав, кликнула секьюрити и помчалась в центр города с азартным чувством приобретения.

Водитель и охранник, как всегда, молчали в пути. И даже столь ранний выезд хозяйки нисколько не возмутил прислугу. Уже подъезжая к магазину, Лизавета отметила про себя скопление известных автомобилей. Значит, не одна она сегодня позавтракала быстрее обычного, что неприятно огорчило ее. Планы покупок уже окончательно созрели в пути, и заработал советский страх оказаться неотоваренной за счет конкурентов. Лизавета неприлично скоро для своего статуса влетела в торговый зал и заметалась от прилавка к прилавку. Секьюрити быстро наполнял корзину и послушно следовал за хозяйкой, как вдруг Лизавета заметила, что две незнакомые белые женщины просто сметали все самое лучшее просто перед ее носом. Коляски с вещами и обувью у них принимал абориген и, расплачиваясь в кассе, вывозил все к микроавтобусу.

– Вот еще, спекулянтки выискались!

Лизавета, оставив охранника ждать, решила выяснить конкурентов. Она вышла к автобусу и задержалась, встречая нагруженного аборигена.

– Ну, зачем тебе так много этих туфель! Я специально приехала именно за этим фасоном. Продай хоть одну пару! – Лизавета специально наигранно-небрежно завела разговор.

– Не могу никак, мадам, я только исполняю поручение господина, а его женщины все отбирают. Там все по счету.

– Да какой может быть счет! Что у него гарем, что ли?

– Да, госпожа, гарем что ли, – уныло отозвался грузчик.

Лизавете стало смешно и интересно: во что наряжают женщин из гарема. Она отошла от машины, но так, чтобы было видно, что и сколько грузят. А грузили по полной программе – и белье, и европейские платья, и шляпки, и всякие мелочи, без которых любой женщине просто не прожить. Две не очень молодые, скромно одетые женщины-конкурентки быстро вышли из магазина и скоро направились к автобусу. Проходя мимо, они возбужденно говорили о чем-то, и к полному ужасу Лизаветы она четко услышала русскую речь.

– Юль, думаю, что на всех не хватит, а хозяин вообще обалдеет, как узнает за какие гроши мы отоварились. Вот, хоть и принц, а экономит на каждой пуговице. Хорошо, что хоть заказ приняли и через неделю подвезут остальное, а то девчонки передерутся. Жене, небось, денег не жалеет ни на что, а нашим девчонкам за нее такое приходится вытворять, что не приведи Господь.

Лизавета ошарашено проводила взглядом женщин, которые быстро забрались в машину, сильно хлопнув дверцей. Автобус мгновенно тронулся, но Лизавета успела прочитать номера. Сомнения ее не обманули – эта была машина из гаража драгоценного супруга.

Лизавета поспешно забралась в свою «БМВ» и двинулась за автобусом. То, что такое количество женской одежды предназначалось не ей, для Лизаветы было очевидно, но тогда кому и зачем. Гуманитарной помощью давно занималась сама Лизавета, да и не похож этот ассортимент на гуманитарку. Между тем автобус повернул из центра города и скоро остановился у высокого каменного забора. Никогда прежде Джош не привозил ее сюда и не говорил о том, что у него есть этот особняк. Забор был настолько высок, что только малая часть крыши была видна за деревьями. Лизавета припарковала машину так, чтобы видеть как будут выгружать товар, и кто будет встречать подозрительный груз.

Сначала из машины вышел слуга, он ключом открыл автобус, что немало удивило Лизавету. Женщины проворно выскочили из машины, и в этот момент сразу открылись железные ворота. Сначала дамы прошли во двор, и только потом въехала машина. Ворота закрылись так же быстро, как и открылись, но Лизавета успела нажать на газ и проехать мимо. Закрывал ворота бывший слуга супруга, который как будто бы был уволен хозяином несколько месяцев назад по причине болезни, и это событие тогда расстроило Лизавету. Этот старый слуга много лет служил в семье мужа, и то, что старик жив и здоров и, мало того, работает как ни в чем не бывало, а Лизавета этого не знает, сильно встревожило ее. Спрашивать напрямую мужа Лизавете не хотелось, интуиция подсказывала ей, что за этим всем кроется тайна и скорее всего малоприятная. Надо самой размотать этот клубок. Лизавета поехала вдоль забора, который шел по всему периметру, и с противоположной стороны обнаружила еще один въезд, парадный. Ворота были закрыты.

Лизавета проехала немного дальше, притормозила и, не закрыв машину, вышла. Глухими эти ворота можно было бы назвать только условно, поэтому в зазор она рассмотрела весь двор и дорогу, ведущую к скромному входу. То, что она увидела не сразу – вернее не сразу поняла, что она увидела, – заставило ее метнуться к своей машине и на скорости удалиться прочь от особняка.

За семь лет Лизавета привыкла к тяжелому климату Кении, к новым продуктам и даже научилась готовить, правда, она это делала только под настроение, потому что повар в доме был непревзойденным кулинаром и мог удовлетворить даже самого капризного едока. С Джошуа они объездили всю страну в первый же год их совместной жизни. Национальные парки с множеством диких животных, озеро Виктория, гора Кения, вулканы Эндрью и Телеки, кофейные плантации, саванны, Индийский океан – все успела посмотреть за эти годы Лизавета. Порой казалось, что все, что происходит вокруг, происходит не с ней. Баобабы, пальмы и манговые рощи не так сильно впечатляли ее, но вот люди – другое дело. Скоро она уже отличала арабов от индийцев, нилотов и кушитов от банту. А масаи, те вообще навсегда поразили ее воображение. Еще бы: всю жизнь простоять на одной ноге, а это обычная поза для масаев, и нисколько от этого не уставать – это как-то малопонятно для простого европейца. Так много новых ощущений, запахов, вкусов вошло в жизнь простой русской женщины, что в первый год Лизавета просто не успевала скучать по России, деревне, где прошло ее детство и юность, по Ленинграду. Но уже после трех лет насыщенной впечатлениями жизни в Африке Лизавету стали преследовать приступы национальной болезни – ностальгии. Как в России все ждут конца зимы и ловят каждый солнечный луч, пробивший серые облака, так Лизавета ждала сентябрьских дождей, которые хоть немного напоминали русские ливни, а влажный воздух был похож на ленинградский, болотный. А когда удавалось бывать в Европе, то первым делом искала русский магазин и отоваривалась продуктами, которые потом долго растягивала и баловала себя.

В силу своего деятельного характера и привычки трудиться Лизавета быстро нашла себе дело. Организация гуманитарной помощи малоимущим оказалась для нее прекрасной возможностью проявить свой талант – выколачивание средств из богатеев. Видно, сказалось пролетарское происхождение. Только отбирать у богатых и раздавать бедным, как оказалось, можно без революций, а цивилизованным добровольно-принудительным способом. В частых поездках с Джошуа по стране Лизавета завязала множество нужных контактов и связей. А природная восприимчивость к иностранным языкам, о которой прежде Лизавета и не догадывалась, стала незаменимым помощником в деле.

С годами муж все реже и реже брал ее с собой, но поскольку его командировки были непродолжительны, то Лизавета сама не настаивала и со временем вообще перестала сопровождать супруга, а в свои деловые поездки по стране смело отправлялась самостоятельно. Вместе им приходилось бывать только на протокольных обязательных мероприятиях, которые, к счастью, проходили преимущественно в столице. Лизавета не любила приемы, но высокий статус мужа обязывал ее терпеть, что для Лизаветы было природным состоянием. Уж что-что, а терпеть, как все русские женщины, она умела.

Джош никогда не подавал повода для ревности, поэтому этой болезнью она никогда не болела. Ей даже нравилось ловить на себе презрительно-удивленные взгляды, обычно это случалось в европейских поездках. Особо зловредные и одаренные в математике любили вежливо называть Джоша сыном, но это ничуть не расстраивало Лизавету, а напротив веселило их обоих. А в Кении это вообще никого не удивляло. Правда, Лизавета для своих сорока восьми выглядела прекрасно. Лицо, никогда в прошлой жизни не видевшее никаких масок и кремов, с радостью воспринимало все новомодные дорогие процедуры, которые в местном косметическом элитном салоне делались на высоком уровне. Только руки выдавали и возраст, и тяжелый деревенский труд в молодости. Поэтому она не любила носить кольца, которых была полная шкатулка.

— Вот Нюта замуж пойдет — будет ей приданое, — часто приговаривала Лизавета и не противилась очередному мужнину подарку.

А подарков за годы жизни в Найроби накопилось достаточно. Джош был по-настоящему щедрый мужчина. Он сам получал необыкновенное удовольствие выбирать, покупать и дарить своей дорогой и любимой жене изысканные дорогие мелочи. Лизавета, даже если ей дар совершенно был ни к чему, изображала бурный восторг, а потом припрятывала «на черный день». Русские не могут жить, не думая о «черном дне» и «жареном петухе», который может клюнуть любого. Вот только перевести смысл последнего на любой другой язык не представляется возможным. И чем лучше и спокойнее жизнь, тем чаще об этом думается...

Лизавета нутром почувствовала, что жареная птица уже на подлете, и надо срочно принимать меры по расследованию увиденного. Она развернулась, нарушая все правила, и направила машину к универмагу, откуда недавно начала преследование. Лизавета торопливо прошла в торговый зал и атаковала продавщицу явно европейского типа.

— Простите, я только утром была у вас и вот здесь стояли босоножки, итальянские, с золотыми ремешками. Мне просто необходимо купить их. А сейчас я их не вижу. — Лизавета изобразила полный трагизм на лице и готовность к скандалу.

— Хорошо, хорошо, вы только не волнуйтесь, так, мадам. Я посмотрю на складе, может быть мы подберем вам подобные, а те, что вы видели, к сожалению, уже проданы.

Девушка быстро направилась в подсобные помещения. Лизавета прошла за ней и остановилась в коридорчике.

— Карима, там дама спрашивает, про итальянские босоножки, посмотри, может быть, эти русские не все выгребли?

— Все более-менее приличное скупили, они же на весь гарем брали. Ты же знаешь, они редко приезжают, и берут много. У них, видно, щедрый папик, денег полно, на нашей работе я и за пять лет не смогу заработать на такое белье.

– Ох, не завидовала бы ты им. Ты же не знаешь, что им надо вытворять в этом белье. А куда денешься – ни документов, ни денег. Может даже, он извращенец какой-нибудь, но все лучше, чем в борделе служить. Ты видела, как за ними охранник смотрел? Ни на шаг не отпускал. Зато наш хозяин сегодня будет доволен. Выручка у нас громадная. Ну, хватит болтать, тебя клиент ждет. Вот, предложи даме эти и скажи, что на следующей неделе опять будут поставки из Европы.

Но предлагать обувь было уже некому. Девушка не нашла расстроенную даму в торговом зале.

Лизавета сказалась больной и огорчила отказом от обеда старого индуса. Раджив и сам заметил, что хозяйка не в себе. Лизавета, всегда громкая и стремительная по характеру, не умеющая делать что-либо медленно, тяжело поднялась в спальню и плотно закрыла дверь. И то, что дверь не хлопнула как всегда, окончательно убедило прислугу, что с хозяйкой не все в порядке.

Лизавета опустилась в кресло у туалетного столика и как-то по-новому оглядела все вокруг. Громадных размеров ложе занимало четверть комнаты. Балдахин прозрачно струился до самого пола. Лизавете припомнилось, что сначала она долго не могла привыкнуть спать под занавеской, а потом уже не могла засыпать без нее, поэтому не любила отели.

Потом воспоминания нахлынули водопадом. Все ночи, пережитые в этой комнате, слились в одну. И она не могла солгать себе – это были ночи бесконечного счастья и наслаждения. Никогда русская женщина, побывавшая хоть один раз в объятиях настоящего мавра, не сможет забыть этого, а что самое ужасное – она уже без этого не сможет быть счастлива ни с одним блондином.

Лизавета повернулась к зеркалу и ужаснулась перемене. На нее смотрела сильно загорелая псковско-новгородская старушка, маленькие глазки, наполненные до краев соленой морской водой, застыли, как проруби ранним морозным утром. И Лизавета заревела.

– Алло! Алло! Я плохо слышу. Л'иса, Л'иса! Почему не отвечает твой сотовый? Я очень разволновался. Как дела? У тебя все в порядке? Я приеду дня через три! – Джошуа кричал в трубку – так против всякой логике кричат в телефонную трубку те, кто плохо слышит сам. Как будто от этого станет лучше слышно.

Лизавета как могла, не выдавая своего состояния, успокоила мужа и аккуратно положила трубку на пульт.

Ее нисколько не удивил звонок Джоша, он обладал воистину колдовской интуицией, и Лизавета, поначалу всегда удивлявшаяся этому, привыкла. Он реагировал на мельчайшие проявления ее нездоровья, был ли рядом или в отъезде. Лизавета побаивалась таких совпадений. Уж очень это нечистым духом отдавало – и уж точно, нерусским.

Звонок успокоил ее. Она спустилась вниз и достала купленную еще год назад в русском магазине бутылку «Столичной» с такой родной картинкой, которую по молодости из-за мужа-алкоголика просто ненавидела, а сегодня с умилением разглядывала, и налила в высокий стакан для сока больше половины. На голодный желудок водка подействовала мгновенно и принесла облегчение. Лизавета решительно взяла телефон.

– Катерина Григорьевна! Здравствуйте, приглашаю на дурачки с блинцами. Масленица нынче. Не забыли?.. И никаких плохих самочувствий не принимаю. Жду к восьми, даже если дождь будет стеной, и начнется извержение Телеки. Мой в отлучке, так что никто ворчать не будет. Столичную уже продегустировала, так что жду.

В ответ, как обычно, Лизавета прослушала порцию жалоб на всех и вся, но в итоге получила столь необходимое согласие старинной русской приятельницы.

Екатерина Григорьевна была лет на пятнадцать старше и прожила в Найроби уже не один десяток лет. Она еще в середине шестидесятых, почти сразу после образования Республики Кения, будучи поваром в посольстве, по большой любви вышла замуж за влиятельного кенийского военного, который был одним из лидеров национально-освободительного движения за независимость Кении. Последнее спасло ее от гнева Никиты Сергеевича, и дело быстро замяли, а Катя, голубоглазая блондинка, счастливо нарожала троих парней – очаровательных мулатов. Но вот уже два года как она овдовела, мальчики уже жили своей жизнью, предоставив матери полную свободу одиночества.

– Одиночество, оно в любой стране одиночество. Будь то Родина родная или чужбина, – говорила она Лизавете, когда та предлагала ей вернуться в Москву, где жила ее родная сестра. – А я уже не смогу адаптироваться назад. Я даже ощущаю себя чернокожей иногда, а в Москве уж точно будут за негритянку-африканку принимать, не по виду, а по сути. Не видать моей могилки в сырой русской земле, анютиных глазок. Вот под баобабом в красной земле и успокоюсь, – как всегда оптимистично закончила Катерина.

Пригласила Лизавета старую приятельницу, потому что только она сможет пролить свет на события этого ужасного дня. Катерина про страну и нравы знала многое...

Отпустив индуса и горничную аж до следующего вечера, Лизавета опять пошла по закромам. Дрожжи, которые она держала высушенными, найти оказалось не просто. Индус все перекладывал с места на место, а вещи, на его взгляд совсем ненужные, прибирал в непредсказуемые места. Лизавета, вспомнив деревенский заговор, прошептала: «Черт, черт, поиграй и отдай!» – и скоро обнаружила пропажу. А еще через полчаса горка блинов украсила стол, на котором уже стояла початая бутылочка и две хрустальных рюмки дефицитного чешского производства. Варенье, сливки, заменяющие отсутствие родной сметаны, икра, топленое масло и башкирский мед – все родные деликатесы поджидали гостей.

На полную мощность был включен кондиционер, и колониальная кухня наполнилась прохладным воздухом.

– Ну, что стряслось? Просто так с бухты-барахты на блины не зовут. Меня, старую ведьму, обмануть сложно. Давай потчуй теперь.

Екатерина Григорьевна еще с молодости была не против принять рюмочку-другую для снятия стресса, но сдерживалась, потому что при ее профессии это было погибелью. В посольстве этого добра море разливанное. А ее хозяйство как раз это море контролировало. Но с возрастом стала себе позволять, правда, выпить любила со вкусом и церемониями. Лизавета знала слабость старухи и специально сервировала стол с нарушениями, чтобы Катерина в свое удовольствие ее покритиковала. Когда порядок на столе был наведен согласно только ей известным правилам, подняли первую рюмку и, не чокаясь, но глядя друг на друга, – и это тоже был такой обычай – выпили. Катерина, как сапожник без сапог, после смерти мужа почти не готовила, поэтому блины растаяли быстро.

Катерина пребывала в исключительно хорошем настроении и с удовольствием, нацепив на нос очки, уткнулась в карты.

Игра пошла своим чередом, но Лизавета все никак не могла найти повод, чтобы словно невзначай задать нужный вопрос. Но карты неожиданно легли в помощь. На руках у Лизаветы осталось четыре дамы, и ход за ней. На второй Катерина уже потянула, и тогда Лизавета выложила на стол остальные.

– Конечно, твоей гарем один мой валетный евнух не перетрахает! – Катерина в сердцах бросила карты, и Лизавета увидела вальта пикового, короля крестового и две шестерки, одну пиковую и другую бубновую. – Налей еще рюмочку, хороша паршивка столичная. Душу греет.

– Катерина, а вот скажи здесь, в Кении, гаремы есть у кого-нибудь? Я уже столько живу, а никогда не думала про это. Богатых-то полным полно. – Лизавета услужливо придвинула наполненную рюмку.

– Как тебе сказать... Таких гаремов, как в сказках, здесь, пожалуй, нет. Но вот точно знаю, что покупают по несколько девушек и по разным каналам привозят отовсюду, но в основном, конечно, из недоразвитых стран. Только это хранится в строжайшей тайне. Крутые могут себе это позволить, а, само собой, они сами и власть. Дело неподсудное. У хозяина всегда все бумаги в полном порядке. Никто не подкопается. У многих здесь даже дети рождаются и воспитываются, а вот потом, когда девушки уже теряют товарный вид, ну, как я, например, их отпускают, даже слышала, что деньгами кой-какими снабжают на первое время. Многие здесь неплохое состояние по российским меркам сколачивают. А что потом – никто знать не знает. Но убежать, говорят, ни у кого не получается... Я думаю, что этого их африканский темперамент требует. Организмы у них другие, сама знаешь, подруга. – Катерина хитро взглянула на Лизавету и уже сама наполнила хрусталь. – У меня по молодости в России полно мужиков было, так если их всех сложить и перемешать миксером, то и трети моего кукуя не наберется по силушке. Мой, Царствие ему небесное, может, и страдал так, потому что я ему не соответствовала, он псих-однолюб был. Я его сама отправляла погулять, когда болела, а с годами и вовсе ни на что не годилась. Природа, понимаешь, Лиза – она всем руководит. Может, наш русский Ваня тоже от гарема-то не отказался бы, да кишка тонка. Одну-то удовлетворить не может. Наши же бабы только из жалости постонут, поохают, чтобы хоть как-то поддержать пустой стручок, а на деле... егозня одна, а не дело. В общем, против наших все остальные тьфу, даже китайцы, – задумчиво прибавила Катерина.

Лизавета рассмеялась, и за весь день немного отлегло от сердца.

– Почему китайцы? У тебя что, и китаец был?

– Нет, вот китайца не было, но раз их такая прорва на планете, значит, большие умельцы в этом деле. Хотя, может, и они просто физкультурники. Не пробовала, врать не буду. А ты что, китайца завела?

Катерина Григорьевна поверх очков взглянула на партнершу и на этот раз неаккуратно смухлевала, сбросив в отбой ненужную карту. Лизавета как обычно сделала вид, что ничего не заметила.

– А кто в Найроби продавец товара? Дело-то опасное, тут человек со связями должен быть, – подбиралась она все ближе и ближе к теме.

– Вот продавца-то я хорошо знаю. Это семья, муж и жена, но жена главная. У них турбюро небольшое, еще название такое, ну прямо смех, – «Союз». Под этой крышей они и ввозят в страну. Гражданством приторговывают, а дальше дело техники. Да зачем тебе это, тебя, душа моя, уже не примут. Ты по возрасту не проходишь.

Катерина хрипло рассмеялась удачной шутке. И опять потянулась к бутылке, но водка уже кончилась. Катерина Григорьевна многозначительно посмотрела на Лизавету, но та и глазом не моргнула и как ни в чем не бывало продолжала раздавать карты.

– Счет три – один в мою пользу, – констатировала Лизавета. – Играем до пяти.

Лизавета загадала, что если выиграет Катерина, то все будет у нее хорошо, но при счете 5–5 в дополнительной игре Катерина, даже мухлюя изо всех сил, проиграла.

Лизавета отвезла Катерину Григорьевну домой, по русскому обычаю собрав всяких вкусностей в пакет, но на обратном пути припарковалась на пустынной улице и, как Штирлиц перед ответственной поездкой в Берлин, откинувшись на сиденье, глубоко задумалась.

Через турбюро ничего не узнать, это факт, в особняк и муха не проскочит, тем более она. Старый бес привратник тут же ее узнает. Но найти выход из положения было необходимо. А когда выхода нет, то...

Лизавета тронула машину. Так повелось в ее жизни, что, когда трудно, надо ей к Тане, а Тане к ней.

– Лиз! Ты с ума сошла! Мы уже почти спим, но погоди, я пойду на кухню, а то Павлу завтра рано вставать. Ну, говори, милая, как там у вас? Голос у тебя грустный. Ты здорова? Джош как? – затараторила Танька, и Лизавета уловила небольшой акцент у сестры, и от этого стало немного грустно, хотя и раньше было не сильно весело.

– Да все в порядке. Я просто звоню, без повода. Как мальчики? Как ты?

– Все просто замечательно! Фриско – такой чудесный город, я влюбилась в него с первого взгляда, и тебе понравится, уезжать не захочешь... Ты не представляешь, я покрасилась – просто не узнать! Даже Павел растерялся, когда я к нему на встречу пришла. Так, деловое пати, ничего серьезного. Я сама в шоке. Так непривычно себя видеть в новом имидже! Но это быстро смоется, одно только успокаивает. Когда вы приедете? Мы скучаем ужасно.

– Скоро, Тань, постараюсь да, я постараюсь скоро.

– Почему ты? А Джош? – но линию разъединили, и Таня холодной льдинкой нырнула под бок мужа, который, как оказалось, совсем не собирался спать.

– Ну, вот и решение! Спасибо, Танька, ты как всегда помогла мне, сама того не понимая. – Лизавета расправила балдахин и уснула как всегда быстро...

– Девочки, вы не могли бы дать свою машину – у меня что-то барахлит мотор. Я вызвала мастера, но пока они притащатся, я просто сдохну.

– Нет проблем, мадам.

Продавщица отдала распоряжение, и машина с фирменным знаком торговой фирмы помчала Лизавету к особняку за высоким забором.

Все прошло, как в американской комедии. Машину с товаром универмага пропустили без проблем, охранник Лизавету не узнал, потому что после перевоплощения с помощью парика и спецодежды Лизавета и сама бы себя не узнала. Главное, перед домом не стоял черный «ягуар» мужа, который она в прошлый раз видела, а значит, все идет по плану.

Водитель помог выгрузить коробки и тут же уехал. Лизавете навстречу вышла женщина лет сорока.

– Это ваш заказ из магазина.

Лизавете было лениво играть дальше. Она достигла цели. Она попала в лагерь противника, и теперь можно было употреблять власть.

– Но мы не заказывали с доставкой, нам надо еще все просмотреть, может быть нам что-то не понравится. И вообще, нам никогда не привозили заказ. Я ничего не понимаю, может, вы что-то напутали? – уже с подозрением глядя на гостью, говорила женщина.

Но Лизавета и не думала ее слушать. Она стремительно двинулась в дом. Прошла через небольшой холл и по-хозяйски расположилась в просторной гостиной.

– Ты, что ли, главная тут? – нахально разглядывая женщину, спросила она.

– А вы, собственно говоря, кто? – грубо спросила женщина. – Я вызову охрану. Что вы себе позволяете?

Женщина повернулась к выходу, но Лизавета на чистом русском языке ее остановила.

– Да, брось ты, девочка, я жена Джоша. Сядь. Мне надо поговорить с тобой.

Женщина совершенно растерялась, но послушно присела на край дивана.

– Значит так, я хочу знать все про ваш союз нерушимый. За знания я плачу. Потому что учиться, как и лечиться даром – глупо и бесперспективно. Давай, в накладе не останешься, земеля.

Глаза женщины алчно сверкнули, и русская смекалка сработала мгновенно.

– Да что рассказывать... Да, я тоже русская, в переходном возрасте сбежала из дома, а потом все по старинной схеме. Добрые люди пригрели. Я была подарком для Джоша на четырнадцатилетие от его отца, вот с тех пор я здесь. Пастухом работаю. Девочек выпасаю.

– И сколько числом будет?

– Да, немного, всего семь, да я восьмая.

– Значит, ты здесь почти восемнадцать лет? – с ужасом констатировала Лизавета.

– Получается так, – с холодным спокойствием отозвалась женщина.

– Как зовут тебя?

– Ларисой дома звали, а здесь Лара просто.

– Знаешь, Лариса, давай прикроем все. Я отправлю девчонок по домам. У меня хватит и средств и связей. Надо прекращать этот первобытный строй.

– Как ни странно покажется вам, Лиза, – и у Лизы зашлось сердце, эта Лара знала ее имя, – но никто не уедет домой... пока. А что там, дома? Нищета, работа на макаронной фабрике? Покупка трусов – событие месяца! Они уже отравлены нормальной жизнью. А главное, они все любят твоего Джо. Да, его здесь сократили, но только в имени. За него все девчонки еще и борются. Все деньги откладывают на будущее, правда будет ли оно... хотя это уже не важно.

– Лара, а ты? Ты не хочешь вырваться? Или ты тоже его любишь?

– Нет, нет я просто не могу. У меня своя проблема. Она нас держит. Хотя мне часто снится дом... и мама. Я очень хочу назад. Они, наверное, думают, что нас уже и на свете нет...

– Кого нас?

– Да сын у меня от него, Симочка. Болен с рождения. А сейчас вообще прогрессирует эта беда. С сетчаткой там, совсем ослепнет скоро... Операцию только в Америке можно сделать, а я еще денег таких не скопила... ну, вам это все малоинтересно, и вряд ли это войдет в сумму вознаграждения за информацию.

– Лариса, я все равно для себя все решила. Я не знаю, почему говорю вам об этом, но я не буду больше с ним жить. Я уеду, а вы уж продолжайте свои африканские ритуальные танцы без меня. Оставьте ваш телефон, я постараюсь вам помочь. – Лизавета тяжело поднялась и направилась к выходу. – Спасибо за правду.

Лизавета вынула деньги и положила на бюро. Лара мгновенно переместила сумму в карман. И как-то знакомо взглянула на Лизавету. Только в такси, которое мгновенно появилось, Лизавета вспомнила этот взгляд. Так смотрели на нее только молоденькие женщины, презирающие ее возраст и восхищающиеся силой и молодостью Джошуа.

Как только Лизавета вошла в дом, зазвонил телефон.

– Лиза, Павла арестовали. Вылетай срочно – беда у нас.

Большего от Тани добиться было невозможно, потому что она ревела не переставая и несла какой-то нечленораздельный бред про растление малолетних, про растрату.

Весь следующий день Лизавета подробно собирала вещи, которых набралось не мало. Заказала билет в Штаты, последнее не составило труда, поскольку с визой у нее не было проблем. И все время регулярно говорила по телефону с мужем, ничем не выдавая своих намерений.

Вечером Лизавета позвонила по телефону, написанному на мятом клочке.

– Лара, я улетаю завтра. Как зовут твоего сына?

– Сима... Серафим. А это вы к чему?– встревожено спросила Лара.

– Завтра с утра поставь ему визу в посольстве США. Там все будут в курсе, а в три пополудни вези его в аэропорт. Будем лечить твоего шестикрылого. Но условие: нашему муженьку, горе-производителю, ни слова. Вот поправим парня, тогда и отчитаемся.

Молчание повисло банановой веткой. Лизавета не торопила, уж кто-кто, а она точно знала, что значит больное дитя и детская могила. Она знала, что ей скажет Лара, потому что, когда умирал в России ее сын, она молила о чуде и день и ночь, тогда Бог не услышал и забрал ее мальчика. И Лара сказала такое понятное для Лизаветы:

– Спасибо.

И не было в этом «спасибо» обычного восклицательного знака. Как будто какая-то неведомая сила объединила двух женщин, и это единение не нуждалось в словах. Был только сын, которого одна женщина мечтала спасти, а другая точно знала, что она это сделает.

– Пристегните ремни. – Стюардесса внимательно обходила пассажиров. Лизавета, никогда не увлекавшаяся алкоголем, достала «Джеймисон», купленный в аэропорту, прямо из горлышка отпила и протянула бутылку чудаковатому молодому мулату, сидевшему рядом.

– Спасибо, мне нельзя, – сказал парень.

– Скоро напьемся, ты у меня прозреешь, как старик Паниковский.

– А кто такой Паниковский? –спросил Серафим.

– Паниковский – это такой Гердт, но до этого ты будешь доходить всю оставшуюся жизнь. Я гарантирую тебе большой остаток, а главное, чтобы ты его увидел в полном объеме и ничего не проглядел.

«Пашка-то, тоже мне, растлил там кого-то. Куда ему против моего...» – преступно-радостно мелькнуло в голове Лизаветы.

Серафим, заснув, уронил голову ей на плечо, и Лизавета замерла, боясь разбудить парня, ее мальчика, теперь ее.

Глава четырнадцатая

СВИДАНИЕ ПОД ЛИПАМИ – 2

(*октябрь 1995, Берлин*)

В шикарном вестибюле отеля «Кемпински» жизнь шла своим чередом. Кто-то приезжал, кто-то съезжал, кто-то кого-то встречал, провожал. За стойкой суетились администраторы, сновали носильщики и коридорные, швейцары в малиновых ливреях легким наклоном головы фиксировали каждого проходящего через стеклянные вертушки дверей. Поодиночке и небольшими группами люди прохаживались по вестибюлю, стояли возле лифтов, рассматривали витрины цветочного и галантерейного бутиков, изучали выставленную на газетном стенде печатную продукцию, сидели на расставленных повсюду диванчиках, за столиками мини-кафе. В кресле неподалеку от входа расположилась девушка в светлом пиджачке из модной среди молодежи конопли. Сидела она уже довольно продолжительное время – то погружалась в изучение солидной книги под названием «Очерки немецкого садоводства», то, устав от чтения, индифферентно разглядывала зал. Должно быть, кого-то ждала.

– Да, пупсик, уже лечу, обязательно дождись меня... – Крашеная блондинка слегка за тридцать, разодетая, как картинка из модного журнала, решительным шагом двигалась от лифтов к стойке администратора, прижав к уху складной мобильный телефон.

Девушка подняла голову, реагируя на русскую речь.

– Конечно, конечно. Но только до утра. Звонил мой Савин, завтра в двенадцать он будет в Шёнефельде, я обещала встретить... – Блондинка закашлялась. – Ничего, аллергия какая-то прицепилась... Ну все, целую твой стойкий хвостик. Жди.

Она убрала телефон в сумочку.

– Добри день, мадам Савин...

Портье расплылся в улыбке. Клиентов, занимающих люксовые апартаменты, полагалось знать в лицо и, по возможности, обращаться на их родном языке.

– Добрый! – Женщина небрежно бросила на стойку пластиковую карточку – ключ от номера. – Меня не будет до завтра. Разберитесь пока с холодильником, а то орет как... – Мадам Савин на секунду задумалась, подбирая сравнение, но так и не нашла. – Номер четыреста двадцать.

Ее голос, визгливый, хрипловатый, никак не гармонировал с ухоженной внешностью.

– Да, мадам...

Портье важно кивнул, хотя из всей речи, перемежаемой надсадным кашлем, разобрал только слово «холодиль». Этого было достаточно.

Блондинка между тем уже двигалась к выходу.

Девушка в кресле встала, тряхнула многочисленными косичками и направилась ей наперерез.

– Ой, это вы, здравствуйте, я совсем не ожидала вас здесь увидеть...

Блондинка чуть замедлила шаг, смерила девушку надменным взглядом.

– В чем дело? Вы вообще кто?

– Мы вам так благодарны, так благодарны! И мама, и тетя Зоя! Если бы не вы, Миша никогда не поступил бы в Строгановское...

– Простите, милочка, тут какая-то ошибка.

Блондинка ступила в отсек стеклянной вертушки. Девушка не отставала.

– Но, Светлана Яковлевна...

— Вообще-то я Елена Павловна.

Они вышли на улицу. Блондинка подняла руку. От вереницы такси, ожидающих у входа, отделилась головная машина.

— Ой, вы так похожи на Светлану Яковлевну Троепольскую из Пушкинского музея!

— Не имею никакого отношения к Пушкинскому музею...

Водитель вышел из машины, распахнул перед пассажиркой дверку.

— Битте шён!

— Извините, ради бога, я, наверное, и в самом деле ошиблась...

— Ничего, бывает...

Со снисходительной улыбкой блондинка уселась в такси, что-то коротко и повелительно бросила шоферу. Машина тронулась.

Девушка посмотрела ей вслед и пошла в противоположную сторону...

Спустя минут десять на стойке администратора зазвонил телефон.

— Отель «Кемпински», к вашим услугам...

— Алло, это Элен Савин... — прозвучал в трубке знакомый визгливый голос, сменившийся кашлем.

— Момент, мадам Савин. — Портье нажал одну из кнопок на расположенным под стойкой пульте, — Тадек! Это Вилли. Звонит русская дама из четыреста двадцатого, разберись, пожалуйста, что ей надо...

— У, пся крев, холера ясна!.. Ладно, давай!

— Переключаю... О, херр Шнойбель, добрый день...

— Вилли, это Тадек... Сейчас подойдет племянница этой русской, дай ей ключ от номера. У них вечером что-то вроде бала, девчонке нужно забрать какое-то платье...

— Понял. Она не сказала, как выглядит эта племянница?

— Светлый пиджак, косички, как у африканки.

— А, знаю такую. Они еще разговаривали в холле и вместе вышли...

Нил приехал только ко второму действию и очень скоро пожалел, что не успел к началу. Честно говоря, он ожидал услышать очередную «городскую фисгармонию», но был приятно обманут в своих ожиданиях. Молодые, сильные, красивые голоса, свежий, разнообразный репертуар, новаторские аранжировки, вдохновенная работа молодого дирижера. Да и акустика в этом небольшом, но очень высоком зале была отменной. Для удобства слушателей текст арий, исполнявшихся, как и положено, на языке оригинала, транслировался немецкой бегущей строкой на узком экранчике, размещенном поверх сцены.

Пятьдесят минут промчались, как мгновение, хотелось слушать еще и еще, но уже зажглись люстры, и публика, отбившая ладони аплодисментами, неохотно тянулась к выходу.

– Мамочка, спасибо, ты устроила мне настоящий праздник...

– Куда это ты собрался, интересно знать?! А банкет?

– Но, мама, я не любитель...

– Надо, Нил, надо. По программе ты, как главный спонсор всего мероприятия, должен вручить диплом и чек победителю...

– Мама, я никому ничего не должен.

– Но люди захотят поблагодарить тебя, и будет просто невежливо...

– Ну, хорошо, хорошо, я появлюсь там на несколько минут, пообщаюсь с народом... Только имей в виду, на сцену я не полезу и призы вручать не буду. Вы уж как-нибудь без меня...

Пока приглашенные рассаживались по местам в беломраморном театральном кафе, Нил успел обменяться добрыми словами с каждым из конкурсантов, поблагодарить организаторов, пожать руки высоко- и средне-поставленным чиновникам, деятелям культуры. Наконец, все участники действа поднялись на возвышение в торце зала и выстроились по ранжиру – призополучатели слева, призовручатели справа, посередине же, словно царица на троне, величественно восседала в кресле сама Ольга Баренцева.

Нил, с бутылочкой зельтерской в руке, пристроился на свободное местечко поближе к выходу.

— Простите, у вас не занято?

В открытом платье зеленоватого оттенка, удачно сочетающегося с ее короткими, чуть подвитыми рыжеватыми волосами, девушка показалась Нилу не просто хорошенькой — обворожительной. Белоснежную шейку украшало неброское, но очевидно дорогое жемчужное ожерелье, уши — крохотные серьги с бриллиантами, запястье — дамский «Лонжин» с платиновым браслетом. Никакой косметики — да и нужна ли косметика этому свежему румяному лицу, этим большим миндалевидным глазам, этим ярким губкам?

Видя, что произвела впечатление, девушка слегка улыбнулась и присела на свободный стул.

— Вы заговорили со мной по-русски. Почему?

— Я слышала, как вы разговаривали с Ольгой Баренцевой. Вы, должно быть, ее импресарио?

— Я ее сын.

— Потрясающе! Я ее большая поклонница, стараюсь не пропустить ни одного концерта с ее участием...

— Но она теперь совсем не выступает в России, да и в Берлине всего второй раз.

— Это неважно, ведь самолеты летают повсюду...

Между тем, после краткого вступительного слова, ведущий передал микрофон бодрому толстячку в черном вечернем костюме.

— Lieber Damen und Herrn!... — откашлявшись, начал толстячок.

— Вы не откажетесь мне переводить, я плохо понимаю по-немецки...

Ее теплые пальчики дотронулись до руки Нила, вызвав давно забытый трепет.

— Охотно... Певческие конкурсы имеют в нашей стране многовековую традицию. Еще в те незапамятные времена, когда на месте нашего прекрасного Берлина стояли две деревушки, Ной-Кёльн и...

Девушка зевнула, прикрыв рот ладошкой.

– Как ваше имя, прекрасная незнакомка? – прошептал Нил.

– Что?.. Ах, Маргарита.

– Ах, Маргарита... Вам идет. А я Нил. Нил Баренцев, гражданин мира, по большей части обретаюсь в Париже. А откуда вы, прелестное дитя?

Она чуть поджала губы, но Нил понял – ей понравилось. Женщины, как известно, любят ушами.

– Я? Вы, наверное, про это место даже не слыхали. Новый Уренгой.

– Отчего же не слыхал? Вотчина Газпрома. Вы часом не родственница господину Вяхиреву?

– Нет, но дядю Рэма знаю хорошо. Мой папа, Николай Петрович Савин, – его зам по производству...

– При всех германских королевских дворах – и у Фридриха Великого, и у курфюрста Саксонии, и у Людвига Баварского – были свои... – продолжал разливаться толстячок, явно не имея намерения закругляться.

Маргарита приблизила губы к уху Баренцева.

– Если все будут произносить речи, эта болтология растянется до утра.

– У вас есть альтернативные предложения?

– Я предпочла бы просто погулять по ночному городу. Тем более, я в первый раз в Берлине.

– Сочту за честь быть вашим гидом... А вы уверены, что прогулка вам не повредит? Мне показалось, у вас жаркое дыхание, и глаза блестят...

– Я в полном порядке. Хотя, пожалуй, не помешает одеться потеплей. Заедем на минуточку в отель. Вы не против?

– Отнюдь. Мое авто в вашем распоряжении...

По рассеянности Ольга начисто забыла сказать Асурову, что после концерта будет еще и банкет, и теперь он напрасно ждал ее на лавочке у входа в театр. Публика давно разошлась и разъехалась, а он все сидел, не решаясь ни уйти, ни заглянуть внутрь и навести справки, поскольку в первом случае он рисковал навлечь на себя гнев Ольги Владимировны, во втором – нос к носу столкнуться с Баренцевым, свидание с которым никак не входило в его планы.

«Интересно, где тут ближайшая пивная? – думал Костя. – Наверняка недалеко. Сбегать, что ли, быстренько шнапсу дерябнуть для согрева?»

Свежая мысль придала смелости. Асуров встал, сделал несколько шагов – и тут же спрятался за своевременно подвернувшееся дерево. На ступенях театра появился Баренцев с какой-то бабой, определенно не Ольгой.

Они остановились всего в нескольких шагах от него. Свет фонаря упал на лицо баренцевской спутницы, и Константин Сергеевич едва сдержал крик.

Он узнал Анну, ту самую малолетнюю стерву, которая так ловко умыкнула у него диадему императрицы и пустила под откос только начавшую налаживаться жизнь...

Возле парочки тут же материализовался длинный дорогой автомобиль, бесшумно и неспешно растворяя двери.

– Прошу, – сказал Нил, пропуская даму. Потом уселся сам, и прежде чем захлопнулась дверца, Асуров услышал: – В «Кемпински»!

Ах, вот, значит, как? Сговорились, значит? Одна, значит, на деньги разводит, а другой, значит, потом предъявы делает?

Ну, большого пока не одолеть, а вот девка...

Девка – слабое звено!

Выждав, пока авто не скроется за поворотом, Асуров вышел из своего укрытия и быстро зашагал по Унтер-ден-Линден в поисках ближайшего телефона-автомата.

Зайдя в кабинку, он нащупал во внутреннем кармане заветную записную книжечку, с которой никогда не расставался, а записи делал таким образом, чтобы никто кроме него ни черта в них не понял. Вставил в щель карточку, набрал номер. С замиранием сердца ждал.

— Грабовски хир! — отрывисто рявкнула трубка.

— Привет, Гюнтер, — по-русски отозвался Асуров. — Это Константин. Не забыл такого?..

С капитаном Штази Гюнтером Грабовски Асуров познакомился в Ленинграде еще в начале восьмидесятых. В деле об очередном антисоветском кружке оказались каким-то боком замешаны несколько студентов из ГДР, и, чтобы разбираться с ними, потребовался специалист из фатерлянда. Выяснилось, что Гюнтер прекрасно шпарит по-русски, охотно употребляет водочку и вообще парень свой в доску. Потом Гюнтер приезжал в Дрезден, где у Асурова была краткосрочная командировка, они и там неплохо провели время. Потом ГДР приказала долго жить, ее госбезопасность — тем паче. Но Асуров, по мере сил отслеживавший судьбы людей, которые могли бы ему пригодиться, знал, что несгибаемый Гюнтер не только выжил, но быстро приспособился к новым условиям и теперь возглавляет частное сыскное бюро.

— Не вибрируй, я тоже, понимаешь, кардинально перестроился, теперь честный предприниматель французской национальности... Наклевывается выгодная работенка. Как раз по твоей новой специальности... «Кемпински» знаешь? Жду напротив входа через полчаса.

— Располагайся. Я быстро...

Нил скинул пиджак и присел на диванчик, любуясь роскошным интерьером, выдержанным в лучших традициях прусского бидемайера.

— Да, кучеряво живут племянницы российских олигархов!

— Что ты говоришь? Я не слышу... Знаешь, у меня появилась идея. — В дверном проеме показалась растрепанная головка Марго и обнаженное плечико с белой бретелькой. — Не знаю, как ты, а лично я что-то устала. Давай заморим червячка перед прогулкой? Только в ресторан неохота, я закажу в номер каких-нибудь закусок...

Нил с ленивой улыбкой слушал, как Марго, на более чем сносном французском делает заказ по телефону. Белужья икра, королевские креветки, фуа-гра, шампанское. Как говорила покойная Линда, первая его жена, красиво жить не запретишь... Эх, Линда-Адреналинда, тебя бы из тогдашнего нашего убожества да в эту роскошь...

— Если водка для меня, тогда не надо! — крикнул он.

— И бутылочку хорошего вина... На усмотрение вашего сомелье, цена значения не имеет...

Вышедшая в халате Марго чмокнула его в ухо.

— Через двадцать минут. Ты отдыхай пока, телек посмотри, в баре похозяйничай. В общем, будь как дома. А я пока перышки почищу. Потерпишь?

— А что мне остается? — Нил состроил скорбную мину и тут же рассмеялся. — Ладно, переживу.

Он потянулся к лежащей на столике книжке. Крикливая, аляповатая обложка, на ней бритый жлоб с пистолетом и скособоченная красотка с обнаженным выменем восемнадцатого размера. «И ты, Брат?». Издательство «Омега-Пасс». Что ж, название у фирмы вполне красноречивое — если учесть, какую именно часть тела напоминает своими очертаниями греческая буква «омега».

Имя автора показалось Нилу знакомым. Иван Ларин. Тот самый Ванька-русист, с которым столько выпито дрянного пива и дважды дрянного портвейна?

Нил наугад перелистал несколько страничек, и ему страстно захотелось, чтобы автором был не Ванька, которого Нил запомнил человечком хоть и слабым, но добрым, окрыленным, по-детски чистым душой. Он писал хорошие стихи и имел феерически, неправдоподобно прекрасную жену.

А тут какие-то подсобки с крысами, битюги в золотых цепях, грязный толстый азербайджанец, с гиканьем и свистом избиваемый ногами. А в текстах, произносимых героями, понятны только матерные слова... Кровавая рвота, кровавые фекалии — любовно, во всех подробностях...

Потом Ванькина жена стала киноактрисой и, кажется, бросила своего пьющего мужа. Но это еще не повод...

Неужели Маргарита, очаровательная, тонкая Марго читает такую запредельную дрянь?

Нил зашвырнул книжку в угол, прислушался.

Марго пела в ванной под аккомпанемент струй.

— Знай, Орландина, Орландина

Зовут меня...

Отчего ее голос показался ему таким знакомым?..

— «Шато-Лафит», семьдесят девятый год... Недурно. Интересно, ты тогда на свете-то существовала?

Марго надулась.

— Мне уже девятнадцать!

— Значит, пешком под стол ходила... Ладно, продегустируем. — Нил наполнил бокалы. — За тебя!

— За меня уже пили.

— Тогда за меня.

— И за тебя пили.

— В таком случае, позвольте тост, подкупающий своей оригинальностью. За нас с тобой!

Марго пригубила вина, поставила бокал рядом с икорницей, заполненной уже не икрой, а креветочными очистками.

Похоже, изысканный, мягкий букет выдержанного вина ее не впечатлил.

— Дай сигаретку!

— Как, неужели ты куришь?

— Только когда выпью... Слушай, Нил, пока я не напилась и не окончательно потеряла голову, у меня есть к тебе деловое предложение...

— Какое? Потанцевать? Всегда готов! Была бы музыка...

Он легко поднялся с кресла, отвесил ей церемонный поклон.

— Нет, погоди, танцы потом... Все потом... Где моя сумочка?

— Да вот же, — Нил шагнул к дивану возле журнального столика, поднял сумочку. — Прошу.

Марго достала желтый плотный конверт, в каких обычно держат фотографии, протянула ему. Ее пальцы показались Нилу очень горячими.

– Что это?

– Так, одна вещь... Понимаешь, это... это принадлежит моей подруге, очень близкой подруге... Вещь ценная, ее трудно продать в России, она попросила меня узнать, может быть, здесь в Европе... может быть, ты...

Марго внезапно открыла рот и оглушительно чихнула.

– Что с тобой?!

– Ничего, я... – Она вновь чихнула. – Что-то голова... Я лучше сяду...

Она пошатнулась и едва не упала, но Нил вовремя подхватил ее. Тело Марго пылало, как раскаленная печка.

Нил подхватил ее на руки и понес в другую комнату, где сквозь матовое стекло двери угадывались очертания кровати.

Желтый конверт с глухим стуком упал на пол.

– Нил... – лепетала Марго. – Фотографии...

– После, девочка, после...

Он ногой распахнул дверь и бережно уложил Марго на широченную кровать. Она тихо стонала. Нил помог ей выпутаться из платья, прикрыл худенькое тельце простыней, шелковым покрывалом... «Ей девятнадцать, значит, когда она родилась, я был уже три года как женат...» – неожиданно подумал он. Отчего-то слезы навернулись на глаза...

– Лекарства у тебя есть? Где они?

– Не знаю... Там...

Она махнула в неопределенном направлении и уронила руку на покрывало.

Нил один за другим выдвигал ящики трюмо и, наконец, нашел среди всяких женских мелочей прозрачную косметичку, исполнявшую обязанности походной аптечки, раскрыл молнию, выбрал подходящие упаковки. Препараты были знакомые – эфералган, аспирин-Ц, – а вот русские буквы выглядели на них непривычно.

Он растворил шипучие таблетки в воде, дал ей выпить. Потом сходил в ванную, принес мокрое полотенце, положил на лоб.

– Нил, ты... ты только не сердись на меня, все так глупо получилось...

– Да я не сержусь, ни капельки не сержусь... Ты только поправляйся скорей.

– А что со мной?

– Не знаю, наверное, какой-нибудь скоротечный грипп. Ничего, лекарства хорошие, сильные, ты главное постарайся уснуть. Утром будешь как огурчик.

– Ага, зелененькая и в пупырышках... – Марго тихо засмеялась и тут же раскашлялась.

– Тс-с! – прошептал Нил.

– Это мама Таня всегда так шутит... Нил, а правда обидно было бы вот так умереть... когда все только начинается?

– Ты спи давай! Нечего тут глупости всякие...

– А ты не уйдешь?

– Не уйду...

Она взяла его руку, приложила к своей пылающей щеке.

– Как хорошо... прохладно... Не уходи...

Марго заснула. Нил лежал рядом, не отнимая руку от ее спящего лица...

Глава пятнадцатая

КАЛИФОРНИЯ-БЛЮЗ

(*октябрь 1995, Сан-Франциско*)

После того, как Павел сел...

...Да, после того, как ее Павел попал в тюрьму...

Ах, в свои тридцать девять Татьяна стала такой слабодушной, что слезы порою сами катились из глаз, катились и катились. Как у того клоуна в цирке, у которого в парике спрятаны трубочки, подведенные к глазам, а в кармане спрятана клизмочка с водой...

Когда ее Павел сел...

Когда он попал в тюрьму...

Сел... Как это по-русски!

Здесь так не говорят.

По решению суда был помещен в City Detention Center. По-нашему, вроде КПЗ.

Татьяна ездила к нему два раза...

Это было на другом конце Фриско, и она ездила к нему... Ездила, чтобы понять, чтобы выяснить...

Нет, он не достоин!

Какой позор. Какой позор!

Он сожительствовал с этой грязной латиной, с этой пятнадцатилетней шлюшкой!

Какой ужас!

И как теперь оградить мальчиков от этого позора?

Митьке еще три, и он ничего не понимает, но Лешке-то уже пять!

Как уберечь детей от этого стыда, за отца – педофила?

Как он мог? Как он мог?

И Татьяна вновь заливалась слезами.

Когда кончился весь этот кошмар с шумихой в газетах, где в заголовках трепалось Пашино имя, Саймон и Саймон, которые вели их с Павлом дела, посоветовали переехать в дом подешевле.

Впрочем, дело было даже и не в деньгах...

Дело было в соседях.

Как сказали бы бабуськи из ее Танькиной юности – как теперь людя́м в глаза-то смотреть?

За этот стеклянный дворец на Пасифик-Элли драйв кредит был частично выплачен, и при продаже дома, этого дома стыда и позора, где ее Павел предавался похоти с этой... мексиканской потаскушкой, Саймону даже удалось выудить часть денег назад....

Татьяне было тяжело еще раз вспоминать эту их встречу. Встречу в Сити-Детеншн-Сентер.

Она тогда еще на что-то надеялась...

Надеялась на то, что все это ошибка. Чудовищная ошибка... И что американская система правосудия – эта великая часть той американской свободы, воспетой в несмолкаемых гимнах всеобщей телевизионной пропагандистской трескотни, – что эта американская система правосудия разберется! Что это ведь не Советский Союз с его сталинским ГУЛАГом, наконец!

Она еще надеялась... И Саймон с Саймоном – их адвокаты, тоже как-то вяло, но поддерживали ее в этой надежде.

И она приехала тогда к Павлу, как к родному... Как к родному, попавшему в беду.

Ей надо было...

Ей надо было выяснить все для себя...

Можно ли ему верить?

Можно ли верить Пашке?

Ее маленькому ослику – Пашке?

А уехала, как от неродного.

Выдался очень жаркий даже для Фриско день.

Уже с утра парило, а к обеду радио «Кэй-Эль-Эм» сорок пять, что постоянно наигрывало кантри, пообещало вообще все «Сто пять по Фаренгейту»...

Но тем не менее она надела черное. Оставила мальчишек Лизавете и, едва проглотив что-то, отправилась в Сити-Детеншн...

Ехать было – не ближний путь!

Сперва по их Пасифик-Элли, потом по бульвару Севен Хилл вдоль бесконечной череды образцово-показательных домиков «хай-миддл класса», к которому они с Пашей пока еще принадлежали, потом по крутой петле пандуса она выбралась на Федеральную дорогу номер семьдесят семь, по которой в восемь рядов в одном направлении неслась вся эта американская жизнь, заключенная в маленьких комфортных мирках личных автомобилей. С персональными радио, с кондиционерами, с мобильными телефонами, фризерами для напитков... и всем-всем тем, что дает американцам это бесконечно воспеваемое ощущение независимости...

Заняв серединный четвертый от правого края ряд, где ехали не слишком быстро, как эти сумасшедшие владельцы «порше» и «феррари», что занимали два крайних левых ряда, и не слишком медленно, как все эти сверкающие никелем дизельные тягачи с прицепами – авианосцы и дредноуты хайвеев с вечными ковбоями в стодолларовых стетсонах за рулем в их высоченных кабинах...

Она ехала в Сити-Детеншн почти час. И если бы не кондиционер, то страшно подумать! Татьяна всегда побабски боялась, а вдруг сломается, а вдруг бензин кончится, а вдруг компьютер в моторе перегорит! И как тогда? Все эти постсоветские и построссийские страхи уже, наверное, и невозможно было вытравить из ее психики. Этакая совковая паранойя в насыщенном индустриальном обществе.

Когда вокруг всего столько от научно-производственной цивилизации, и когда ты настолько зависишь от всех этих микросхем и электромоторчиков, то как тут не занервничать, что что-то вдруг сломается и ты умрешь от жажды и жары в этой калифорнийской печке! А советская память в затылке подсознания, она все твердила и твердила, – сломается, сломается, сломается...

Вот и наколдовала...

Сломалась.

Сломалась ее с Павлом жизнь!

Она приехала в Центр предварительного содержания за полчаса до свидания.

Встала в очередь к окошку дежурного администратора.

В очереди, в основном, были тоже женщины. И белой была только одна Татьяна. Несколько чернокожих. Разного размера. От спортивно-поджарых, как чемпионка по прыжкам в длину Джессика Брэнкстон, до оплывших жиром, как мама миссис Миссисипи, необъятных в талии африканок... Вот уж кому жара!

И еще стояло несколько латиноамериканок.

Вот уж!

У Татьяны сразу настроение испортилось.

И дежурная администратор, та тоже, по инерции что ли? Татьяна ей подает заполненный бланк для разрешения на свидание вместе со своим ай-ди, а та ей:

– Буэнос диас, сеньора!

– Юрьев день тебе, бабушка! – так и хотелось выкрикнуть ей в ответ, но Татьяна сдержалась.

Потом их провели в комнату для свиданий и африканка в серо-голубой коттоновой форменке с нашивками Сити-Детеншн на груди и на рукавах еще раз проинструктировала всех, как себя вести во время свидания, еще и еще раз предупредив, что в случае нарушения правил администрация может прервать свидание и все такое...

У нее было место за номером семь.

Счастливое число.

Седьмая кабинка, хотя понятие «кабинка» здесь было совершенно условным. Огромная комната была разгорожена напополам пуленепробиваемым стеклом. С одной стороны – тюрьма временного содержания и ее пленники с охраной, а с другой стороны – воля и родственники, все эти жены, невесты, дочери...

И длинный общий стол перед разделявшим два мира стеклом, был условно разделен на маленькие отсеки. Разделен ребрами стеклянных отгородочек, долженствовавших создавать иллюзию какого-то интима в этом чудовищном явлении общего свидания...

А разве может?

Разве может свидание быть общим?

Ведь это общее – оно, казалось бы навсегда осталось там, в России?

Коммунальные кухни?

Коммунальные квартиры?

Места «общего пользования»?

И теперь в этой индивидуалистски построенной Америке она с Пашей снова попала в комнату торжества коммунальных отправлений!

Его привели и посадили напротив.

Он так похудел!

От него просто половина какая-то осталась!

Татьяна взяла телефонную трубку.

И Паша тоже взял свою на своей половине.

Она не знала, что говорить.

Она только очень хотела одного – сразу, прямо сейчас, снять все подозрения, разрешить все задачи и получить главный ответ на главный вопрос...

И перестать мучиться от изводившей ее червоточины недоверия. Недоверия к нему, к ее мужу, к ее Паше.

– Здравствуй, Павел...

– Здравствуй, Таня...

– Как ты?

– Я нормально, а как ты, как мальчики?

Это было все не то!

Все эти дежурные расспросы про здоровье, про то, как тебя здесь кормят, и есть ли у вас душ и кондиционер, и что тебе передать, и все эти ответы, что с детьми все нормально, что сама, слава Богу, здорова, и что Лизавета готова пожить с ней ровно столько, сколько надо, – все это была туфта.

Туфта, потому как настоящий вопрос, обладавший истинной ценностью, заключался не в этом. Не в том, как тебя здесь кормят? И даже не в том, каковы перспективы у Саймона и Саймона на подачу апелляции, а в том...

А в том... Истинный вопрос, что мучил ее, – *правда или неправда* была в том... В том, в чем его обвиняли...

И он ответил тогда страшное.

И она...

И она сама теперь не знала, верить ей дальше или не верить.

Не то, чтобы верить или не верить ему – Павлу, а верить или не верить в философскую реальность этого мира?

После того, что она услышала от него в ответ, Татьяна решила, что ее детские подозрения относительно монополярной эгоцентрической устроенности мира были правильными. Что весь этот мир устроен Всевышним специально для нее одной. И что этот спектакль для одного зрителя имеет и преследует одну лишь цель – бесконечно мучить ее.

Татьяну Ларину-Розен.

Она выехала назад с одной мыслью, что неплохо бы попросить кого-то, чтоб повели ее машину.

Но справилась.

Справилась.

Она-то справилась.

С собой.

Она справилась с собой, но она так и не смогла справиться с горечью от несправедливости. Горечью от несправедливости. Она была честна. И она его любила. А он был с ней нечестен. И значит – не любил?

Но не могла до конца поверить!

И пусть он, отводя глаза, говорил – да, да, все правда, как в газетах пишут, все так, но она до конца не могла в это поверить.

Безумие какое-то!

Ум отказывался это принимать!

Ее Пашка – ее «little donkey Paul» – после их ласк в их постели поганил ее любовь с какой-то несовершеннолетней бэбиситтершей!

И пусть он ей даже сказал – да, это так, все так, как в газетах написано, – но она ему не верит.

Не так.

Все не так.

И ее подозрения еще больше усилились, когда она, превозмогая стыд, поехала в мексиканский квартал, разыскав там домик сеньоры Родригес.

На ее настойчивый звонок дверь Татьяне открыл небритый старик латинос.

– Нон компранде, сеньора, нон компранде...

Он принял от нее десятидолларовую бумажку и долго потом кричал свое:

– Абригадос, абригадос, сеньора, абригадос...

А где живут теперь Родригес – мама этой Долорес и сама малолетняя шлюха – объяснить не мог...

– Нон компранде!

Уехали!

Уехали до суда!

Значит, им кто-то дал денег?

И Татьяна не знала. Верить ей?

Или не верить?

Первую неделю после Пашиного ареста она много плакала. Звонила Лизке. Ждала ее приезда. Тем и жила.

Однако, еще до Лизаветиного прибытия она сумела взять себя в руки.

Думала и рассуждала так:

Ну что?

Бывали у меня деньки и потяжелее!

А каково было в Ленинграде тогда, когда Ванькины родители были против свадьбы?

Каково было, когда Ванька пил по-черному?

А была тогда она в Ленинграде – одна одинешенька! Без денег, без квартиры, без образования...

Койка в общежитии – вот и все ее богатство было тогда.

А теперь – а теперь, что она потеряла?

Пашину любовь?

Да!

Наверное...

Наверное – да!

Но у нее есть дети.

У нее есть деньги.

У нее есть достаточно средств...

Саймоны сказали, что сразу после суда ее половину с их с Павлом общего счета сразу разморозят и выделят в ее отдельный счет.

А там – немаленькая сумма.

Но это ведь не главное!

Впрочем, и когда прилетела Лизавета, да не одна, а со смешным мальчишкой Серафимом, которого собиралась устроить здесь в глазную клинику на операцию... когда они с сестрой, уложив деток в кроватки, обнявшись, вдоволь наплакались, Лизавета так же то же самое ей и сказала.

Разве это горе?

Муж сел...

Ну...

Ну, выйдет через четыре года.

А может, и через два.

Но дети-то целы и здоровы, слава Богу! И сама.

И сама здорова, на воле, и при деньгах!

– Тебе бы только делом самой заняться, а не то захиреешь, зачахнешь от безделья, – сказала Лизавета на второй день их с Серафимом пребывания.

И тут же принялась искать адреса кастинговых агентств, что обслуживают Голливуд...

Какая – никакая, а все ж актриса!

Лизка вообще молодец!

И кабы не она, трудно пришлось бы Тане этим октябрем.

Какой бы сильной Таня ни была, а все ж таки баба-бабой.

Теперь, бывало, услышит Пашину любимую по радио – этих, Papas and Mamas, где про калифорнийскую осень:

All the leaves are brown
And the sky is gray
California dreaming...[1]

Как услышит – так сразу в слезы.

А Лизавета все поперву взяла на себя.

И переезд в новый район.

И обустройство в новом их доме.

И с мальчишками была целыми днями – возилась, как добрая старая нянька... И порой ей, Таньке, слезу с соплями подтирала.

И с деньгами все вроде как было нормально.

Только вот в новом, купленном ею доме было пока пусто.

И пусто, и стыдно и холодно.

И она все время мерзла этой калифорнийской осенью. Кутаясь в шаль и даже включая климат-контроль на полные сто десять Фаренгейту... И все одно – мерзла.

И Лизавета ее обнимала и прижимала к себе... А не согревала.

Чуть что – Таня в слезы.

А по радио – возьми да опять – поставят эту...

All the leaves are brown
And the sky is gray...

И снова слезы катятся из глаз...

Лизавета с удовольствием возилась с мальчишками и иногда укатывала с ними на полдня куда-нибудь в дельфинарий или Диснейленд.

---

[1] Листья почернели. Небо серое. Спит Калифорния *(англ.)*.

Чтобы сестрица могла посидеть одна со своими мыслями.

Татьяна вообще-то и верила, и не верила.

Ну, как же не верить, если все газеты, все каналы местного ти-ви. Все кричали и орали, что ее муж растратчик и педофил... И более того, и того более, когда она сама его спросила!

Разве он сам не сказал, что это правда?

Но она все же что-то чувствовала!

Она чувствовала, что Паша что-то скрывает!

И потом, ну никак не мог он этого...

Пятнадцатилетняя девочка-латина...

Полтора миллиона казенных денег...

У нее были дурные мысли, нанять частного сыщика, чтобы он порылся в этом деле и разузнал бы ну хоть чуточку какую правды!

Она сказала об этом Лизавете.

А потом сказала одному из Саймонов... Но тот не одобрил, причем с таким видом, будто она сказала какую-то неприличную ерунду.

Саймонам вообще что-то явно было известно, но они как рыбы молчали.

Миссис Розен, все будет хорошо!

От горя и стыда безделье стало донимать ее с особенной силой.

И даже переезд семейства из стеклянного дворца на Пасифик-Элли драйв в южную часть побережья Фриско-Бэй наводил на мысль, что десять миль ближе к Голливуду для артистки – это символический первый шаг.

Посоветовавшись с Лизаветой, Татьяна съездила в модную арт-студию, сделала несколько снимков, и по Интернету разослала их вместе с обширным резюме по адресам всех известных и малоизвестных киностудий.

Авось?

Чего в нашей жизни не бывает!

Таня тяготилась не только бездельем.

Трудно было и переживать нахлынувшее одиночество.

По-бабски трудно.

И уже даже крыша порой просто ехала – съезжала.

Как-то заплутав под пилонами знаменитого моста Голден-Гейт, она остановила свой «шеви-вэн» возле ресторанчика с совершенно невозможным вызывающим названием – Great American Food and Beverage Company...[1] Ресторанчик собственно представлял собой большой выбеленный цинком алюминиевый сарай с барной стойкой и дюжиной столиков.

Таня зашла выпить долларового кофе... Этого смешного местного напитка...

Как забавно было ей сравнивать...

Питерский «Сайгон» ее юности. Угол Невского и Владимирского. И кофе в третьей коффи-машин от входа... Они с ребятами всегда вставали к третьей машине, там варила кофе женщина лет сорока – сорока пяти. Ее, кажется, звали Стелла. И кофе этот был просто восхитительным.

Стелла варила и простой за шестнадцать копеек, и двойной за тридцать две, и тройной, если кто просил... И варила его с пенкой, такой ароматный!

А потом...

Кофе в Кении!

Кофе в Эквадоре!

Кофе в Италии, наконец!

А в этой Америке...

За доллар тебе здесь наливают светло-коричневую бурду из фаянсового кувшина. Варят на кухне, а официантка приносит и разливает.

В Питере они с ребятами всегда брезгливо корчили гримасы, если в кафе или закусочной им предлагали такой кофе... За десять копеек из бачка с крантиком...

А здесь – в Америке – все пьют эту бурду и прославляют Бога.

Итак, она зашла в эту Великую Американскую Забегаловку и заказала яблочный пирог... и этот так называемый местный кофе.

---

[1] Великая Американская Компания Еды и Напитков (или «Компания Великой Американской Еды и Напитков»)

И к ней стали клеиться два моряка.

Сперва она испытывала гнев и возмущение.

Потом ей было просто стыдно.

Но потом...

Но потом ей стало...

Ах, лучше не думать об этом и не копаться в этих грязных... в этих грязных и неприличных ощущениях...

Но ей было ин-те-рес-но!

Она потом поймала себя на том, что ей вдруг стало интересно...

Два пацана с авианосца «Энтерпрайз», что два уж месяца большим бельмом торчал в бухте, два пацана лет девятнадцати... Эх, нет на них ее моряка – Леньки Рафаловича. Вот уж он бы их поставил стоять смирно!

Два пацана из боцманской палубной команды, два рядовых матроса. Один рыжий – ирландец, а другой смуглый, не то индейских кровей, не то метис-латинос...

И принялись они ей показывать порно-журнал...

Она сперва даже и не поняла.

Только покраснела вся до кончиков волос.

И даже дар речи потеряла на какое-то время.

А журнал был самого гадкого свойства.

Там на глянцевом развороте...

Там был фотокомикс, где два матроса в таких же, как эти белых фланельках и белоснежных крахмальных беретах-бескозырках... Они...

Они вдвоем любили и терзали взрослую, зрелую женщину...

Татьяна сперва даже близоруко приблизила свое лицо к странице, что этот рыжий протягивал ей... А потом даже как бы остолбенела от гнева и стыда.

А они пялились на нее и тихо ржали. Лыбились белоснежными оскалами своими – мол, давай! Давай, мэм! Let us have fun![1] Мы любим мамочек, ты самый наш любимый размер!

Но она нашлась, что сказать.

На каком-то автопилоте нашлась.

---

[1] Развлечемся! *(англ.)*

Наверное, она хорошо выглядела.

Все же актриса хорошей питерской школы.

Актриса с таким опытом!

Она им показала, какая пропасть разделяет их.

Этих сосунков и ее – царицу! Царицу в пафосе греческой трагедии!

Она даже без грима была белее и холоднее снега.

Она почувствовала это по их глазам, что обдала их арктическим холодом, когда процедила сквозь зубы...

Не то, что сперва подумала, де – «Fuck off, you, dirty jerks![1]» – но тем их обдала, что отчетливо прозвучало для их тугопроходимого, затуманенного похотью сознания:

– Я не сплю с неудачниками, мальчики, не сплю с теми, которые идут во флот за восемьсот баксов в месяц и за перспективу бесплатного высшего образования... Так что передайте своему мастер-сержанту, что вы сегодня в увольнении облажались. А я расскажу о нашем разговоре своему мужу – коммодору...

А потом, потом... Когда она все же уехала из этого кафе от тех облажавшихся морячков, она долго думала, что, может, надо было бы и решиться на *это?*

Ведь Паша-то решился с пятнадцатилетней?

И, засыпая в постели в тот вечер, она долго ворочалась, представляя себя в объятиях двух моряков.

Ирландца и смуглого – латинос.

А на утро ей позвонили из кинокомпании «Мунлайт пикчерз».

– Вы посылали нам свое резюме, мэм? Не хотите ли приехать на кинопробы? Для вас есть небольшая роль в фильме про русских моряков...

Судьба?

Это ли не судьба?

Таня?

---

[1] Отъе.., грязные недо..! *(англ.)*

Глава шестнадцатая

СВИДАНИЕ ПОД ЛИПАМИ – 3

(*октябрь 1995, Берлин*)

– Привет! Ну, пошли смотреть рыбок, я уже билеты купила!

При взгляде на ее улыбающуюся мордашку вся тревога мгновенно улетучилась. Жива, здорова, весела и, похоже, искренне рада видеть его. Захотелось обнять ее, прижать к груди...

Но одновременно с облегчением нахлынула злость.

– Рыбки подождут! Марш в машину!

– Ты что, сердишься на меня?

– Нет, я просто в восторге! Обожаю, знаешь ли, когда из меня делают идиота! Я комкаю деловую встречу, откладываю подписание важного контракта, отрываю от дел лучшего врача! – Нил за рукав тянул ее к машине, как когда-то тянула его, нашкодившего, в угол бабушка Александра. Марго не сопротивлялась. – Мы мчимся в гостиницу, влетаем в номер, а там валяется какая-то посторонняя тетка, мало того, при ней мужик мерзкой наружности! Что характерно, оба русские и откликаются на фамилию Савин, но ни про какую Маргариту слыхом не слыхивали...

Нил затолкал Марго на заднее сиденье, сам забрался следом, постучал в стекло, отделяющее пассажиров от водителя.

– Поехали!

Таун-кар плавно тронулся с места.

– Куда мы? – тихо, испуганно спросила Марго.

– Кататься!.. Внизу мне с улыбочкой сообщают, что молодая дама, соответствующая моему описанию, покинула отель вскоре после меня, оставив пакет для господина Баренцева с этой дурацкой запиской «В пять часов у зоопарка». Вот уж действительно – зоопарк!

– Но кроме записки там были...

– Если ты думаешь, что фотографии какой-то бранзулетки сильно проясняют дело...

– Нил, это не просто, как ты говоришь, бранзулетка! Именно из-за нее мы сюда приехали, из-за нее я познакомилась с тобой!

– Погоди, я ничего не понимаю... Что значит «мы», как понимать, что?.. Эй, что за стриптиз?!

– Смотри!

Она расстегнула две верхних пуговицы на своей свободного покроя блузке, и Нил увидел на ее шее сияющее золотом и драгоценными каменьями ожерелье. Посередине синими огоньками искрился сапфировый крест, от него разбегались в обе стороны волнистые дорожки алых рубинов и желтых топазов.

И было это не ожерелье, а надетая на шею диадема. Диадема Марии Федоровны, которую он не узнал на мельком просмотренных фотографиях, но теперь, в яви... Ошибки быть не могло – изображения на сайте и точно изготовленную копию он изучил достаточно хорошо. В голове кто-то тихо произнес: «Карабуба!»

– Почему ты так странно смотришь на меня?

– Ты кто? Девочка, кто ты?..

– Останови немедленно! Я выйду!

Ее бурная реакция отчасти послужила ответом на его вопрос.

Нил растянул губы в ледяной улыбке.

– Мон папа́, мон папа́... Помнишь такую полечку?..

Марго дернула за одну ручку, за другую.

Дверь не подавалась.

— Зря стараешься. Ничего не откроется, пока я того не захочу... Давай, дочь двух отцов, рассказывай, что вдохновило тебя на подвиги?

Марго молчала, закусив губу.

— Как знаешь... В таком случае наша поездка закончится у дверей полицейского комиссариата. И улика, как говорится, налицо.

Марго всхлипнула. Нил достал пачку бумажных платков, положил ей на колени.

— Утрись... Ну, я тебя внимательно слушаю. На мороженое не хватало, или на колу... с кокой? — Она шмыгнула носом и отвернулась. — Ну, хорошо, если так легче, смотри в окошко. Меня здесь нет.

— Я... Да, спасибо... Сейчас... — Маргарита набрала в грудь воздуха. — Все началось из-за Линка... Это мой дружок, музыкант, вообще-то его имя Линкольн Соломон, но он не любит, когда его так называют... Они с ребятами играли в одном клубе, и к ним примазался один тип постарше. Веселый такой, компанейский, все шутил, пивом угощал, травкой, деньгами выручал по мелочи. И вот однажды, когда Линк уже собирался домой, этот парень попросил его по пути забросить его друзьям несколько видеокассет. Линк согласился, а по тому адресу его уже поджидали копы... В коробках от кассет оказался героин. Много. Потом оказалось, что Линка просто подставили, тот гад был агентом под прикрытием. Ему светило тридцать лет. Судья назначил залог в полмиллиона. Предки Линка обратились в... как будет по-русски bond office?

— Служба освобождения под залог... Постой, постой, получается, это все было в Америке?

— Ага... В общем, этот... бонд-офицер внес деньги, содрал за это двадцать тысяч, все, что у них было, а когда Линка выпустили, заставил его заниматься всякими делишками...

— Какими?

— Всякими. Он не уточнял... В общем, Линку пришлось бежать.

– В Париж с любимой девушкой? Стильно, но крайне безответственно.

– Нет, в Денвер. Вообще-то, там мы и познакомились... Я рисовала в парке, он подсел, стал играть на гитаре, петь...

– То не ветер ветку клонит?

– Что? Нет, конечно, что-то из Боба Марли... – Она повернула голову, удивленно затрепетала густыми ресницами. – Так это был ты? Там, на площади? И столько времени делал вид, что не узнал меня?

– А я и не узнал. Ты мастерски изменяешь внешность, что, впрочем, неудивительно для профессиональной аферистки.

– Я не профессиональная аферистка!

– Ну да, просто хобби такое – Ритка-Золотая Ручка. Должен заметить, что африканские косички – это, конечно, круто, но без них тебе лучше... Так что я узнал в тебе девчонку с площади лишь минуту назад, когда ты произнесла имя «Линк». Из чего я делаю вывод, что твой негативный дружок все еще при тебе. Как чемодан без ручки.

– Негативный дружок! Чемодан без ручки! Вот уж не думала, что ты расист.

– Одинаково не люблю подонков любых мастей.

– Не смей так говорить! Ты его совсем не знаешь!

– Но о нем знаю достаточно, чтобы составить впечатление. Нашел доверчивую цыпочку, навешал жалостливой лапши... Интересно, он сразу предложил тебе лететь с ним в Париж, естественно, за твой счет или для начала ограничился банальной просьбой выручить парой сотен?

– Молчи! Все было не так! И вообще, если хочешь знать, насчет Парижа это была моя идея. Но это я потом придумала, уже в резервации.

– В индейской? А туда-то тебя каким ветром занесло?

– Нас. Я решила, что там Линку будет легче спрятаться, ведь его разыскивали люди этого бонд-офицера, возможно, полиция тоже. Пришлось соврать родителям, будто я еду помогать мистеру Гилмору собирать индейский фольклор.

– Что еще за мистер Гилмор?

– Он читал у нас в университете курс этнографии.

– А-а, наша Джульетта ради своего Ромео, точней сказать, Отелло, похерила даже университет.

– Мне там не нравилось. Преподы еще туда-сюда, а студенты вообще... Дебилы одноклеточные, только и умеют, что строить из себя! А ты бы видел, как на экзаменах жульничают! К твоему сведению, Линк в тысячу раз умнее и честнее их всех вместе взятых. И он настоящий!

«Настоящий засранец», – уточнил про себя Нил.

– В резервации мы быстро нашли работу, меня взяли в казино продавать цветы и сигареты, а Линку вообще предложили место музыканта – прежний только что умер от передозировки.

– Это у них профессиональная болезнь.

– Да... Но Линк держался, даже травы не курил. Только у него все равно начались... как это по-русски? Гайдны?

– Может, глюки?

– Точно! Ему все казалось, что его выследили и сейчас начнут резать, пытать, убивать. Он вскакивал среди ночи, кричал, катался по полу. Совсем перестал есть. Я поняла, что пора бежать. И из резервации, и вообще из страны, не станут же его искать по всему миру. Раздобыла денег на дорогу...

– У молодящегося латинского красавчика по имени Лео Лопс, – сам того не ожидая, выпалил Нил.

Марго даже вскрикнула от изумления.

– Ты и это знаешь?! Откуда?

– Он сам мне рассказал, как радостно бросил денежки к твоим ногам, а ты даже не дала до себя дотронуться. Браво! На такой гипноз был способен разве что мой дедушка-иллюзионист.

– Он сильно переживал, да? Ну, ты передай ему, что я отдам при первой же возможности...

– Ему больше ничего не нужно. Его застрелили.

Глаза Марго округлились.

– Из-за этих денег? Там и было-то тысячи полторы...

– Не из-за них, конечно, но... Ваша встреча породила цепь событий, которые и привели к роковому выстрелу. Ты в этом не виновата, я не виноват, возможно, даже убийца, нажавший курок...

Нил замолчал, вглядываясь в лицо девушки. Промелькнула какая-то мысль, но так стремительно, что Нил не успел поймать ее.

– Мне пришлось повторить этот фокус уже в Париже, – тихо проговорила Марго. – Надеюсь, с тем австралийцем все в порядке...

– А твой ненаглядный Линк и в этот раз понятия не имел, откуда у вас деньги?

– Нет, наоборот, он сам... – Марго запнулась.

Нил взял ее за плечи, благо просторный салон позволял это, развернул к себе, резко тряхнул.

– Ты же умная! – яростно выкрикнул он в лицо опешившей Марго. – Ты же умная, сильная, смелая, потрясающе красивая девчонка! Как ты можешь любить такое ничтожество, дерьмо, клопа вонючего!..

– Нил, Нил, пусти, ты ничего не понял! Я его, я его... – тут она скривила губы, всхлипнула и вдруг заголосила, точь-в-точь как обыкновенная русская баба: – Я его жале-ею! Он без меня пропаде-от!...

Она порывисто обняла Нила, уткнулась лицом в его грудь и разрыдалась. Он, растерявшись от такого неожиданного поворота, робко гладил ее рыжеватые кудри.

– Ну все, ну все, не плачь, моя девочка, только не плачь... Ну, поможем мы твоему уроду, и залог заплатим, и учиться пошлем, и лечиться, если надо... Только оставь его, оставь. Умоляю...

Он взял в ладони ее заплаканное лицо, принялся покрывать жаркими поцелуями. Марго отозвалась, сначала вяло, потом все сильнее, с нарастающей страстью. Ее ищущие пальцы нащупали воротник его рубашки, принялись расстегивать пуговицы. Он просунул руку под блузку Марго – и чуть не зашипел от боли и неожиданности, поцарапавшись о какую-то острую грань.

Диадема, будь она проклята!

Заметив, как он дернулся и замер, Марго тоже остановилась, опустила руки, с тревогой заглянула в глаза.

– А с этим что будем делать? – он осторожно провел пальцем по волнистому краю диадемы.

– А выкинуть к черту! – легкомысленно предложила Марго. – Знаешь, как меня задолбала эта хреновина?! Одни неприятности от нее!

Нил невольно улыбнулся.

– Догадываюсь. У меня тоже. Мы, конечно, можем избавиться от этой штуки прямо сейчас, но от неприятностей не избавимся. Она по-прежнему будет числиться в розыске, а твой фоторобот так и останется в компьютерах Интерпола. В один прекрасный день за тобой придут мужчины в штатском и...

Марго рассмеялась.

– Пусть приходят, пусть даже посадят, я на все согласна... Главное, что ты будешь ждать меня...

– А вот этого как раз не обещаю, мужчина я свободный, обеспеченный, молодой еще, жених завидный...

– Мерзавец!

Она нежно погладила его по щеке.

– У меня есть более разумный план. Когда мы вернемся в Париж, я предъявлю эту побрякушку в префектуре и официально заявлю, что она возвращена владельцу в целости и сохранности. Они поставят соответствующие галочки в соответствующие клеточки, сдадут дело в архив, и тогда мы ее торжественно утопим в Сене.

– Постой, я не понимаю, как это ты заявишь, что она возвращена владельцу?

– Потому что по закону владельцем диадемы являюсь именно я. Потому что на тот момент, когда ты ее так ловко умыкнула, лавочка под названием «Русский Аполлон» принадлежала мне.

– Правда? Тогда это судьба! – Она закинула руки назад, отстегнула диадему и вручила ее Нилу. – Погоди, и еще, вот... – Она достала из кармана пиджачка миниатюрный золотой замочек на цепочке. – Шею подставляй... Ну вот, теперь я посадила тебя на цепь, и убежать не получится...

Нил усмехнулся, нажал на одну из кнопочек на расположенном перед ним пульте, кусочек стены плавно отъехал, принял в образовавшуюся емкость прощально сверкнувшую диадему и пришел в изначальное положение. Марго с детским любопытством следила за процессом.

– Здорово! А можно мне попробовать?

– Только под моим чутким руководством. Разрешаю нажать сюда. И еще сюда.

С потолка машины выехала подвеска с двумя хрустальными бокалами, а откуда-то снизу – серебряное ведерко с охлажденным шампанским.

– Как твое горло? Нормально? Все равно, пить будешь очень мелкими глотками, я не хочу повторения вчерашнего.

– Не повторится, слово даю.

Марго сняла с подвески бокалы, Нил откупорил бутылку и наполнил их.

– За перекресток судьбы, на котором сошлись Нил Баренцев и Маргарита...

– И Анна... – тихо поправила Марго. – Анна Чернова.

– Она же Элла Каценелленбоген! – усмехнулся Нил и звякнул своим бокалом о ее бокал.

Они отпили по несколько глотков.

– А теперь рассказывай, – Нил откинулся на кожаную подушку в бокалом в руке. – Не считая двух имен и четырех фамилий, я ничего про тебя не знаю. Только постарайся не особенно врать, ладно?

– Я вообще не собираюсь врать, теперь это ни к чему, правда и рассказывать особенно нечего. Родилась в Ленинграде. Матери своей не помню, она ушла от нас, как только я родилась. Знаю только, что звали ее Татьяна. Сначала папа воспитывал меня один, ну, конечно, родственники помогали, няни. А потом папа привел другую женщину, тоже Татьяну, и она стала моей настоящей мамой. Папа был геолог, много ездил по разным экспедициям, и вот однажды он не вернулся. Взрослые говорили мне, что он уехал в Антарктиду, но я знала, что они врут, и что-то случилось... Потом умер дедушка, а к маме Тане приехала из деревни ее сестра Лиза, и мы стали жить втроем. А потом, когда мне было одиннадцать, приехал дядя Джош, привез письмо от папы, женился на Лизе, и забрал нас всех к себе в Кению. Там нас встретил папа, только теперь он был не Чернов, а Розен, и маме Тане снова пришлось выходить за него замуж. А потом мы отправились в кругосветное путешествие! Папа тогда был уже американским гражданином, и мы все поселились в Денвере, я там закончила школу и поступила в университет. Ну, что еще? У папы своя фирма, может быть, слыхал — «Информед». Мама Таня занимается домом, детьми, у меня два маленьких братика. А в Союзе она была актриса, в кино снималась, ты мог даже слышать ее имя, Татьяна Ларина, как у Пушкина.

— Татьяна Ларина?!

Нил замолчал, придавленный потоком воспоминаний... Татьяна Ларина, актриса, яркая красавица, черноволосая и зеленоглазая, жена Ваньки Ларина, ушедшая от него к другому. И теперь выясняется, что этот другой — геолог Чернов...

Геолог Чернов...

— Почему ты так странно смотришь на меня?

— Прости. Как, ты сказала, зовут твоего отца?

— Пол. Доктор Пол Розен.

— А раньше? Чернов?..

— Павел Дмитриевич.

Павел Дмитриевич Чернов. Геолог из Ленинграда. Павел Чернов и Татьяна Ларина.

Нил достал откуда-то микрофон, что-то тихо сказал.

Автомобиль развернулся на круглой площади и покатил в обратном направлении.

— Что случилось? — озадаченно спросила Анна.

– Слушай меня, девочка. Слушай и, очень прошу, сделай так, как я говорю. Отправляйся домой, возьми паспорт, вещички, и первым же рейсом – слышишь, первым! – вылетай в Денвер к родителям. Они не видели тебя несколько месяцев, не знают, где искать тебя, с ума сходят... Если нужны деньги – вот. – Он бухнул ей на колени увесистый пакет из черного плотного полиэтилена. – Здесь хватит на все.

– Но, Нил...

– Возвращать не надо. Это шальные деньги, карточный выигрыш. Считай вознаграждением за найденную и возвращенную ценность.

В глазах Анны стояли слезы. Одна, самая крупная, предательски сбежала по щеке.

– Но почему, за что? Я-то думала, ты любишь меня...

– Люблю! И именно поэтому поступаю так, как поступаю. Метро там. – Машина остановилась, дверца возле Анны открылась сама собой. – Всего хорошего!

Не дожидаясь ответа, Нил захлопнул дверцу, оставив на тротуаре онемевшую от горя Анну с черным пакетом в руках.

Автомобиль, проехав несколько метров, вынужден был остановиться на красный свет.

– Нил! – Анна бросила пакет на асфальт, подбежала к машине, забарабанила в стекло. – Не оставляй меня! Я люблю тебя, слышишь! Люблю!

Нил Баренцев отвернулся.

Загорелся желтый свет.

Потом зеленый.

Анна застыла, провожая леденеющим взором мужской силуэт в заднем стекле.

Потом побрела прочь, повесив голову и ничего не видя перед собой.

– Фройляйн, фройляйн! – Кто-то тронул за рукав.

Она обернулась.

Ей улыбался пожилой немец.

– Вы забыли, фройляйн.

– Данке...

Анна безучастно взяла черный пакет.

— Чаю хочешь? — Северин показал на дощатый стол с чайником и разнокалиберными чашками.

— Нет, спасибо.

Анна бухнула пакет на скамью, сама опустилась рядом.

— Что-то ты какая-то не такая. — Северин внимательно посмотрел на нее. — Что, не вышло ничего? Ты понимаешь, о чем я.

— И да, и нет. В общем... ценность возвращена законному владельцу, а это, — она похлопала по мешку, — награда за труды.

— Ну... Нет слов. Такого предположить не мог даже я. А награда-то, как я погляжу, основательная. Сколько?.. Нет, не хочешь, не говори...

— Не знаю. Сам посмотри, если хочешь.

— Нет, девочка, что-то с тобой явно не то сегодня... Ну-ка, ну-ка... Ого!

Северин извлек на свет божий три кирпичика, заваренных в прозрачный пластик с печатями банка «Чейз Манхэттен». В каждом из них было десять пачек по сто купюр достоинством в сто долларов.

— Триста тысяч. На мою вскидку, сама игрушечка примерно столько и весит, плюс-минус. А тут — вознаграждение... — Он лукаво прищурился. — Как — не спрашиваю, у каждого есть право на маленькую тайну... Ничего, если я немножко эту красоту попорчу, а то запросто мог и фальшивок насовать, законный владелец-то. Ты пока пей чай...

Проверка заняла минут пятнадцать, Северин вышел к ней еще более озадаченным.

— Настоящие. И, похоже, не меченые... Значит, делаем так. Я возьму две-три штучки, покручусь в разных местах, по одной поменяю на добрые старые марки. Если номера и серии забиты в базу данных, будет шухер, но с такой мелочевкой отбиться несложно. А остальные припрячу так, что самая легавая ищейка вовек не найдет. Лады?

— Не надо, — устало сказала Анна. — Деньги чистые... А где Линк?

– Линка не будет.

– Как это – не будет? Что-то случилось?

– Да как тебе сказать... Прибегал пару часов назад за вещичками. Дескать, наклюнулась для вас работа в Мюнхене, в каком-то ночном клубе. Будто бы владелец сам его разыскал и пригласил. Тебя дожидаться не стал, сказал – надо успеть оформить какое-то разрешение и что-то там подписать у юриста. А ты чтобы подходила прямо к поезду. И не забыла взять реквизит. – Последнее слово Северин произнес особенно четко.

– Все ясно. Когда поезд, с какого вокзала?

– У меня все записано. Вот, – Северин достал из кармана джинсов мятую бумажку, прочитал: – «Вестбанхофф, 20:30, платформа В, вагон 8-а, купе 1»...

Анна взглянула на часы и встала.

– Время есть.

– Не спеши, присядь... Короче, когда твой Линк пошел паковаться, я умишком пораскинул, и очень мне его история не понравилась. Оперетта какая-то, сказка про Золушку. Тем более, Мюнхен, где на каждом углу по безработному Моцарту... Это, конечно, не мое дело, но, поверь старику, не заслуживает этот парень большого доверия...

Анна вспыхнула. И этот туда же! Как сговорились...

– Ты абсолютно прав – это не твое дело. Я уже взрослая и сама решаю, кому доверять, и в какой степени... Будь любезен, перестань дуться и гони сюда мои деньги.

– Как скажешь...

Северин вошел в дом и вскоре вернулся с пакетом. Анна высыпала содержимое на стол. Одну пачку протянула Северину.

– Комплимент от заведения, и не вздумай отказываться, обидишь... Так, десяти тысяч на дорожку хватит... – Она вручила Северину вторую пачку. – Эту подержи до завтра. И если не трудно, закажи на мое имя билет до Денвера, штат Колорадо, США. На первый рейс, на который есть места.

– Умница!

Оставшиеся двадцать восемь пачек вернулись в пакет. Анна взяла пакет за ручки, подняла, помахала на весу.

— Нет, лучше в рюкзак переложить... Ладно, до вечера.

— А ты куда? — спросил напряженно Северин. — Надеюсь, не на вокзал?

— А что такого? Не беспокойся, только передам Линку деньги и сразу назад. Ему они нужнее.

— Та-ак... — Северин встал и повелительно протянул руку. — Сразу отдашь или сначала морду набить?

— Ты... Ты что, Северин, спятил?!

— Я-то нет, а вот насчет тебя не уверен. Придумать и провернуть блистательнейшую операцию — а потом взять и подарить весь прибыток уроду, не стоящему твоего мизинца... Ладно, согласен, это как раз тот случай, когда мозги отказывают даже самой умной бабе. Но с сумкой, полной бабок, переться туда, где тебя почти наверняка загребут легавые — это уж извините. Этого я не понимаю и допустить не могу. Лучше уж растопим зелеными печку.

— Какие легавые?! Линк скорее умрет, чем сдаст меня копам, он их ненавидит, это у него в крови! Не старайся меня запугать!

Северин вздохнул, достал кисет и принялся ловко сворачивать самокрутку.

— Курни хоть напоследок, дуреха, говорят, в нынешних образцово-показательных тюрьмах с дурной травкой не очень. Зато от наивности и влюбленности излечивают быстро и навсегда... Но к последнему совету старого зануды все-таки прислушайся. Денег с собой не бери. Даже если я ошибся, и никакой подлянки твой черный принц не устроил, ты спроси, как его в Мюнхене разыскать, а потом, уже из безопасного места, из дома, весточку зашли, пусть при случае заглянет к общему берлинскому другу. Ну, а если, не дай Бог, окажется, что продал он тебя — я его сам найду и вместо денег передам кое-что другое. Зато годков через восемь... хотя, если и вправду игрушечку законному владельцу вернула, свиньи это оценят, получишь по минимуму, лет пять... – тебе будет на что начать новую жизнь... Так как? Доверяешь?

Анна молчала. Северин по-хозяйски положил руку на пакет с деньгами. Анна подтолкнула пакет в его сторону, встала и чмокнула хозяина дома в морщинистую щеку.

– Если не тебе, то кому же...

Проводив ее до ворот, Северин забрал пакет со стола и, войдя с ним в дом, произвел кое-какие одному ему известные манипуляции, положил деньги в нишу, открывшуюся за зеркалом, после чего привел все в изначальное положение. Поймал в зеркале свой собственный взгляд, подмигнул.

– Что ж, старик, ты сделал все, что мог. Пора умывать руки... Конечно, месяц-другой выждать придется, пока дерьмо не осядет... Да и американочка эта ловкая штучка, вдруг выкрутится как-нибудь. Про денежки она будет молчать при любом раскладе. Зато потом... Как там говорил Дживан, торгующий дюнерами на углу? Или шах умрет, или ишак сдохнет?.. Нет, определенно, ты, старик, еще на что-то годен.

Он смотрел, как гаснет улыбка в зеркале.

– На подлости ты годен, старик... Всю жизнь прожить честным борцом с системой, и на склоне лет так скурвиться...

Большой городской вокзал был похож на любой большой городской вокзал – гулкий, серый, мрачный, полный специфических железнодорожных запахов и шумов. Анна без труда нашла нужную платформу, нужный вагон. Честняга Северин определенно перебрал в своей мнительности. Никакой слежки, никаких подозрительных людей в форме и без формы она не заметила. Не считая двух проводников, беседующих у вагонных дверей, и праздного носильщика с тележкой, перрон был пуст – до отправления осталось пять минут, пассажиры уже расселись по местам, провожающие, если и были, разошлись.

Анна шла вдоль голубого вагона 8-а, заглядывая в окна. К ее удивлению, это оказался спальный вагон класса «люкс» с просторными двухместными купе, плюшевыми диванами вместо полок и вазами с живыми цветами на столиках, покрытых белоснежными крахмальными скатертями. Большая часть купе была свободна, в одном окне она углядела самозабвенно целующуюся парочку средних лет, а в другом – пожилого бизнесмена, погруженного в сводки. Она почти дошла до конца вагона и только в предпоследнем, примыкающем к тамбуру купе увидела Линка. Он был один, сосал пиво из банки и тряс живописной башкой под неслышную миру музыку из плеера. Анна постучала в окно, но он даже не заметил. Чуть-чуть подумав, она поднялась в вагон.

Линк среагировал только на изменение света, когда она открыла дверь и вновь закрыла ее.

– Хэй мэн!

– Хэй мэн!

Он вытащил из ушей наушники.

– А я уж боялся – напутаешь, опоздаешь. Бросай сюда свои кости и балдей от всех кайфов. Пивка хочешь? Ты когда-нибудь в таком козырном поезде каталась?.. This train is bound for glory, this train...[1] Эй, а чего без вещей?

– Линк, я не еду...

– Почему? А как же я?

– Ты про что, Линк? Про то, что некому теперь будет подтирать тебе сопли? Так ты уже большой мальчик, сам справишься, а я, извини, устала. Если про мюнхенский контракт – я тебе и тут не нужна, сам знаешь, какая из меня певица, найдешь настоящую, музыкантов там много. А если ты беспокоишься насчет... – Анна примолкла. Ей не хотелось произносить это слово, и не хотелось открывать Линку всей правды. – Я нашла один вариант, дай мне еще три дня, а потом я переведу тебе деньги в Мюнхен. Через

[1] Этот поезд мчится к славе *(англ.)*.

«Вестерн Юнион»... Ну все, мне пора, поезд отправляется.

– Сейчас, сейчас... Еще секундочку, я обязательно должен тебе кое-что показать... – Линк вскочил, засуетился. – Кажется, здесь, подвинься, пожалуйста...

Он чуть-чуть оттеснил ее от входа в купе, и вдруг стремительно юркнул в коридор, захлопнув за собой дверь.

– Линк, ты куда, что за шутки? – Анна дернула за ручку, но дверь не подалась. – Открой! Открой немедленно! Выпусти меня!

Она изо всех вил забарабанила в дверь, но безрезультатно. Поезд между тем тронулся и начал набирать ход.

– Линк! Линк!!! Проводник!.. – Анна кричала, плакала, руками и ногами стучала в дверь, в стену, и не заметила, как за ее спиной чуть слышно приотворилась и тут же закрылась дверь мини-туалета, оборудованного при каждом купе вагона-люкс. – Кто-нибудь! Помогите!

– Кхе-кхе, мадемуазель, могу ли я подойти под определение «кто-нибудь»?

Услышав позади себя французскую речь, Анна резко обернулась. Развалившись на диване и поигрывая сверкающими наручниками, ей гнусно ухмылялся лысый господин с бородкой.

– Удивлены? Раздосадованы? Я же, напротив, чрезвычайно рад нашей встрече, мадемуазель Анна Московиц. Или все-таки Розен? Для девушки с такой арийской внешностью пристрастие к еврейским фамилиям кажется мне удивительным.

Все-таки надо отдать должное этой юной бестии – на месте прежней испуганной девчонки в один момент явилась благонравная швейцарская институтка.

– Ах, господин магазинщик, это вы? Я так искала вас, хотела извиниться, возвратить вам позаимствованную вещь... Поверьте, это была шутка, невинная шутка, я немного повздорила с папб и решила его разыграть, я и подумать не могла, что все так обернется, испугалась... Но теперь все в порядке, я нашла владельца вашего салона мсье Баренцева и вернула драгоценность ему...

Мужчина с бородкой все кивал, кивал, будто принимая на веру ее слова – и неожиданно, без перехода, рявкнул по-русски:

– Ладно, Анюта, хорош ломать комедию! Вернула она! Осчастливила! А кто вернет мне время, проведенное по твоей милости за решеткой?! Кто вернет утраченное имущество, доброе имя, честь? Кто даст мне те пятнадцать миллионов франков, что выставил мне тот самый мсье Баренцев, с которым вы так славно снюхались?..

Анна быстро овладела собой. Бледная, с обкусанными в кровь губами, она вплотную приблизилась к Асурову и выставила перед собой руки.

– Я поняла. Зовите полицию, где вы ее тут прячете? Я сдаюсь.

Асуров расхохотался.

– Полицию? Ты что, милочка, с ума сошла? Какая полиция? Мне нужно не торжество закона, а торжество справедливости. Мне нужны мои пятнадцать миллионов, и добудешь мне их ты! Садись!

– Но...

– Я сказал – садись! Вот туда! И имей в виду, что если сейчас мы не договоримся, или если потом вздумаешь улизнуть или одурачить меня, твой черномазый дружок долго не протянет.

– Он мне не дружок. Он предатель и мразь.

– Согласен. А что скажешь насчет других твоих дружков? Обидно ведь будет, если, допустим, в дыму бытового пожара задохнется владелец некоего домика на Кох-штрассе? Или, скажем, в собственном лазурном бассейне вдруг всплывет кверху брюхом Нил Романович Баренцев, миллиардер, филантроп и, как говорят, отменный любовник? Конечно, мы сейчас не будем сравнивать впечатления, потому что меня он отымел совсем в другое место...

– Довольно. Что я должна делать?

– Вот это разговор, умная вы барышня, однако!.. Ручку позвольте, береженого бог бережет... – Асуров защелкнул наручник на ее запястье, второй прицепил к никелированной подпорке стола. – Вот и славненько. Пойду-ка я распоряжусь насчет ужина в номер, а то что-то проголодался, да и тебе надо силенок набираться, перед работой-то... А ты пока изучай.

Он положил перед ней тонкую прозрачную папочку. С верхнего листа на Анну неприязненно, подозрительно смотрели прищуренные глазки неизвестного ей пока генерала Мамедова.

Глава семнадцатая

ОДИНОЧНОЕ ПЛАВАНИЕ

(*октябрь 1995, Петербург*)

Забродин позвонил на мобильный.

Леня не любил, когда звонят на мобильный, но Забродину, как человеку нужному, Рафалович многое прощал. Да и вообще, Лене нравилось поддерживать эту игру... Игру в этакое растянувшееся на всю их жизнь военно-морское братство, когда и последнюю сигарету, и последнюю тельняшку — все поровну и пополам. Хотя с момента увольнения в запас уже прошло столько лет, что и не сосчитаешь сразу.

Однако, став к своим сорока двум годам вполне богатым по постсоветским меркам человеком, с достатком выше любого адмирала, Леонид Рафалович все же всерьез гордился и своим былым офицерским званием, и парой некогда бурно обмытых в заполярном ресторане юбилейных медалей, и красивым значком «За дальний поход»...

Итак, Забродин позвонил на мобильный, когда Леня Рафалович был еще в офисе, но хозяин этого офиса не стал раздраженно просить перезвонить ему на городской, а наоборот, придав лицу выражение какой-то даже нежной доброты, терпеливо выслушал до конца весь нудный и бессвязно-косноязычный доклад Забродина... Братишки Забродина, Сашки Забродина, с которым три первых курса училища, когда даже ленинградцев обязывали жить в казармах, спал рядом на соседней коечке... И с которым потом распределился на Северный флот в шестую бригаду... Но только на разные лодки.

И вот Сашка Забродин теперь председатель Союза ветеранов Северного флота... А Ленька... А Ленька Рафалович до глубины души искренне гордится, что хоть и в небольших чинах, а тоже ветеран! Все же равный среди равных... Черный человек в желтую полосочку, как называли они себя в ту пору – в пору их тяжелой, но, черт возьми, веселой службы в Монте-Видяево! Том самом Монте-Видяево, что вопреки укоризнам политработников, на западный манер, будто это Монтевидео, молоденькие лейтенанты упорно называли базу подлодок в Видяево.

У себя в офисе на столе, Леня Рафалович на самом видном месте поставил фотографию, где он еще совсем молодым лейтенантом в обычной подлодочной робе с надписью на груди – «КБЧ-5», что означало командир боевой части электромехаников... Ему нравилось, когда клиенты и партнеры по бизнесу, заметив фото, спрашивали – это вы? И изображали потом на лицах смешанное выражение почтительности и восхищения. Как же! Ведь они подводники – настоящие герои!

Итак, Забродин позвонил на мобильный.

Забродину тоже был очень нужен его корешок по курсантскому братству – Ленька Рафалович!

Ведь Ленька все мог достать. Ведь Ленька все всегда мог организовать!

Так и жили в симбиозе, как акула с рыбкой-лоцманом.

Леня клубу подводников – свое влияние и связи, а клуб подводников Лене – статус героя со всеми вытекающими.

Забродин звонил, потому что нужно было организовать, как он выразился, – «хороший ресторан»...

– Понимаешь, Ленька, иностранцы приехали, чтоб им провалиться, ну не у меня же их в офисе Союза ветеранов принимать, у меня ж ремонт перманентный, три года как тянется...

– А что, важные шишки? – переспросил Рафалович.

– Ты ща рухнешь, когда я тебе скажу, – с таинственной многозначимостью в голосе ответил Забродин.

– Сам адмирал Нимитц, что ли с их министром обороны? – съязвил Рафалович.

– Да какой там Нимитц, Колин Фитцсиммонс, бля, приехал...

– Чего, какой Колин?

– Да ты чего, хочешь мне сказать, что телевизора последние пять лет не включал? Ты че! Тот Фитцсиммонс, ну, который Джонни Вендозу играл в том бесконечном сериале «Бриллианты ее слез», – радостно заблеял в трубке Саша Забродин. – Ну, вспомнил?

И Леня сразу отчетливо представил себе классический англо-саксонский подбородок Колина Фитцсиммонса, от которого, благодаря запущенному первым телеканалом прайм-таймовому сериалу, млело полстраны, и от которого сходила с ума даже его Лиля, когда, звоня ему в Питер из Тель-Авива порою, вслед за рапортом о здоровье и покупках, начинала вдруг пересказывать ему содержание последней серии, где у Джонни в исполнении Колина Фитцсиммонса все никак не складывалось с Вероникой... И его Лиля там в далеком Израиле специально из-за этого сериала и тарелку купила, чтоб по российскому каналу смотреть «Бриллианты ее слез»...

– А херли ему тут надо? – недоуменно спросил Леня.

– А в том-то и дело, они фильм на Голливуде задумали снимать про советских моряков.

– Ну и?.. – нечленораздельно пробормотал в трубку Рафалович в то самое время как рациональный мозг его начал лихорадочно щелкать своими реле, включая те отделы серого вещества, которые были ответственны за деловую составляющую его жизни.

– Ну-ну, баранки гну, – продолжал сотрясать мембрану Забродин, – Фитцсиммонс приехал на рекогносцировку, ему консультанты на фильм нужны, они там хотят не обычную туфту-агитку в стиле холодной войны заделать, а нечто, как они говорят, совершенно перестроечное, хотят показать нас не уродами, а героями...

Рафалович взял паузу, забыв даже, что разговор шел по мобильному, за центами времени которого он обычно очень ревниво следил.

Леня сразу прикинул в уме, что американцам, если это американцы, могут вполне пригодиться и его связи на Мосфильме, и его выходы на архив Госфильмофонда...

– Ну, ты, наверное, хочешь, чтоб я вас с Фитцсиммонсом в ресторан устроил? – спросил Рафалович, сам уже прикидывая в уме, что затраты на этот ресторан потом могут стократно окупиться его комиссионными процентами...

– Ленька, ты просто как Алан Чумак, насквозь видишь, – радостно ухватился за последнюю реплику Забродин.

– И оплатил...

– Ты ж понимаешь наши клубные возможности...

– Дабы флота российского не посрамить?

– Ленька, Родина тебя никогда не забудет!

– Ладно, – отрезал Рафалович, принимая командование уже на себя, – через час в «Сенат-баре», только халявы не привози, как в прошлый раз...

А халява все-таки навязалась.

Ну как же у нас без халявы-то!

И на этот раз бесплатным довеском к сановному гостю Сашки Забродина был капитан первого ранга Алексей Гаврилович Гай-Грачевский.

Гай-Грачевский, кроме своей нестерпимо благородной и по-адмиральски неповторимо-громкой для флота фамилии, имел еще несколько качеств, за которые его и ценили, и многое прощали.

Во-первых, Алеша Гай-Грачевский очень сносно и бегло изъяснялся по-английски, что в данном случае для общения с голливудским интуристом было просто необходимо.

А во-вторых, балагур и вечный тамада, Алексей Гаврилович так умел травить баланду, как не умел брехать и легендарный боцман Дзюба... Впрочем, Гай и вправду был человеком с точки зрения обычных советских военно-морских биографий, человеком судьбы незаурядной.

По какой-то там случайности, произошедшей в управлении кадрами ВМФ, еще будучи капитаном третьего ранга, Алексей Гаврилович был вдруг послан в одну из развивающихся стран, куда Советская тогда еще Россия активно поставляла оружие... В том числе и военно-морского содержания.

А злые языки потом не без зависти говорили, что хорошего, нужного флоту офицера на работу с негритосами посылать бы не стали...

Итак, Алеха-Гай, как всегда, врал, умудряясь делать это на двух языках одновременно. Так что и заморский гость, и свой брат Забродин, знавший, впрочем, все Алехины байки наизусть, понимали его прекрасно.

И это состояние лганья органически вписывалось в обычный ритуал застольного веселья.

— Я, знаете ли, когда был блестящим лейтенантом, служил третьим атташе в посольстве Западного Калимантана, любил я бывало с ихним королем — славный такой парнишка кстати говоря, хоть и папуас, так вот любили мы с ним бывало завалиться куда-нибудь к девочкам, в «Мулин-Руж» или в «Лидо». Иногда так нарежешься этого «Джонни Уокера», что наутро на службу в посольство идти никакой возможности...

Страшно ревновавший к дипломатическому прошлому Гай-Грачевского, Забродин, будь только его воля, и на милю бы не подпускал Алексея к клубу ветеранов, но никто кроме Гая не мог придать застолью того эпического блеска, которого им так недоставало. Забродин только слабо протестовал:

— Пардон, я как-то полагал, что «Мулин-Руж» в Париже на Пляс-Пигаль...

Но смутить Гая – это все равно как ветром сбить чайку с крыла...

– Ну так я и говорю, мы бывало с Федькой – это я его так по-дружески, а так-то он для всех – Ваше Величество, Фидель Пятый. Так вот, мы с Федькой едем к вечеру, как у меня служба заканчивается, на авиабазу, где для нас уже Миг-двадцать третий – спарка, керосином заправленный, на полосе стоит. Федька – за штурвал – даром что ли нашу академию вэвээс имени Гагарина в Москве кончал, я позади на штурманское место – и по газам – два часа лета до Парижа. А там всю ночь – кафе-шантаны, ночные клубы, кокаин, объятья Бритни Спирс... а утром – снова в самолет – и назад в Калимантан.

– А как же все эти воздушные коридоры, формальности, визы, протокол, наконец, он – король-то этот, ведь официальное лицо! – бурчал Забродин.

– Вы что, мне не верите? Вы полагаете, я вам вру? Да у меня на квартире сто фотографий! – незлобно возмущался Алексей.

– Верим, конечно, верим... Бог с вами, Грачевский. В конце концов вы же такой спец в этой международной юриспруденции. Вы же даже процесс у своего ЖЭКа о протечке как-то выиграли, я слышал.

Гай-Грачевский наливал себе виски, выпивал и продолжал лгать:

– Точно! Помню, однажды меня пригласили выступить в Мадриде с докладом на международной конференции по морскому праву. В президиуме были Его и Ее величества. Доклады, сами понимаете, надо было читать по-испански. Вы же знаете, я по-французски и по-английски – как на родном, и по-португальски вполне сносно, однако за свой испанский я немного волновался и, когда начал свой доклад, повернулся этак на трибуне к королю с королевой и говорю: «Главная задача моего доклада, ваши королевские величества, состоит не в том, чтобы явить высокоученому собранию какие-либо новые сведения по морскому праву, которых у меня может быть совсем и нет, – это я тебе, друг Забродин, так специально слукавил, потому как в ученой значимости доклада я был уверен на все сто – но, говорю, главная моя задача состоит в том, чтобы не уйти отсюда забросанным гнилыми фигами и бананами за мой весьма скромный испанский...» И что вы думаете? В конце доклада – зал разразился аплодисментами, а королева Елизавета сама выскочила из президиума, подбежала ко мне, обняла и говорит: «Алексис, вы по-испански шпарите лучше моего мужа! И вообще...»

Забродин застонал.

– Постойте, а разве в Испании королеву не София зовут?

– А какой тебе хер разница, Забродин? Ну да, я перепутал, это я в Лондоне в другой раз в ихней палате лордов выступал по обмену опытом – помогал им наладить парламентскую демократию – там как раз тогда Елизавета мне букет и дюжину бутылок «гиннеса» вручила, а в Мадриде, там вы правы, там Софи, это я уже, пардон, по старости все путать начал, но тем не менее вы, надеюсь, – ни-ни! Не сомневаетесь?

Леонид присоединился к компании в самый разгар застолья.

Машинально прикинув в уме, на сколько уже насидели, и во сколько ему Ленечке обойдется слава российского флота, дабы не уронить ее в глазах заморского гостя, Рафалович почти машинально протянул руку поднявшемуся ему навстречу из за стола невысокому джентльмену с таким неповторимо знакомым лицом.

– Колин, – скромно представился бесконечно знакомый джентльмен.

– Очень приятно, Леонид Рафалович...

И дабы скрыть неловкость, возникшую при пожимании знаменитой руки, Рафалович тут же предложил выпить за знакомство.

– Давайте выпьем за русских моряков, за флот, – просто, но выразительно сказал Колин.

– А за тех, кто в море, уже пили? – спросил Леня.

– Пили, пили уже, – почти крикнул Гай-Грачевский, раздраженный, что его перебили. – Я что рассказать-то хочу, – продолжил он прерванный было рассказ, трогая американского гостя за плечо, – служил я тогда молодым капитан-лейтенантом на фрегате «Паллада»... или «Бигль» – точно не помню, но это не суть важно. Плыли мы в кругосветку, и командиром у нас был, как сейчас помню, адмирал Беллинсгаузен...

– Мюнхгаузен! – раздраженно вставил Забродин.

– Не перебивайте, – рявкнул Гай, так вот, пришли мы в один южный порт на острове в Индийском океане поправить такелаж и принять пресной воды... И представьте себе, влюбилась в меня дочь местного короля! Просто без памяти... Какие мы ночи с ней проводили, ах! Какие ночи! Ночи безумств. Она была, как дикая пантера – так же страстна и стремительна в чувствах, – и одновременно в то же время кротка, как лесная лань, послушна и нежна... Я ее всем сердцем... Король потом предложил мне пол-острова Борнео и должность министра военно-морских сил... Но я отказался, потому что я – патриот своей Родины! И вот настало время прощаться... Она стояла на вершине самой высокой скалы, нависшей над ревущим прибоем, а я стоял на палубе... И товарищи держали меня за плечи, потому что не были уверены – не брошусь ли я в море... И она крикнула мне...

– Я тебя ни-ко-гда не за-бу-ду! – не удержался от комментариев Леня. – А корабли ваши назывались не «Паллада» и «Бигль», а «Юнона» и «Авось» .

– Точно, по моим мемуарам потом сняли и кино и либретто к опере написали. На музыку Даргомыжского, – как ни в чем не бывало парировал Гай, и вдруг, громко икнув, сказал, что ему пора в туалет ...

– Где это он так успел? – недоуменно спросил Леня Забродина.

– Нажраться-то? Он ко мне в клуб уже веселый пришел... Ты извини, но от него, знаешь ведь, как от банного листа, прилипнет, словно репей, хоть плачь!

И Забродин словно извиняясь, поглядел на американца.

— Нет, нет. Все хорошо. Все очень нормально, — зачастил Колин, — Алексис такой забавный, я хотел бы включить его в сценарий моего фильма...

— Вашего фильма? — переспросил Леонид, поневоле принявший на себя бразды перевода.

— Да, я собираюсь снимать кино про русских моряков-подводников, — сказал Фитцсиммонс и обворожительно улыбнулся одной из своих улыбок.

— И у вас есть сценарий? — спросил Леня, тут же прикидывая в уме, сколько запросить с Голливуда за посредничество, хотя бы стыковывая американских киношников с нашим неповоротливым Министерством обороны.

— Самое важное то, что у меня есть деньги и актер на главную роль, — ответил Колин.

— Актер? — переспросил Рафалович.

— Да, у нас принято писать сценарий под актера, снимающегося в главной роли, а в нашем случае, таким актером буду я, — сказал Колин и снова улыбнулся.

Ревниво почуяв, что его незаслуженно позабыли, Забродин подлил в опустевшие было рюмки и заметил:

— Мы с Колином примеряли на него мой парадный китель с погонами и всеми орденами, ну я тебе скажу, прям хоть сейчас флотом командовать, истинный русский моряк и флотоводец!

Фитцсиммонс весело рассмеялся и неожиданно легко опрокинул себе в рот очередной полтинничек русской очищенной.

— Что-то Гай наш — Юлий Цезарь куда-то запропастился, — обеспокоенно заметил Леонид.

— Да и ну его к хренам, один только трезвон от него в ушах, как при стрельбе из главного калибра, — ответил Забродин.

— А и не поехать ли нам ко мне домой, — неожиданно предложил Леня, — я теперь пока живу один, выпить-закусить не проблема, девчонок, если надо, по телефону вызовем, а?

Заснувшего в туалете Гай-Грачевского вытаскивали двое официантов. На честь российского флота Леонид не пожалел и ста долларов, и официанты не только бережно одели Гая в его потертое кожаное пальто, но и усадили в вызванное ими такси...

– Меня женка дома ждет! – кричал Грачевский, обращаясь непосредственно к Колину, – приезжай, я тебя с женкой познакомлю, женке моей, представляешь, восемнадцать лет!

– Езжай, езжай, жених молодой ты наш! – махнул Леня таксисту.

Когда подъехали к Ленечкиному дому на Большой Монетной и когда проходили консьержку, та, толкнув плечом случившуюся рядом товарку свою, ойкнула громко и взвизгнула на всю лестницу:

– Дывыся, Валюх, цэ ж Джонни Финтоза, который Колю ихрает в энтом, как ехо, в «Брульянтах ее любви»!

– А вы небось про себя думаете, что русские – дикий народ! – заметил на это Рафалович, пропуская в лифт Фитцсиммонса.

– Я в толк тебя взять не могу, Лень, ты себя в русском народе растворил, или он в тебе растворился? – пробурчал двигавшийся сзади Забродин.

Рафалович пропустил реплику Забродина мимо ушей. Позвякивая шведскими ключами, он уже отпирал стальные двери, пропуская гостей в большую прихожую.

Прошли сразу на кухню, и хозяин ловко принялся выгружать из холодильника все имевшееся в нем дежурное изобилие...

Кухня у Рафаловичей была большая.

Лилька еще до отъезда своего в Израиль так искусно организовала пространства этого помещения, что возле плиты, в так называемой зоне приготовления пищи, можно было бы в любой момент организовать съемки популярной телепередачи с некогда известным рок-музыкантом... А в другой половине кухни, где мягкий диван двумя уютными изгибами обнимал обеденный стол, там можно было свободно расположить и накормить как большую дружную семью, соберись она на субботний обед, так и большую холостяцкую компанию...

Колин занял самое удобное место в изгибе дивана.

— А вы фотогеничны, — заметил он Рафаловичу, кивнув на висевшую рядом фотографию, где Леня был в снят в форме и в подлодочном интерьере, — вас можно пригласить на кинопробы, а маленькую роль всегда нетрудно в сценарии и дописать, тем более что вживаться в образ вам не требуется, и военная выправка у вас еще осталась... Так ведь?

Рафалович разлил по стаканам и, нанизав на мельхиоровый зубец тонкий ломтик норвежской семги, провозгласил тост:

— Пью за отличную работу и высокую квалификацию наших преподавателей и политработников, что за пять лет в училище вырастили из нас таких классных молодцов, что мы теперь, если не на флот, так хоть в Голливуд годимся...

Колин Фитцсиммонс, оценив иронию, улыбнулся и молча выпил. А вот у Забродина с восприятием юмора вышел полный клин.

— Колин, ты меня в консультанты возьми, — сказал Забродин чуть ли не с дрожью в голосе, — я все ж таки капитан первого ранга, а Ленька, он, конечно, парень хороший, но уволился в запас еще капитан-лейтенантом, да и когда это было!

Леня нехотя перевел.

Фитцсиммонсу явно не хотелось именно здесь и теперь давать кому-либо каких-то определенных обещаний, и он снова постарался перевести разговор в шутливый тон:

— Дорогой Александр, в титры крупнобюджетного кино хорошо бы вообще заполучить консультантом какого-нибудь большого адмирала с пятью звездами на погонах.

— Так таких в природе не бывает, у нас самое большое по уставу это три звезды — адмирал, и большая звезда с гербом — адмирал флота, — с полной серьезностью ответил Забродин. – Я потому и говорю тебе, Колин, вам там нужен очень хороший консультант, чтобы клюквы такой не понаделать, а то вы и взаправду пятизвездных генералов наснимаете...

– А любовник – я... – тихо сказал Леня Рафалович.

– Что-что? Какой любовник? – встрепенулся Забродин.

– А это спектакль один такой был, я уже позабыл, как он назывался, – начал рассказывать Леня, – там один пожилой уже бабник-потаскун поучал одну молоденькую провинциалочку, как ей стать столичной штучкой: мол, надо играть в бридж, курить, пить ликеры и иметь любовника... А любовник – я....

Колин понимающе рассмеялся.

А Забродин даже и не улыбнулся.

Он как-то захмелел, на старые, еще с ресторана, дрожжи, и все теперь воспринимал совершенно буквально.

– Колин, тебе лучше меня никакого консультанта не найти... – повторял он еще и еще.

Разговор этот состоялся в начале июля, вскоре после свидания с юностью, устроенного трем «мушкетерам»-одноклассникам Танечкой Лариной и ее воскресшим Пашкой.

Про эту встречу Леня никому не говорил ни слова.

Про встречу с Колином Фитцсиммонсом, наоборот, рассказывал при случае всем.

Народ ахал – кто с восторгом, кто с недоверием, но в целом знакомство с голливудской знаменитостью работало на имидж. А большего Леня, человек трезвомыслящий, и не ждал. В Голливуд? В консультанты? Что, мало у нас адмиралов-бездельников?

Однако через три месяца после знаменитой международной попойки Леня Рафалович получил пакет. Он пришел на адрес его офиса из Генерального консульства Соединенных Штатов Америки...

В пакете было официальное приглашение от кинокомпании «Мунлайт Филм Продакшн» приехать в Канаду на съемки фильма в качестве военно-морского консультанта.

Под приглашением стояла подпись исполнительного директора компании – Аарона Айзенфиша.

– Обидится Санька, – сказал сам себе Леня Рафалович, – обидится, если поеду, скажет, что опять евреи русских оттирают...

И не поехал бы Рафалович в этот их канадский Голливуд, тем более, на кого опять-таки лавочку бросить? И не поехал бы... Что он этой Америки не видал, что ли? Все же бизнес у него не чужой, а на два месяца съемок отъехать – это пустить фирму в неуправляемый разнос... Нет, не поехал бы Рафалович к этому Фитцсиммонсу, как бы ни было его предложение заманчивым, не поехал бы, да тут...

Впрочем, все к одному.

Это еще Ломоносов с Лавуазье открыли в своем знаменитом законе... Где чего в этом мире убавится, в другом месте тут же ровно столько и прибавится.

Так и с Голливудом...

Стоило только курьеру привезти пакет из консульства, как буквально тут же позвонила Рафаловичу его Лилька.

Его вообще-то коробило всегда от ее визгливой манеры выливать свое эмоциональное возбуждение, срывая раздраженность личной своей неустроенности на его, Ленечки, барабанных перепонках.

Боже, как ему хорошо жилось эти последние годы после того, как она с детьми укатила в Израиль!

И вот она снова кричит в трубку так, что ему кажется будто он чувствует влагу и теплоту ее придыхания, пульсирующего из неживой мембраны аппарата «Сименс»...

– Ленька, ты телевизор смотришь или нет? – кричала жена с явным упреком в голосе, будто это не Рабин с Нетаньяху виноваты в новом обострении с арабами, а он – ее Ленечка... – Ты смотришь телевизор или нет? Вчера кафе взорвали, то, что почти прямо под нами, ты меня понимаешь или нет?

– Да понимаю, понимаю... – виновато бормотал Леонид,

– Ничего-то ты не понимаешь, эгоист несчастный, ты только о себе, только о себе, отгородился там своими делами, а о том, что у нас дети, ты и не вспоминаешь!

– Почему не вспоминаю?

– Я не знаю почему, а то, что мне их просто страшно на улицу выпускать, тебе там и дела никакого нет, а позавчера ты смотрел по телевизору, как арабы дискотеку со школьниками в Хайфе взорвали, смотрел?!

– Некогда мне телевизоры смотреть, я, между прочим, деньги в семью зарабатываю, – раздраженно ответил Рафалович.

– Вот ты весь в этом своем безразличии, вот ты весь в этом, в общем, встречай, мы приезжаем, и так это продолжаться не может. Нас тут всех поубивают, ты этого хочешь?

– Да ничего я не хочу, – беззвучно шептал Леня в трубку, – ничего я не хочу...

И уже через полчаса он набирал номер Генерального Консульства Соединенных Штатов, думая про себя: «Все же обидится Санька Забродин!»

А в аэропорту Пулково-2 совсем забавное у них с Лилькой рандеву получилось.

Леонид-то знал, что рейсом UR 657 в шестнадцать тридцать прилетают его Лилька с мамой и сыновьями.

Но вот они-то как раз не знали, что уже в семнадцать тридцать, рейсом SU 887 их муж, зять и отец улетает из Питера в Монреаль...

– Ну, ты рад? – спросила Лилька, жарко облобызав давно не целованного мужа.

– Рад, рад, Лилечка, – отвечал облобызанный муж...

Однако радость свидания была тут же омрачена неожиданным для Лильки обстоятельством...

– Сергей, возьми чемоданы, неси к машине, – отдал шоферу распоряжения Леонид, – отвезешь их на Большую Монетную домой, и завтра на весь день в распоряжение Лилии Михайловны, понял?

Шофер Сергей все понял. Не все и не сразу поняла Лилька.

– А ты-то куда, Леонид? – спросила она...

– А я улетаю... Ненадолго, по делам, – ответил Леня, думая про себя: «вот нечистый устроил такое совпадение, чтоб ему!».

И долго еще после взлета свербило у него в груди от этой пережитой неловкости.

Свербило, покуда не приказал стюарду принести «Чивас Ригал» по второму разу...

Глава восемнадцатая

ЗАВЕЩАНИЕ ВОРОНА

(*ноябрь 1995, Занаду*)

– Да, Стефани?

– Патрон, экстренный пакет с нарочным...

– Вскройте и прочтите.

– Но, патрон, здесь сказано – «лично»...

– Мне повторить?

Из динамика интеркома послышался шелест разрываемой бумаги, затем чуть дрожащий голос Стефани Дюшамель:

– «Глубокоуважаемый господин Баренцев! Международная юридическая фирма «Кауфманн и сыновья» с глубоким прискорбием извещает Вас о кончине господина Макса Рабе, последовавшей 21 ноября сего года в возрасте девяноста восьми лет. Прощание с усопшим состоится 26 ноября в 14:00 по адресу: поместье Ксанаду, остров Танафос, Греческий архипелаг...»

– Ничего не понимаю, должно быть, какая-то ошибка.... Постойте, постойте, как вы сказали – Занаду?!

– Ксанаду... Не знаю, как правильно, начинается с «икс»...

– Занаду...

Видение земного рая, пророчески приоткрываемого ему на самых крутых виражах судьбы...

Пророчески?

А как же!

Бетси, повредившая ножку на верховой прогулке – и Лиз, повредившая ножку при падении с полки.

Рогатый кабан над громадным зеркалом в холле – и рогатый кабан на фамильном гербе семейства Дерьян.

Старый доктор-шахматист по фамилии Доктор – и старый Густав Бирнбаум, инженер, друг семьи Бажан...

Составные части видения, систематически оборачивающиеся важнейшими составными частями его, Нила, реальной жизни.

А последнее видение, тогда, в Георгиевском зале Кремля...

Седобородый старик, рыжеволосая девушка и мальчик между ними. Старик, девушка, мальчик...

– Патрон, вы меня слышите?.. Тут еще фотография и письмо...

– Несите!

Фотография была черно-белая, выцветшая, старая. Но Нил сразу узнал афишу из бабушкиного сундука. «Артист Владимир Грушин. Чудеса без чудес. Разоблачение церковной магии». А на фоне афиши – молодой человек в черном цилиндре, с моноклем и светлыми бакенбардами. Надо же, а ведь когда-то человек с фотографии казался Нилу таким старым. Великий иллюзионист Владимир Грушин. Урожденный Вальтер Бирнбаум. Родной дед Нила Баренцева.

Так что же получается?!

Дрожащими руками Нил развернул письмо.

«Прощай, мой дорогой внук! Как много в слове «прощай»... Потому что тебе придется прощаться и прощать меня одновременно. Раз ты читаешь мое послание, значит момент прощания уже неизбежен, а вот прощение зависит от тебя, но я надеюсь, что душа моя не заслужила непрощения. Вот уже двенадцать лет нет Лиз. Волею судеб эта девочка была тебе и мне бесконечно дорога, но трагическая судьба отняла ее у нас, взамен оставив драгоценность не имеющую цены – мальчика, твоего сына. Он был

со мной со дня рождения, и каждый день все эти двенадцать лет я уговаривал себя рассказать тебе о нем. Да, я грешен, так и не смог. За всю свою жизнь я не был так счастлив, как за эти двенадцать лет. Нил был наградой и отрадой всей моей жизни, и старческий эгоизм так и не позволил мне при жизни открыть тебе тайну. Я знал с самого начала, что уйду из жизни раньше тебя, и ты еще долго сможешь наслаждаться отцовством.

Нил вырос добрым и умным. Все, что мог, я вложил в него, но и для тебя оставил работы. Дальше тебе вести его по жизни. Завещание огласят после похорон. Нила-младшего привезут прощаться тоже. Я так и не собрался с духом рассказать ему о тебе, так что отдуваться придется тебе самому.

Оле тоже будет нелегко узнать, что я так долго жил инкогнито, поддержи мать, я перед ней виноват. Определенно, бабушка рассказывала тебе о своем муже, полковнике советской разведки, геройски погибшем в Берлине в последние дни войны. Другого выбора у этого полковника не было – он знал слишком много тайн и не мог рассчитывать, что победивший Отец Народов сохранит ему жизнь, хотя бы с кайлом на колымских рудниках. Нетрудно догадаться, как в этом случае поступили бы с семьей.

Не стану посвящать тебя в подробности того, как из Вальтера Бирнбаума я стал Максом Рабе, – некоторые из тех, кто был причастен к этому, еще живы. Хотя два имени все же назову – увы, этим бесконечно дорогим для меня людям никакая огласка уже не повредит. Так вот, мне очень помогли тогда мой младший брат, известный тебе Густав Бирнбаум из Монтре, и наша тогда еще молодая мачеха Евгения, родная сестра твоей бабушки Александры. А дальше... частью известных мне тайн я распорядился с некоторой выгодой для себя. Отсюда и Занаду – полагаю, в жизни каждого человека возникает период, когда ему нужен уединенный остров...

Да, чуть не забыл. Нил не любит спать без света, так что не заставляй его выключать ночник и терпеть не может персиковый сок. Вот и все.

Храни вас Бог. Живите долго».

Нил перечитал письмо, аккуратно сложил его в конверт и спрятал во внутренний карман.

– Стефани.

– Слушаю, патрон.

– Отмените все встречи на ближайшие десять дней. И скажите Тому, чтобы подавал машину. Мы едем на аэродром!

– Это что?

– Это? Яичный ликер с корицей. Папаше из Амстердама прислали целый ящик, и я позволил себе чуть-чуть экспроприировать... Хантли, глотнуть не желаешь?

Догерти вручил товарищу плоскую никелированную фляжку с кожаным ободком.

– Похоже на лекарство от простуды, – поделился своими ощущениями Хантли.

– Или эгногг, что нам в детстве подавали на Рождество, – продолжил Догерти. – Приятно, черт возьми, вновь почувствовать себя ребенком... Другие немаловажные достоинства этого продукта – изысканное послевкусие и полное отсутствие подозрительного запаха. Хоть на педеля дыши, хоть на самого принципала – ничего, кроме невинного аромата... Кстати, насчет ароматов... Не расслабиться ли нам арабским зельем?

Догерти запустил толстую лапу в внутренний карман, с важным видом извлек черную книжицу в кожаном переплете, украшенную тисненым крестом, раскрыл и, хихикая, вытащил из полой середины тоненький портсигар и зажигалку, по форме напоминающую карандаш.

– И псалтырь на что-нибудь пригоден... Угощайтесь, джентльмены.

Хантли дрожащими руками принял тонкую, чуть кривоватую самокрутку, понюхал, кивнул одобрительно.

— Дерзко... Должно быть, в аду под твою католическую задницу уже заготовили пребольшую сковородку.

Догерти самодовольно усмехнулся и протянул портсигар третьему, доселе молчавшему участнику благородного собрания.

— Ну а ты, Морвен? Не сомневайся, товар первостатейный, Абу дряни не держит.

Морвен, невысокий, ладный, светловолосый, надменно сморщил прямой, породистый носик.

— Благодарю, джентльмены, я не считаю утро подходящим временем суток для расслабления такого рода... Кстати, похоже, наш арабский друг влетел в большую неприятность.

Хантли резко дунул на огонек зажигалки, услужливо поднесенной Догерти, и прикрыл ладонью косячок с марихуаной.

— Это как-нибудь связано?..

Морвен пожал плечами.

— Кто знает? Во всяком случае, я слышал, как Симпсон утром давал распоряжения Гарри, чтобы перенес в кладовую все личные вещи Абу и этого японца, как его...

— Масаеси? — оживился Хантли. — А его-то за что?

— За Перл-Харбор! — авторитетно заявил Догерти. — Ставлю десять против одного, что Симпсон застукал эту парочку in flagrante derelictu...

— Чего? — недоуменно моргнул Хантли. — Это по-французски, что ли? Морвен, что это он сказал?

— На месте преступления. Не спите на уроках латыни, сэр...

— Определенно, трахались в сортире, — продолжил Догерти. — Чертовы иностранцы!

— Уж не за это ли самое нашего Абу выперли из Хэрроу? — поинтересовался Хантли.

— Держу пари, что за это. Ничего, папа-шейх сунет кому надо пару миллиончиков — и через неделю любимый сыночек продолжит шалости где-нибудь в Дерби.

– Абу хвастал, что у себя в Египте он занимался этим с ослицами, буйволицами, козами и собаками, – поведал Хантли.

Морвен скептически хмыкнул.

– Насчет последнего сомневаюсь. У собак весьма едкая секреция. Совокупляться с сукой – все равно, что совать свое хозяйство в кислоту.

– Вы проверяли на себе, сэр? – ехидно оскалился Догерти.

– Отнюдь, сэр, всего лишь внимательно слушал мудрых наставников.

Морвен поднялся с травы, отряхнул брюки, нарочито громко зевнув, поглядел на часы – неброские, с круглым белым циферблатом, черными стрелками, цифрами и русскими буковками «Павелъ Буре».

– Однако, господа, время... Служба заканчивается, нас могут хватиться.

Хантли вздохнул, передал Догерти косяк, так и оставшийся нераскуренным. Тот аккуратно запрятал сигарету в портсигар, портсигар – в молитвенник, молитвенник – в карман. Пока они вставали с земли и приводили в порядок гардероб, Морвен осторожно заглянул за край живой изгороди, отделявшей баскетбольную площадку от громадных размеров лужайки перед учебным корпусом, и дал отмашку. Короткими перебежками троица добралась до вязовой аллейки, примыкающей к ограде часовни. Там двенадцатилетние джентльмены отдышались, поправили одинаковые галстуки в красно-черную наклонную полоску, застегнули одинаковые пиджачки и в нужный момент чинно влились в темно-серую толпу мальчишек, под водительством преподобного отца Леонарда возвращавшуюся с утренней службы по англиканскому обряду.

Длинный шоколадного цвета «бентли» величественно обогнул парадную лужайку, посреди которой на высоченном флагштоке трепыхался британский флаг, плавно сбросил ход и остановился на размеченной бетонированной площадке перед «Бурсой» – внушительным сооружением тюдоровской эпохи, в конце семнадцатого века завещанным лордом Генри Уорвиком под частную школу для мальчиков из знатных семей. Остановился, с точностью до дюйма вписавшись в прямоугольник, обозначенный «Гости», что не осталось без внимания Джессопа, старого привратника, заступившего на эту должность аж в год коронации матушки Елизаветы, храни ее Боже.

– Догерти, дай срочно жвачку в долг. У меня, кажется, начинаются проблемы.

Догерти нехотя достал из упаковки желтую пластинку, и Нил быстро засунул ее в рот.

– Отдашь две, – проворчал жадина.

Но согласие не услышал, потому что Нил бросился к подъехавшей машине. Шикарно одетая молодая дама в черной шляпке, украшавшей великолепные огненные волосы, элегантно вышла из «бентли». Нил подбежал к ней и дал себя поцеловать. Дама что-то сказала мальчику, и он быстро забрался в машину. «Бентли» дала плавный задний ход, развернулась и, лениво набирая скорость, двинулась от школы.

– Ничего себе цыпочка у нашего Морвена! Сестрица, наверное. И тачка у нее классная. – Догерти с нескрываемой завистью смотрел, как удаляется автомобиль.

– Да, нет, это его мамаша. Крутая, даже не отпросилась. Бац, и отъехали. Я видел уже ее раньше. Только у нее тогда «мерс» был.

– Ты, Хантли, не умеешь мыслить широко. Мерс у нее и сейчас есть наверняка. Просто эта к сумочке больше подходит, – зло сказал Догерти. – Пошли, что, машин не видел.

– Да нет, машины видел и покруче, а вот телку такую... – но договорить свою мысль не успел.

Профессиональный подзатылок Джессопа придал нужное ускорение, и мальчики уныло поплелись в класс...

– Можешь выкинуть жвачку. Уже не пахнет.

Нил Морвен чуть не подавился. Он давно знал, что перехитрить Тата́ было невозможно, просто он не хотел расстраивать ее. Наврал Догерти насчет послевкусия. Но оправдываться не пришлось, Таня и не собиралась читать морали.

– Мы срочно улетаем. Тебе на сборы полчаса. Случилось несчастье.

Самолет начали готовить к вылету, но Нил не выходил к летчикам. Ему принесли в машину виски и сигареты. Зная своего шефа, никто не задал ни одного вопроса. Шум двигателя и просьба застегнуть ремни на минуту вывели Нила из состояния шока. Он привычно включился в звуки машины, которая, набирая скорость, легко двинулась по взлетной полосе. И вдруг ему, Нилу, налетавшему тысячи километров и никогда не боявшемуся высоты, стало страшно. «Теперь, когда моя жизнь только началась, я могу грохнуться и разбиться вдребезги на этом драндулете, так и не увидев сына!» Он отстегнул ремень и двинулся по проходу в сторону кабины. Командир не успел даже удивиться, потому что и прежде Нил любил посидеть на месте пилота. Но сегодня все знали, что случилось нечто, заставившее без промедления вылететь по сложному маршруту.

– Я поведу машину, все свободны.

Нил вцепился в пилота железной хваткой. Самолет тем временем уже набрал высоту и лег на курс.

– Сэр, вам лучше пройти в салон, вы неважно выглядите. Боюсь, сегодня лучше вам не управлять машиной. Полет будет сложным и долгим, вот отдохнете, и тогда, как обычно, я передам вам управление.

Пилот ни на секунду не потерял самообладания и незаметно нажал тревожную кнопку. За спиной Нила бесшумно возник его охранник. Нила просто втащили в салон, с трудом разжав его хватку. Старый охранник был поражен небывалой силой своего шефа, хотя удивляться было ему несвойственно – это не входило в его обязанности. Вот охранять босса – это другое дело, даже если опасность для жизни исходит от него самого. Нила пристегнули к креслу и подали виски, рядом сел охранник и достал зажигалку. Сигарета прыгала в пальцах Нила, виски разлилось.

– Мне нельзя умирать, идиоты! У меня сын, он совсем один! Я должен ему столько рассказать... Вы все сговорились убить меня! Вы обязаны подчиняться мне! Дайте мне управление! Вы все уволены немедленно! – Нил орал в лицо охраннику. – Том, пусти меня, я должен выжить, ты же отвечаешь за мою жизнь. Там сын, понимаешь, мой сын... – он уже не кричал, а просительно ныл.

Но старый Том Грисби бесстрастно сидел рядом, не вступая в контакт с боссом. На такой случай тоже были прописаны инструкции, и он тупо следовал им. Главное – безопасность.

Он опустил шторку на иллюминаторе и дал Нилу стакан воды. Нил выпил и откинулся на сиденье.

– Как же, как же там начиналось... «Отче наш, иже еси на небеси. Да святится имя твое...» Мальчик мой, как долго я ждал тебя, Лиз моя – царствие тебе небесное! – Нил закрыл глаза.– Лиз, дорогая, мы обязательно будем играть в шахматы на веранде, как ты мечтала.

Снотворное, которое дал охранник, проконсультировавшись с землей, начало действовать, и через несколько минут экипаж вздохнул спокойно. Том так и остался сидеть рядом. Только одно заставило его задуматься – на каком языке босс бредил. Перебрав весь свой запас иностранных слов, он решил, что на французском. «Надо заняться изучением, это может пригодиться», – помечтал Том, он не любил не понимать, что говорят люди в его присутствии...

Самолет начал снижаться, но Том разбудил Нила, только когда машина коснулась земли. Летчик, который давно уже служил у господина Баррена, был пилотом экстракласса, да и погода на острове не создала никаких неприятностей при приземлении. Нил виновато пожал руку командиру и поспешно спустился по трапу к встречающим его незнакомцам, одетым, как и полагается, во все черное.

Еще издалека он увидел особняк, окруженный старым садом, явно специально посаженным, с претензией на регулярность, но сильно заросший. Вокруг царила тишина, никого из людей не было видно...

Нил первым нарушил молчание, которое с самого начала тяготило его.

– Мальчик... – Нил запнулся, и ему не дали закончить вопрос.

– Да, сэр, лорд Морвен-младший прибудет завтра. Его родители уже подтвердили время прилета. Завтра утром они будут на острове, – адвокат Кауфманн говорил по-английски с чуть заметным акцентом.

Нил испуганно взглянул в лицо адвоката, но не решился ничего спросить. Несколько секунд он приходил в себя. Какие родители? Какой лорд? Все эти вопросы так и остались не заданными. Нил давно научился не спешить. Одно решение было уже принято: молчать и ждать. До приезда сына почти сутки, значит, будет время все выяснить.

Нила проводили в его комнату и пригласили к столу через четверть часа. После обеда, к которому даже привередливый Нил не смог предъявить претензий, адвокат пригласил его в кабинет, где передал ему ключ от сейфа, что оказалось тоже прописанным в инструкции, составленной хозяином перед кончиной.

Нил поймал себя на мысли, что с первой минуты чужой дом принял его как старого хозяина. Даже запахи казались ему знакомыми, вещи не удивляли своей историей, а прислуга не смотрела на него специально вежливо. Нил положил ключ от сейфа в карман и обратился к адвокату с просьбой осмотреть дом.

– Здесь теперь вы хозяин, поэтому делайте все, что посчитаете нужным. Комнаты все открыты, гараж и водитель в вашем распоряжении. Протокол церемонии у распорядителя. Вам его представят после ужина, который будет ровно в восемь, если вы не возражаете. Напитки все в баре, будьте как дома, что и соответствует настоящему положению дел. Ваши сопровождающие размещены во флигеле для гостей, все необходимое им уже предоставлено. Телефон и компьютер в вашем распоряжении. А пока я должен заняться приготовлением к печальной процедуре, с вашего позволения.

Адвокат поклонился и вышел, оставив Нила самого решать, с чего начать распутывать клубок тайн.

Нил непроизвольно повернулся и встретился взглядом со стариком, чей портрет в простой рамке стоял на громоздком письменном столе. Нил взял портрет и чуть тут же не выронил его. На него смотрели мамины глаза. Сомнений не было ни на йоту, это был его дед.

Из списка в своем мобильнике Нил выбрал слово «мама», нажал зеленую кнопку и почти сразу услышал родной голос:

– Нил, я ничего не понимаю! Меня вызывают на похороны на край света!!! Ты где? Это какая то чудовищная ошибка! – Ольга Баренцева была, как всегда, на грани истерики.

– Мама, это не ошибка, твой отец не погиб на войне. Завтра похороны и оглашение завещания. Ты в Париже? Вылетай первым же рейсом на Афины. – Нил понял, как он соскучился по ней, той самой, которая раздражала его всегда своим несносным характером. – Я уже на месте. Тебя встретят, только береги себя. Тебя ждет много новостей и потрясений. Я жду тебя, мам, пока. – Нил не дал ей продолжить серию бесконечных вопросов и уточнений и нажал на отбой.

«Странно, – подумал Нил, не спешно обходя комнату за комнатой. – Дом старика, а даже духу старческого нет». Нила мало интересовали спальня, столовая и прочие комнаты. Он искал только *его* комнату, но ничего, похожего на детскую, так и не обнаружил. На кухне, где хозяйничали две женщины, молодая и пожилая, с ним приветливо поздоровались, ничуть не удивившись его появлению. И Нил, против своих принципов спросил о мальчике.

– Вы спрашиваете про Нила, правнука бедного старика Макса? Так говорят они приедут завтра утром. Мы сами очень соскучились без него. Вот и игрушки его все перемыли, перечистили, правда, он это любит сам делать, но сейчас ему не до этого будет. Да еще у него кондиционер в комнате сломался, мастер обещал быть еще с утра, а все нет. А так, все уже готово к приему нашего ангела.

– Я посмотрю, немного понимаю в такой технике. Проводите меня.

И, не приняв возражений в сопровождении, как оказалось, старой няни Агаши, русской по происхождению, Нил пошел по коридорам, которые были им только что безрезультатно осмотрены. Агаша остановилась в конце коридора и, нажав на незаметную кнопку в стене, отошла чуть в сторону, пропуская Нила вперед. Одна из панелей, которыми был отделан весь коридор, бесшумно поехала в сторону, и перед Нилом открылся лифт. Они поднялись на этаж выше и очутились в таком же коридоре, потолок которого был сделан из стекла темного цвета. Агаша провела Нила в первую комнату и уже в который раз попыталась включить кондиционер.

– Наш электрик живет по соседству, и мы вызываем его по надобности. Видимо, запаздывает по уважительной причине. Говорили, что у него жена приболела. Если вам что надо будет, инструменты все в мастерской на первом этаже. Я покажу.

Но Нил уже не слышал ничего. Он жадно осматривал жилище своего сына, пытаясь узнать о нем, о его характере, привычках, увлечениях. Как только закрылась дверь, Нил, как опытный разведчик, начал осмотр. Комната была совсем не похожа на детскую в привычном понимании. Это был большой зал, в котором было все, что только можно было придумать для мальчишки. Нил выбирал для детального просмотра те вещи, которые давно утратили товарный вид, а значит, были особенно любимы маленьким Нилом. Он отметил, что детская железная дорога и коллекция моделей автомобилей и самолетов находятся в идеальном порядке. И тут же вспомнил, как был руган, когда разобрал дорогущие паровозики, привезенные мамой из Германии. Приятно удивил компьютерный центр последнего поколения. Но больше всего Нила привлекли роботы от совсем маленького до громадного, выше его роста.

«Прямо Голливуд какой-то», – подумал Нил. Окончательно забыв про дело, ради которого его пустили в страну маленького Нила, он прошел в следующую комнату. Здесь он удивился еще больше. Это был спортивный зал. Великолепного качества тренажеры всех мастей разместились в просторном помещении. «Да, дед был продвинутый», – одобрительно подумал Нил и пошел дальше разведывать дом.

Спальня была совсем стандартная, и Нила поначалу мало что заинтересовало. Он почему-то потрогал матрац, поправил и без того идеальное покрывало и сел на край. Голова кружилась, и давление явно начало свой болезненный подъем. Нил все-таки осмотрел все вокруг и заметил напротив кровати большой плоский экран, подобных которому никогда прежде не видел. «Интересно, как он включается», – подумал он и стал искать пульт, но поиски ни к чему не привели. Нил немного расстроился и вернулся в зал, там он вспомнил, что надо посмотреть сломанный кондиционер, чем и занялся, и уже через полчаса прохладный воздух наполнил детский мир его пока неведомого сына.

Агаша радостно удивилась, что поломка уже исправлена, и по-домашнему пригласила Нила к ужину. Нил почти ничего не съел, но выпил вина и удалился в кабинет деда. Ключ открыл сейф, в котором хранилось его не пережитое прошлое...

После того как Нил перевернул последнюю страницу, все встало на свои места, очень многое прояснилось. У мальчика есть приемная мать, которую он признавал за родную, когда еще была жива Лиз. Теперь эта женщина вышла замуж – и не за кого-нибудь, а за родного отца Лиз, лорда Морвена, и теперь он официально усыновлен сиятельной парой. Но есть выписанное врачами шведского госпиталя свидетельство о рождении мальчика, где в графе «отец» черным по белому написано: Баренцев Нил Романович, гражданин СССР, постоянно проживающий во Франции. Свидетельство Нил с особым трепетом задержал в руках. Перед смертью Макс надеялся, что Нилу удастся найти компромисс с Морвенами относительно судьбы ребенка. Он же, со своей стороны, постарался заложить основы такого компромисса в своем завещании, которое будет оглашено в день похорон. Нил перевел взгляд на портрет, и показалось, что старик улыбнулся ему.

Всю дорогу они почти не разговаривали. Только когда в Афинах пересели в вертолет и до Занаду оставалось лететь меньше часа, маленький Нил спросил Таню.

– Тата, а правда, что люди не умирают насовсем? Мне Макс говорил, что душа переселяется потом. Может, даже в собаку или в крысу, или в девчонку. Это же ужас какой-то. Макс точно не в девчонку, он скорее всего переселится в орла или лучше в ворона, они живут долго и умные очень. Я читал про воронов. Сначала, правда, тело сгниет, только если мумифицировать, то не сгниет, я думаю, Макса надо мумифицировать. Таня, ну что ты молчишь? – Нил, рассуждая о смерти, жал на кнопки ноутбука, гоняя по экрану очередную жертву компьютерной игрушки.

– Я тебя слушаю, милый. Только о смерти не говорят в суете. Мы летим прощаться с самым близким для тебя человеком, и болтать на эту тему просто так – плохо. Веди себя достойно. Макс бы твоего поведения не одобрил. И вообще, прекрати хоть сегодня гонять своих тараканов по экрану. Вспомни деда, его лицо, его слова, как вы жили, ну все хорошее, что было. У тебя пока маленькое, но прошлое все же есть, вот и надо его хранить и беречь.

Таня никогда не разговаривала с Нилом менторским тоном. Скорее, как старшая сестра, и Нил почти не обижался на нее, потому что просто любил и доверял ей почти все, кроме настоящих мужских секретов, которые знал только Макс.

Неделю назад Макс как раз позвонил, и они долго болтали о жизни. Дед рассказал про их Брэм-хауз, как они назвали их мини-зоопарк на острове. Как страус Кукс удрал от сторожа и больно клюнул Каштана, любимого сеттера Нила. И что доска для серфинга уже куплена. Прежде он не покупал, потому что боялся, что трудно будет научиться и опасно, а сам он помочь не сможет. Сказал как-то странно, что теперь будет кому научить и страховать. Вот только кому, пока не ясно, но страшно интересно. И еще много говорил про всех домашних. Потом он сказал Нилу, что умрет в пятницу и чтобы он, Нил, ни в коем случае не плакал, потому что плакать можно, если человек рано умирает и не успевает сделать главного при жизни. Дед всегда считал главным делом — стать счастливым. А раз главное дело сделал, значит все должны быть рады за него и плакать тут нечего и даже совсем не уместно. Потом он сказал, что впереди много перемен и сюрпризов. Дед как всегда что-то задумал загадочное.

Это больше всего волновало Нила. Он знал дедовские выдумки, и сюрпризы его были всегда удивительными. Маленький Нил все вспоминал и вспоминал их последний разговор, но в душе почему-то мечтал, что дед притворится покойником, посмотрит, как все нарядятся и будут рыдать, а потом засмеется и встанет, и как всегда зажгутся петарды по всему саду, как в Новый год, и всем будет страшно весело. Тане он не рассказал тогда про этот разговор, но когда в субботу она сказала, что Макс умер, Нил ответил:

— Я знаю, Тата, в школе я объявил вчера, что мы уезжаем.

Таня тогда очень удивилась, но так ничего и не поняла. Хотя как-то странно посмотрела на него и в школу не перезвонила потом. Но Нил-то точно знал, что Макс никогда его не обманывает — раз сказал, что умрет, значит так и будет. Так и вышло.

Лорд Морвен поехал в аэропорт вместе с Таней и Нилом, но взял билеты на другой рейс. Срочные дела в Аризоне не позволили ему быть на острове в эти дни.

– Может, на ваши девять дней успею, если все уладится благополучно. Ты поддержи Нила, он не в меру чувствительный. Стресс может сказаться на олимпиаде по физике, а ты понимаешь, как это важно для получения гранта. – Морвен, как обычно, говорил так, будто бы самого Нила рядом не было.

– Разберемся, – только и ответила Таня.

А Нил, как обычно, промолчал. Тихая радость от известия, что у Сэра дела в Америке и они едут одни, тайно согревала его и сделала абсолютно равнодушным ко всему, что бы Морвен ни говорил. Он так и не полюбил своего родного деда-отца, холодного и занудного, на его взгляд. Нил даже не пытался заставить себя называть его папой, и его светлость так и остался для него просто Сэром, а чаще никем. Вот с Тата было сразу просто. Тата и все. Даже лучше звучит, чем мама.

Нил нежно посмотрел на предмет своего обожания и со словом «разберемся» очень согласился.

Авто послушно свернуло на черно-розовую, словно в парижском метрополитене, гудроновую дорожку, обрамленную лиственницами, чуть розовеющими в лучах неяркого ноябрьского солнца.

Дорожка полого забирала вверх, и минут через пятнадцать неспешной езды взорам открылись гостеприимно распахнутые бронзовые ворота с орнаментом из цветов и дубовых листьев.

– Остановите здесь, – распорядилась леди Морвен.

– Но, ваша светлость, приказано доставить вас... – принялся возражать с жутким греческим акцентом незнакомый черноусый шофер.

– Мы прогуляемся...

Шофер вздохнул, характерным южным жестом воздел руки к небу и, выбравшись из кабины, с поклоном раскрыл заднюю дверцу.

Первым из салона вышел Нил, следом Таня. Взявшись за руки, они одновременно шагнули на мраморные ступени и исчезли за густой самшитовой изгородью. Открывшийся перед ними регулярный сад даже сейчас, в ветреное предзимье, отличался великолепной пышностью.

Нил как-то тихо и торжественно вошел в дом, дал поцеловать себя домашним. Агашины соленые щеки ему не понравились.

– Сырость не разводи! – сказал он ей тихо с такой дедовской интонацией, что старая няня совсем не сдержала слез и быстро повернулась в сторону кухни.

Таня, выпив кофе и выкурив сигарету, вызвала распорядителя, которым оказался управляющий хозяйством старик Спирос, служивший при Максе с самого начала Занаду и ставший за долгую совместную жизнь почти родственником деда и хранителем многих его тайн.

Из разговора ей только и удалось выяснить, что проведение процедуры прощания назначено на полдень, а список приглашенных никому показывать не велено.

Нил-младший, не заходя к себе, направился в Брэмхауз к своему дорогому зверью. Но в дедовский кабинет все же заглянул и помахал знакомому портрету.

– Всем привет! – радостно пробегая мимо загонов и клеток, кричал мальчик.

И перед самой конюшней, где стоял его главный друг, пошел тихо, готовя сюрприз своим появлением. Но удивился больше сам. Рядом с загородкой стоял незнакомый человек и с руки чем-то кормил Стара. Стар поднял голову и приветственно заржал, почуяв хозяина. А человек сразу повернулся и внимательно взглянул на Нила.

– Его нельзя кормить сахаром просто так, это породистый конь, и у него строгая диета. Он мой. А вы кто? – деловито спросил мальчик, открывая загородку и выводя лошадь из конюшни.

Нил Баренцев вышел вместе с ними совершенно растерянный. Он просто пожирал глазами мальчика. Белые соломенные волосы непослушными вихрами не закрывали высокого лба, громадные сине-серые глаза смотрели спокойно и уверенно. Крепкие не по возрасту руки ловко и умело управлялись со сбруей.

– Меня зовут Нил, – только и смог сказать он.

– Вот это да! Меня тоже. Вот так совпадение. Вы будете работать у нас? Или в гости? – Нил-маленький заинтересованно посмотрел на незнакомца.

– Я в гости по приглашению. Прощаться с господином Рабе, – как-то по-ученически ответил Нил-большой.

– А... – задумчиво протянул Нил-маленький и вдруг предложил: – Хотите прокатиться со мной? Возьмите Джокера, он спокойный, потому что старый.

– Я не здорово умею управлять лошадьми, вот если бы ты предложил мне самолет – это другое дело. Боюсь, что не справлюсь даже со стариком, хоть он мне сразу очень понравился.

– Самолет – это круто, – одобрил Нил-маленький. – Я вот самолетом не умею. Да вы не переживайте, я помогу.

Он быстро вывел гнедого и запряг. Правда, седло помог ему укрепить старший.

Мальчик легко вскочил в седло и не сразу приостановил стосковавшегося по хозяину ретивого коня. Это-то и дало возможность Баренцеву собраться с силами и не совсем грациозно усесться в седле. Очень не хотелось опозориться с самого начала знакомства с сыном. Нил чуть тронул коня, и опытное животное не спеша тронулось вслед за удаляющимся Нилом-младшим.

Баренцев понял, что лошадь сына перешла на галоп, и опять тревога накрыла его, как в самолете. Он остановился и стал пристально следить за бегом коня, пока наездник не развернулся и так же скоро подъехал к нему.

– Ну, что же ты! Давай вместе, они любят вместе. Они старинные приятели.

Нил тронул, и лошадь, набирая ход, все быстрее и быстрее поскакала рядом с лихим мальчиком. Не привыкший к лошадям, он с трудом, чтобы только не опозориться перед сыном, удерживался в седле. Но старый конь нес его осторожно, как бы понимая, что наездник неопытен. Только когда они подъехали к конюшне, Баренцев вздохнул спокойно. Мальчик легко спрыгнул на землю, а Нил-большой немного подождал, пока он скрылся в конюшне и лишь потом спрыгнул с лошади, но тут-то и дал слабину. Одна нога зацепилась за седло, и приземление было неудачным. Нил даже сначала не понял, что подвернул ногу, но подняться с земли не смог.

– У вас проблемы? Что-нибудь серьезное? – вежливо поинтересовался мальчик. – Давайте я вам помогу.

Он протянул руку, и Нил попытался подняться, но сильная боль в ноге заставила его снова опуститься на землю.

– Я сейчас, потерпите немного, может это даже перелом. – Мальчик бросился бежать в сторону дома.

Том как раз шел навстречу, и они вдвоем дотащили Нила до спальни. Врач приехал быстро, но Том, первично осмотревший ногу, сразу понял, что перелома нет, это подтвердил и доктор.

– Ну, как дела? – Голова мальчика показалась в дверях.

– Заходи, все нормально. До завтра велено лежать, ничего серьезного.

Нил-маленький прошел в комнату и сел рядом.

– Это я виноват, вы, наверное, давно не катались, так бывает с непривычки. Хорошо еще, что перелома нет. Если что надо, вот мой мобильник, а пока я пойду, если можно. Надо к завтрашнему дню подготовиться.

– Подожди, я хотел тебе сказать, Нил-Нил, ты не против, если я стану тебя так называть?.. – Нил запнулся и не смог продолжить. «Нет, нет, не сейчас», – подумал он.

– Я не против. Так, я пойду пока. – Нил-Нил виновато ретировался из комнаты.

Агаша принесла ужин и немного задержалась, наводя порядок вокруг Нила. Женщина заботливо поправила одеяло, и Баренцев заметил, что она не прочь поболтать с ним, но сегодня очень хотелось остаться одному. Так много хотелось вспомнить и заново пережить. А главное, осознать настоящее, которое пока хранило многие тайны.

А Нил-Нил подкрепился Агашиным обедом и пошел искать Тата, которую нашел в саду. Она разговаривала с тем самым мужчиной, который помог его новому знакомому после неудачного приземления.

– Ну, вот, сейчас этот громила, конечно, наябедничает на меня. Скорее всего, влетит. – И мальчик повернул было за угол, но Тата окликнула и ему ничего не оставалось, как подойти.

– Где ты бегаешь? Опоздал к обеду, и мне пришлось есть без тебя, ты же знаешь, что это не по нашим правилам. Да, не носись на лошади. Эти дни лучше попоститься. Макса завтра будем провожать в последний путь. Надо это сделать достойно.

«Значит не заложил...» – Нил благодарно посмотрел на здоровяка.

– Что значит попоститься? Это что, мяса нельзя? Как Агаша перед Пасхой? Так ты сама на обед ела и масло тоже.

Дед приучил Нила не оставлять вопросов без ответов, и это часто раздражало взрослых, особенно учителей, потому что Ниловы вопросы часто были для самих взрослых трудными. Но только не для Тата.

– Нет, милый, я говорю об удовольствиях, в которых сейчас надо себя ограничить. Когда близкий человек покидает мир, надо провожать его достойно. Тебе пока трудно понять, что такое смерть. Но уважать обряд прощания необходимо. Поднимись к себе, например, полистай альбомы, вспомни все хорошее, что было у тебя с Максом. Это лучшее, что можно сделать сегодня. У меня много хлопот, так что сегодня поскучай без меня немного.

Тата ласково потрепала непослушную соломенную шевелюру, и Нил вернулся в дом, но шагом все равно не получилось. Таня не смогла не улыбнуться вслед.

Нил миновал парадный вход и направился к специальной лестнице, которая внешне напоминала пожарную. Насчет поста и так было все понятно, Агаша давным-давно ему все про это рассказала. Просто надо было отвлечь Тата, а лучшего способа заставить взрослых думать о другом — это что-нибудь спросить.

— А вот насчет «последнего пути» — это еще посмотрим. Макс точно всех перехитрит, — рассуждал мальчик, забираясь к себе на третий этаж.

Дед воспитывал правнука далеко не по наивному Споку. Программа называлась «УДС-С», что расшифровывалось: умный, добрый, сильный и смелый. У них даже была такая перекличка. Когда у Нила что-то получалось, Макс в знак одобрения поднимал руку и торжественно произносил: «УДС», а Нил тут же добавлял: — «и С!» Потом они стукались кулаками, и оба были счастливы большой и малой победе. А побеждать было далеко не всегда легко, потому что надо было побеждать всегда самого себя. Дед заставлял маленького Нила бороться с ленью и страхом, жадностью и тщеславием. И к двенадцати годам Нил немало преуспел в дедовом учении, но пока не отдавал себе отчета, как сильно он оторвался не только от сверстников, но и многих взрослых.

Макс обычно оставлял в комнате мальчика множество головоломок, которые в самых неожиданных местах находил Нил и разгадать которые было не всегда просто, но страшно интересно.

«Что же, интересно, Макс приготовил на этот раз», — думал мальчик, оглядывая свою громадную детскую.

Но, обследовав все потайные уголки, так ничего нового и не обнаружил. Смутная тревога впервые охватила Нила, и он снова и снова принимался за поиски дедовских сюрпризов. Напольные шахматы стояли по местам, так что задача в этот раз отменялась, черного ящика с сюрпризом тоже нигде не было, а главное — не было никаких новинок, которые обычно появлялись к его приезду. Дед был на удивление прогрессивным стариком и выписывал самые передовые игрушки со всего света. А последнее время заставлял разбираться в сложных инструкциях самостоятельно, что было совсем не просто.

Нил совсем отчаялся и пошел включать комп, чтобы хоть как-то отвлечься от дурных мыслей. Тут пришлось удивиться, потому что на месте привычного монитора красовался предмет, похожий на аквариум своей абсолютной прозрачностью. Нил привычно потянулся к мышке, но нашел плоский пульт, с множеством кнопок с незнакомыми пиктограммами.

Осторожно мальчик начал нажимать на них, но никакого эффекта так и не получил. Тогда он принялся изучать сами пиктограммы, и в части из них неожиданно увидел знаки, похожие на знаки Зодиака. Но и это маленькое открытие ни к чему не привело. Нил, досадуя на самого себя, стал крутить пульт со всех сторон и сделал второе открытие: пульт ничем не соединялся с монитором. Но с одного торца немного светился. Нил отошел от экрана на несколько шагов и снова нажал на пиктограмму с изображением знака, похожего на рыбу. Экран вспыхнул и действительно превратился в аквариум, вернее, это было окно в подводный мир океана, потому что границ у монитора не было. Казалось, что вода необыкновенно изумрудно-голубого цвета вот-вот выплеснется и зальет все вокруг. Нил даже отпрянул назад, но не мог оторвать взгляд от экрана. Разноцветные рыбки замелькали в глубине, подводное дно менялось каждую секунду, как будто Нил плыл с аквалангом в океане. И уже через секунду весь реальный мир исчез, диковинные морские обитатели, казалось, вот-вот коснутся его, он даже отходил в сторону, пропуская плывущих прямо на него то гигантского омара, то страшилищу-мурену, то исполинскую черепаху. Нил даже повернулся назад, чтобы посмотреть ей вслед, но за спиной была все та же комната. А когда снова повернулся к экрану, то пульт тут же выпал из рук: громадная касатка гостеприимно распахнула перед ним зубастую пасть. Он поднял пульт, но с экрана монитора смотрели на мальчика лукавые дорогие глаза деда.

– Ну что, струсил маленько? То ли еще будет, когда разгадаешь все пиктограммы! На сегодня, пожалуй, хватит приключений, давай поговорим о другом... Сокрытие правды не всегда ложь и не всегда проявление трусости, а если это сокрытие не во вред, то оно в редких случаях может иметь место. Короче, дружище, такие дела, понимаешь, твой дед натворил... тебе самому ответ искать. Прости старика. Я тебе прежде не говорил. Я очень тебя люблю, мальчик мой! На моем столе, ты знаешь, папка мамина, посмотри, сам разберешься, кому еще показать. Ну, УДС!

И сжатый кулак деда, как точно показалось Нилу, привычно соединился с его кулачком.

– И С! – крикнул победно Нил, и в ту же секунду экран погас.

Нил открыл люк и на стальном шесте, насквозь проходившем через все три этажа, соскользнул вниз.

«Ну, Макс, в этот раз просто супер!» Нил в три прыжка оказался в кабинете Макса Рабе.

Мальчик быстро отыскал папку для рисунков и, устроившись на «своем», – а у него действительно было в кабинете деда свое кресло, – для начала покрутил папку, не развязывая. «Ну, и папка, антиквариат прямо, наверное, это годы восьмидесятые», – подумал мальчишка и развязал тесемки.

На внутренней стороне папки рукой деда было написано: «НИЛ= ?»...

Уже совсем стемнело, и мальчик в который раз перелистал рисунки, которые остались после смерти мамы. Но так ничего нового для себя не нашел. Он даже пересмотрел все рисунки вверх ногами, но это не дало никакой версии.

– Чему же равен НИЛ? – шептал он сам себе.

Тут один из портретов показался Нилу знакомым. Где же он мог видеть этого человека? Особенно глаза. Нет, было совершенно очевидно, что они уже встречались. Как настоящий сыщик, мальчик, увлеченный игрой деда, начал внимательно изучать рисунок, потом перевернул и увидел на обороте почти стертые буквы: НИЛ. Он опять внимательно посмотрел на портрет, но вспомнить, где он видел этого мужчину, так и не смог, да еще Тата стремительно вошла в кабинет и, заметив мальчика, тут же справедливо, как всегда, погнала его спать.

– Иду, Тат, иду. Я как раз постился здесь, – схитрил Нил и нежно прижался к ее лицу.

Он знал, что Тата понимает, что он не постился, и что она понимает, что он не врет, а просто так шутит.

– Все, иди, солома, а то с тобой начнем болтать, так и утро здесь встретим.

Она поцеловала обе макушки и заперла кабинет на ключ, но вынимать его не стала.

Нил, не спеша, поднялся на второй этаж и задумчиво направился к лифту. У дверей хромого гостя он остановился и постучал.

– Извините, у вас музыка играла, вот я решил навестить вас перед сном. Ну как нога себя чувствует? – заботливо поинтересовался мальчик.

– Заходи, нога себя чувствует, и это почти победа. Если ты мне немного поможешь, то мы проведем ее испытания на ходимость и проходимость.

Баренцев попытался встать, и Нил-маленький подскочил к нему, чтобы придержать, если что. Не хватало еще, чтобы гость опять свалился.

– Видишь, все почти нормально!

– Я рад, что обошлось, могло быть и хуже. Главное, конь не испугался в этот момент. – Мальчик поднял голову и снизу вверх посмотрел на Нила.

– Ты, прав, Нил-Нил. Раз могло быть хуже, но не случилось, значит, все как раз получилось хорошо!

Вдруг Нил-маленький отпустил руку и недоуменно отошел на несколько шагов от Нила-большого.

– Точно! Нил равен Нилу! Макс, я отгадал!!! Сейчас! – и мальчик выскочил из комнаты, оставив Нила в полном недоумении.

Забирая папку, он помахал деду рукой.

– И С, Макс! – решение есть!..

– Вот, – заговорщически произнес Нил-маленький, тихо без стука проскользнувший в комнату.

И протянул папку.

– И что делать прикажете, сударь, с ней?

– Открывайте! Не бойтесь! Это фокус Макса.

Нил-большой открыл и увидел свой портрет, который много лет назад украшал стену комнаты Лиз в Ленинграде.

– Я догадался! Правда, не сразу, но потом, когда вас держал и свет так падал, то сразу узнал! Вы, конечно, постарели, но узнать пока можно. Вот и решение! Только не вижу пока смысла, что дед хотел сказать этим ну... НИЛ=НИЛ.

– Он хотел сказать, что ты мой сын, а я твой отец, а Макс мой дедушка.

Глаза у мальчика потемнели, с ужасом и изумлением он посмотрел на Нила, в ту же секунду океан вырвался из нового компьютера и поглотил его.

Утро выдалось сырым и туманным. Нил Баренцев заснул, когда еще не рассвело, но проснулся с первыми лучами. Ступать сначала было неприятно, но Нил потуже перебинтовал ногу и поднялся наверх. Мальчик спал. Нил осторожно прошел и выключил ночник. Они проговорили полночи. Нил рассказал о себе и Лиз, о работе, а мальчик засыпал его бесконечными вопросами, на которые Нил-большой не всегда мог ответить.

– Пора спать, завтра трудный день. И вот еще, приедет твоя родная бабушка. Она живет в России и пока не знает, что ты у нее есть.

– Это значит, твоя мама?

– Точно, мама. Я сам давно ее не видел и соскучился.

Нил не слукавил. Хоть и месяца не прошло с их встречи в Берлине, вдруг возникло такое чувство, будто не виделся с матерью целую вечность...

– А у меня Тата есть, она как мама, даже лучше. Я тебя с ней познакомлю, она очень красивая и умная. А вот сэр Морвен – он хоть и папа моей родной маме, но противный, только я не беру в голову. Хорошо, что его не будет, а то бы завоспитывал до смерти. Пошли ко мне, я тебе кое-что покажу.

И не дождавшись согласия, Нил-Нил направился к выходу. Нил послушно пошел следом.

В полумраке спальни Нил не заметил, как мальчик щелкнул пультом, и на экране, висевшем напротив кровати, появилась Лиз.

– Это мама. Ты ее помнишь такой? – Нил-Нил «листал» дальше, показывая отцу все новые и новые кадры. – Она была красивая и печальная. Вот только один кадр есть, где мы все втроем, с Максом, и она смеется. Я больше всего этот кадр люблю. А скажи, как она умерла. Мне Макс ни за что не хочет рассказывать, – мальчик выжидательно посмотрел на отца.

– По неосторожности, давай не будем об этом. Это грустная история. Главное, что она осталась в нашей памяти, и мы будем помнить ее всегда. И еще, знаешь, о чем мечтала мама? Она мечтала, чтобы мы обязательно играли с тобой в шахматы, а я знаю, ты большой мастер в этом деле. Вот завтра, или нет, послезавтра мы и сразимся. А сейчас пока, спасибо за то, что ты мне показал эти кадры.

Нил обнял сына и поцеловал в лоб. Мальчик вздрогнул и отвернулся, а Нил быстро вышел. Слез мужских никто не должен видеть, даже если мужчина еще маленький...

Агаша, которая, казалось, вообще никогда не спит, приветливо встретила его на просторной кухне и серебряный кофейник, от которого исходил великолепный аромат, тут же был поставлен на стол перед Нилом вместе со свежими булочками особого, русского фасона. И уже через несколько минут Нил узнал все новости про гостей, которые приехали на рассвете и сейчас отдыхают, что звонила Ольга и сообщила, что задерживается. Последнее нисколько не удивило Нила. Мама всегда опаздывала везде, даже на последний звонок собственного спектакля.

Нил наслаждался кофе и вполуха слушал старую няню. А та, пользуясь счастливой возможностью поговорить на родном языке, все говорила и говорила о

Максе, о французской учительнице Жанне, которая так и живет в доме, хотя заниматься с «нашим Ангелом», так Агаша называла Нил-Нила, уже нет никакой возможности, потому что мальчик теперь живет с родителями. А Нил смотрел в окно, которое выходило прямо в сад.

Вдруг он увидел девушку, которая быстро шла от дома, и опять Нила пронзило, как в тот злополучный вечер в Мэриленде, у дома Фэрфакса. Фигура и походка показались ему нестерпимо знакомыми! Девушка шла недолго, несколько раз она попрыгала на месте, а потом побежала легко и небыстро вглубь сада.

– А! Вот и леди поднялись, они всегда физкультурой по утрам занимаются. Дело молодое! Они обычно вместе с сыном бегают, видно, заспался с дороги ангел наш... Она вчера справлялась о вас, да решила не беспокоить. Все равно сегодня все увидятся. – Агаша, вспомнив про повод для встречи, опять закрыла глаза фартуком и вышла из кухни.

– Пожалуй, надо познакомиться с «родственницей», а то уже галлюцинации начинаются, – и Нил пошел навстречу спортивной леди.

Таня на всех парах повернула на знакомую дорожку и не то что чуть не столкнулась, а просто чуть не сбила с ног незнакомца, который еле-еле ковылял ей навстречу. Козырек ее кепки скользнул по лицу Нила, и он, нетвердо стоящий на ногах, вцепился двумя руками в девушку, а она от неожиданности – в него.

– Какие страстные объятия!

Таня отпрянула от незнакомца. Но Нил и не выпускал ее, только одной рукой повернул козырек назад.

– Вы что, с ума сошли?

Таня в упор гневно посмотрела в лицо нахала. И вскрикнула.

Нил опустился на траву, так ничего и не ответив ей. Таня села напротив.

– Нил, я знала, что ты, возможно, прилетишь. Но все так неожиданно случилось для всех. Нам, конечно, надо поговорить. Многие проблемы решить.

Таня не узнавала саму себя. Голос стал каким-то искусственно-заискивающим. Обычная уверенность мгновенно покинула ее. А Нил все молчал, и это еще сильнее настораживала ее.

– Ну, что ты молчишь? Скажи хоть «привет» или «здравствуй». Нил, ты что, не узнал меня? Это же я...

– Захаржевская Татьяна, – отозвался Нил, и в его голосе Таня услышала то, чего так боялась – полную неприязнь. – К сожалению, я тебя узнал даже со спины, и это уже становится неприятной традицией.

Что он хотел сказать этой непонятной фразой?

– Давай поговорим после прощания. Я не могу в такой день выяснять отношения в таком тоне.

К Тане вернулась былая уверенность во всем, что бы она ни говорила и ни делала. Она легко поднялась и быстро пошла к дому.

Как странно иногда ведет себя организм человеческий. Совсем не подчиняется голове, наоборот даже, полностью выходит из-под контроля. Струи воды приятно ласкали тело своим теплом, и совсем не хотелось переключать воду в режим «холодная». Таня никак не могла собраться, даже хуже: неуместная к этому дню и настроению улыбка, как приклеенная, не сходила с ее лица. Сильные руки, которые недавно случайно обняли ее, как будто были пропитаны особым ядом. Потому что ничего на свете она не хотела с той минуты так сильно, как того, чтобы эти руки никогда не разжимались.

– Да, Танюша, кажется, ты попала по-настоящему на этот раз. – Она не одеваясь, сидела перед большим туалетом и разглядывала свое внезапно поглупевшее лицо. – Да и какая теперь разница, как он, главное – как я...

Нил даже не счел нужным стучать и резко открыл дверь. На секунду он запнулся, хотя имел намерение кратко поставить леди-миледи на место. Таня стояла совершенно без ничего прямо перед ним: волосы были откинуты, открывая высокую грудь. Но нисколько не смутилась от его внезапного вторжения, наоборот, улыбаясь, открыто смотрела на Нила в упор.

– Хочу тебя предупредить, что выяснения, как ты продекларировала, отношений у нас не состоится в связи с полным отсутствием таковых как в настоящем времени, так и в будущем.

И Нил закрыл дверь также внезапно. Ковыляя до своей комнаты, он даже забыл про боль в ноге, адреналин просто взорвал каждую его клетку.

– Ну, как твоя нога? – услышал он знакомый голос за спиной. – Я смотрю, ты уже почти поправился.

Нил повернулся навстречу сыну.

– Знаешь, я подумал, давай пока не будем никому говорить. Тата может распереживаться, знаю я этих женщин. Надо ее подготовить, я думаю. А ты?

Нил-маленький растерянно стоял посреди коридора, не зная как быть. Но и молчать тоже было глупо.

– Конечно, я с тобой согласен, давай завтра. Или потом.

– Ну, тогда до встречи!

Нил-маленький прыгнул на шест и мгновенно исчез вниз.

Глава девятнадцатая

КИРПИЧ И РОЗЫ

(*ноябрь 1995, Аризона*)

Brickstone Prison.

В буквальном переводе с английского – тюрьма с кирпичными стенами.

Наверное, в эпоху освоения Дикого Запада то обстоятельство, что тюрьма не деревянная, а каменная, имело какое-то особенное значение. А теперь?..

Получая у тюремного каптенармуса свой комплект голубой зэковской робы, Павел вдруг вспомнил, как еще некогда в раннем студенчестве в Ленинграде, гуляя с сестренкиной компанией, они попали в кино на редкий в те жесткие идеологические времена американский фильм, который назывался... Павел уже прочно позабыл, как назывался тот фильм, но зато он отлично помнил слова Ваньки, когда они с восторгом обсуждали увиденное.

– Эх, Пашка, я бы не прочь в их американскую тюрьму попасть, ты видал, они там все в джинсах, все как один!..

«Ну, здравствуй, Ванькина мечта», – подумал Павел, горько усмехнувшись...

Каптенармус – чернокожий зэк с противной из-за неправильного прикуса улыбкой, не спрашивая, едва окинув взглядом его, Павла, фигуру, достал с полки джинсовые брюки тридцать шестого американского размера, голубого цвета рубашку и такую же голубую курточку...

«Предел мечтаний!» – отметил про себя Павел, забирая эту джинсовую униформу, которую отныне ему предстояло носить целых восемь лет, носить вместо ставших уже привычными тысячедолларовых костюмов...

Переодеваясь в тюремный коттон, Павел вспомнил долгие студенческие споры о преимуществах той или иной марки джинсов... Привычные темы разговоров в те благословенные времена... и эти бренды и лейблы – Леви-Страус, Райфл, Вранглер... они звучали, словно острова Фиджи или Геркулесовы столбы для мальчишек эпохи великих географических открытий... Они в те времена еще даже не умели толком правильно произносить эти слова, дух которых означал для них, ленинградских студентов далеких семидесятых, так много, ассоциируясь с хиппи, Вудстоком, рок-н-роллом и интуитивным ощущением какой-то невероятной свободы...

Недаром в подпольных записях ранней «Машины времени» были такие строчки: «И будет много слов – о дисках и джинса́х – и о погоде в небесах, а на часах уж заполночь давно...»

Эх, как они с Ванькой, Ленькой, Ником любили поспорить об этой ерунде, о рабочей одежде рядовых американцев, брызгая слюной и толкая друг дружку в грудки... Ты, мол, не знаешь, так и молчи! Ткань, из которой джинсура делается, она не коттоном называется, а деним, то есть de Nim – из города Нима, это я точно по голосу Америки слышал, всерьез серчая на дружка, кричал тогда Ванька...

А ведь и правда, тогда в Ленинграде начала семидесятых настоящих джинсов, если отбросить все пестрядинные порточные подделки польской мануфактуры «Одра», настоящих джинсов было на Невском возле «Ольстера» или «Сайгона» – два десятка пар. Не больше... И джинсы тогда были как некий пропуск, дающий право запросто обращаться к любому другому обладателю линялых штанов, как к члену потайного братства...

Чернокожий каптенармус резко оборвал воспоминания Павла.

– Проходи!

И вдруг подмигнул скабрезно и показал из-под полы костистый черный «фак».

Саймон и Саймон предупреждали, что с его статьей у Павла в тюрьме будут проблемы...

– Главное, выдержать первые две недели, – сказали Саймоны, – главное не поддаться, не дать себя спровоцировать и постараться найти себе защиту в лице местных авторитетов...

«Им легко давать советы, – думал Павел, укладывая в черный полиэтиленовый мешок свой костюм от Армани, в котором полтора месяца назад его арестовали прямо в офисе, – им легко болтать, а посади этого толстого Саймона в камеру, и где тогда он будет со своими здравыми рассуждениями?»

Чернокожий охранник с бляхой Брикстон на могучей накаченной груди, не зло, а так, порядка ради, ткнул Павла в спину своей резиновой дубинкой...

– Давай, двигай вперед...

По двум бесконечным коридорам, потом по двум лестницам, потом еще по одному коридору... И наконец, в ноздри ударило ни с чем не сравнимым коктейлем из запахов йода и карболки.

Точно! Они пришли в медицинский блок.

Врач тоже оказался цветным...

Он не торопился начинать разговор. В этом царстве по имени Брикстон вообще спешка была не в моде. Куда спешить, если у всех срока по несколько лет?

Доктор был занят своим компьютером.

Он стучал по клавиатуре, озабоченно пялил лицо в монитор, снова стучал по клавиатуре, снова пялился в экран, и так продолжалось очень и очень долго. Минут десять, а то, может, и все пятнадцать.

Наконец, открыв какой-то дежурный файл, чернокожий док спросил:

– Вы мистер Розен?

– Да, – односложно ответил Павел.

— Я ничего не могу найти в этой чертовой базе данных, — слегка раздраженно сказал док, — и не могу найти файла с вашими анамнезом и результатами ваших последних обследований, хотя ваша страховая компания должна была об этом позаботиться.

— Но я совершенно здоров, — рассеянно разведя руками, наивно возразил Павел.

— Ваше мнение для меня ничего не значит, мистер Розен, — назидательно сказал чернокожий док. — Для того чтобы занести вас в нашу базу данных и спокойно отправить вас в камеру, мне необходимо иметь анамнез и полные результаты последних обследований, все анализы, рентген, УЗИ, этсетера, этсетера...

— Тогда позвоните в мою страховую компанию, — сказал Павел: — Я точно не знаю, но мои адвокаты, Саймон и Саймон, они точно знают куда...

— Это займет некоторое время, — недовольно ответил док, — а мне надо отправлять вас в камеру прямо сейчас.

И, делая ударение на словах «right now», док выразительно скривил лицо.

— И чем я могу? — недоуменно спросил Павел,

Док не обратил никакого внимания на риторический вопрос Павла, оставив его без ответа. Он снова уставился в монитор и принялся быстро-быстро щелкать длинными черными пальчиками по клавиатуре.

Так прошло еще пять или семь минут.

Потом док поднялся во весь свой баскетбольный рост и сказал, обращаясь к охраннику:

— Идем в бокс!

Укладывая Павла на кушетку и приступая к осмотру, док все же снизошел и объяснил ситуацию.

Без данных о его Павла здоровье помещать его в общую камеру по правилам, существующим в Брикстон, было никак нельзя.

Но и перспектива ожидания, покуда страховая компания перешлет файлы Павла в Брикстон, тоже не устраивала администрацию, потому как сажать Павла в камеру без информации о том, есть ли у него туберкулез или сифилис, – было бы прямым нарушением прав других заключенных на охрану их здоровья...

Поэтому док принял единственно возможное и правильное решение – положить Павла в тюремный лазарет на предварительное обследование...

– Здесь болит?

– Нет.

– А здесь болит?

– Нет

– А здесь?

– А здесь иногда болит.

– Когда?

– Когда понервничаю, или когда поем острой пищи...

– Курите?

– Нет.

– А раньше курили?

– Курил.

– Долго?

– Тридцать лет курил, потом бросил и три месяца как не курю... Вот здесь болит и здесь, – говорил Павел, когда доктор нажимал своими длинными черными пальцами на его оголенный живот.

С тыльной стороны ладоней, кисти рук у доктора были не такими черными, как его шея и лицо... А были, скорее, темно-коричневыми... Но вот развернутая докторова ладонь, та была вообще совсем бело-розовая. И подушечки его пальцев были холодными и розовыми.

– Вам надо будет сделать полное обследование, – сказал черный доктор...

– Да? – машинально переспросил Павел.

А про себя подумал: наверное, когда люди говорили о белой и черной магиях, они имели в виду белых и черных магов, где черным магом мог быть этот тюремный доктор...

Ну что ж... На обследование, так и на обследование! Значит, расправа с его задницей, про которую говорил чернокожий детектив, пока откладывается...

Пока.

На все анализы Павлу назначили неделю.

В любом случае, больничный блок, надо полагать, получше тюремной камеры!

Соседом Павла по палате оказался молодой чернокожий зэк. Он был веселым болтуном, хотя и страдал от боли, потому как попал в лазарет с переломами двух ребер и ключицы, и поэтому любой смех отдавался в теле Боба, так звали чернокожего соседа, сильнейшими приступами боли.

Но тем не менее от смеха нет приобретаемого условного рефлекса... И Боб все время болтал без умолку и хохотал, корчась при этом от рези в сломанном подреберье.

– Тебя как, Пол зовут? Нормально, а меня Боб, ты по первой ходке? Наверное, бухгалтер, за растрату? А я на машине, с ребятами покататься поехал, а она, эта машина не моей оказалась, ты представляешь? – и Боб заходился в корчах от дикой смеси хохота и вызываемой этим смехом боли в ребрах...

– Тебе сколько припаяли? Восемь? Наверное, много хапнул денежек! А мне за простой угон – пять лет впаяли, представляешь! Потому что в бардачке машины пушку нашли, и на ней якобы мои отпечатки. А из этой пушки якобы при ограблении бензоколонки стреляли... А им – легавым, мы чернокожие все на одно лицо! Меня на опознании посадили рядом с ребятами, этого хрена белого с бензоколонки привели и спрашивают, кто? Покажи! Он на меня пальцем – этот вот... – И Боб снова заржал и задергался. – А это и правда был я! Мы тогда с ребятами здорово обширялись, по три косяка засадили!

Но к вечеру у Боба настал момент истины.

Он стал рассказывать Павлу про нужные вещи, которые следовало знать любому прибывающему в Брикстон.

– Здесь в Брикстоне три группировки... Белые – снежки, эти особняком. В основном, это байкеры, «адские ангелы». Знаешь? Те, что на «харлеях» ездят. Они все больше качаются и тяжелый рок слушают.

«Грэйтфул Дед» и «Джэфферсон Старшип» – такая дрянь, ни один уважающий себя черный слушать не будет! Так они тебя вряд ли возьмут, если ты только себе свастику на члене не выколешь! Или тринадцать, или один процент – это их любимые татуировки... Тринадцать, это значит «Эм» – тринадцатая буква в алфавите, значит, марихуана... А один процент – это один процент полноценности... Понял? Так что, ты со своим бухгалтерским личиком к ним ну никак не подходишь... А к нашим ребятам – к черным братьям – ты само собой тоже никак не годишься, – заржал Боб и снова закорчился от пронзившей его боли.

– Нас – черных – здесь все боятся, мы здесь мазу держим.

И даже эти, которых здесь больше, – мексиканцы, они нас тоже уважают и не суются, потому что наши черные братья, они, сам понимаешь...

И Павел кивнул на всякий случай, мол, понимаю, хоть и была уже ночь и свет в палате был давно уже выключен...

– А эти, мексиканцы, они как? – спросил Павел,

– А мексиканцы... – запнулся было Боб, – а мексиканцы они крутые. Они, чуть что, сразу нож под ребра и все дела... Сперва нож под ребра, а потом уже думают... Хуже нас, черномазых, в этом смысле!

– Да?

– Угу, но ты к ним тоже никак не впишешься, разве что если на их девке женишься... – и Боб, снова ухая от боли, заржал...

– Кстати, говоря, эти мексиканцы ждут здесь какого-то богатенького белого, я точно слыхал, богатенького белого, который мексиканочку несовершеннолетнюю пользовал, ты понимаешь? Так вот, они здесь его ждут, и приготовились праздновать с ним свой мексиканский праздник... Не завидую я этому парню, ой не завидую! Мы, черные, мы в этом плане менее горячие. Хочешь нашу сестренку черную, да ради Бога! А эти... Эти, они как бешеные какие-то становятся... Так что, не завидую я этому парню, ой не завидую...

Павел не спал почти всю ночь.

Ум подсказывал ему, что все это подстроено одно к одному.

И маленькая Долорес, и обвинение в суде, и угрозы в отношении Татьяны... И теперь вот этот наивный чернокожий Боб с его переломанными ребрами... И кто ж ему ребра переломал? И за что? И как подучили его Павла пугать?

И все это как называется?

Психологическим давлением это называется.

Павел все понимал.

Но он был сделан из обычной человеческой плоти. И он не претендовал на лавры героя с железными нервами.

И к утру он уже был готов согласиться на любое предложение *той* играющей с ним стороны.

Той играющей стороны, что так затянула этот бесконечно длинный гейм.

Чья подача?

Их подача...

И предложение не заставило себя ждать.

Саймон и Саймон уже на третий после суда день приехали к нему в Брикстон, и свидание с адвокатами состоялось не как всегда – в просматриваемой охранниками и администрацией комнате, а....

...а в кабинете директора тюрьмы мистера Аткинсона...

Такой респект вообще никому и никогда не оказывался. Сам факт того, что Саймон и Саймон беседовали со своим клиентом в кабинете директора, должен был подчеркнуть исключительность этого события как для Павла... так и, может, в еще большей мере – для тюремного начальства!

Обоих Саймонов так и распирало от сознания некоей причастности к чему-то очень значимому и очень большому, о чем, правда, нельзя говорить напрямик, на что можно только намекать, скашивая глаза к небесам и приговаривая – ну вы ж понимаете, о чем мы говорим!

Саймоны начали с того, что Павел может не беспокоиться о семье, что миссис Розен устроена как нельзя лучше, что они позаботились не только о безопасности Татьяны, не только перевели на ее счет значительные суммы, но и помогли ей с работой в Голливуде, чтобы ей было легче пройти период так называемой психологической адаптации...

Это была очень важная и интересная информация.

Это означало, что те, кто подставил Павла под это страшное испытание, еще не окончили своей игры и что в его положении еще действительно может произойти событие, поворачивающее жизнь из негатива в позитив.

Павел не верил, что Саймоны могут подать какие-то эффективные апелляции или задействовать связи, выходящие на каких-то могущественных политиков, вроде конгрессмена от штата Калифорния, который при определенном раскладе мог бы посодействовать пересмотру дела...

Но как человек, воспитанный на советском опыте общения с великими и могучими тайными институтами, истинно вершащими людскими судьбами, Павел скорее верил в то, что изменить его положение можно только в обход закона... Как его посадили, инсценировав и подстроив все эти липовые обвинения, так и освободить его можно, тоже состроив какую-то большую-пребольшую туфту... Это как в сказке. Если царевича заколдовали, то и освободить его от чар можно только таким же колдовством...

И Павел оказался прав, хотя бы отчасти.

— Вы что-нибудь слышали о федеральной программе Минюста по модернизации системы исправительных учреждений и рационального использования труда заключенных? — хитро и как-то со значением спросил его старший Саймон.

Разумеется, Павел ничего ни о какой такой программе и слыхом не слыхивал.

— А такая программа принята Конгрессом, и мы имеем теперь реальную возможность подать заявку на участие в ней, — сказали Саймоны...

– А что это значит? – спросил Павел, инстинктивно почуяв здесь какой-то хороший подвох.

И, полагаясь на свое чутье, он правильно надеялся на то, что наступят лучшие времена.

– А это значит, – дуэтом сказали Саймоны, – что вам не придется сидеть в камере Брикстон-Призон, а вместо этого вы сможете жить и работать в самых цивилизованных условиях. Причем работать по вашей специальности и жить с комфортом, приличествующим вашим привычкам и статусу...

Слова эти нежно ласкали Павлово сердце. Он не хочет возвращаться в больничный блок. Он не хочет садиться в камеру. Он не хочет выяснения отношений с мексиканской мафией...

И уже через десять минут они подписывали шесть копий прошения. Саймоны, словно фокусники, что достают зайчика из цилиндра, вынули из портфеля готовые бланки...

– Завтра заканчивается ваше медицинское обследование?

– Через три дня, – честно ответил Павел.

– Мы постараемся, чтобы завтра в Брикстон приехал чиновник, отвечающий за федеральную программу...

– Уж постарайтесь, – фыркнул Павел.

– Мы защищаем ваши интересы, – с одинаковыми улыбками дуэтом пропели Саймоны, прибирая со стола шесть экземпляров прошения.

А понимал ли Павел, что это была игра?

Павел задавал себе этот вопрос, но, засыпая под мирно-безобидное воркование чернокожего соседа, он вдруг понял, что ему, в принципе, все равно. Как тому персонажу великого Камю. «Ça m'est égal... »[1] Ему все равно, игра это или нет.

В принципе, весь мир – это Голливуд.

А если перефразировать Шекспира чуть иначе, адаптируя старика к условиям современных электронных игр, то весь мир – это большая игра-стратегия...

---

[1] Мне все равно *(франц.)*.

И не один ли черт, реально так все совпало или какой-то великий кукловод так все соорганизовал, руководствуясь своими неведомыми им – нижестоящим пешкам – соображениями?

И какая с обывательски-философской точки зрения разница, кто, в конце концов, и на каком уровне выполняет для тебя функции Бога?

Бог на небесах с его Книгой Судеб, или заговорщицкий комитет мировых интриганов, сидящий в отеле «Тампа» во Флориде?

«Только то не все равно, что касается моей физической черной задницы», – так бы сказал этот чернокожий его сосед, умей он так связно выражать свои мысли!

Так что...

Так что, едем работать по специальности и жить с комфортом.

Так думал про себя Павел, убеждая себя в том, что отныне он это... Этранже, Посторонний, которому... Ça m'est égal!

Он припомнил, что все разговоры с Саймонами напоминали в последнее время детскую игралку в барыню, которая прислала сто рублей...

Да и нет не говорите, черного и белого не называйте....

Саймоны многозначительно закатывали к небу глаза и говорили: «Ну, вы же понимаете!»

И он понимал.

Ведь не дурак!

Хотя, хотя, конечно же, дурак!

Кто ж его просил заглядывать в Изин ноутбук!

На место они летели вертолетом. Обычным старым добрым армейским «Ю-Эйч», который ветераны Вьетнама любовно называли стариной «Хью»...

Сперва Павлу понравилось лететь в этой армейской, почти лишенной комфорта машине, потому что как и в военной кинохронике вьетнамских шестидесятых, старина «Хью» летел с открытыми боковыми рампами, из которых на лету вертолета в кабину сильно задувало столь необходимой здесь, в Аризонской пустыне, прохладой!

Но стоило им немного удалиться от частного аэродрома Пойнт-Эндрюс, где прилетевшего из Калифорнии Павла пересадили в вертолет, стоило им пролететь над каменисто-красной местностью пять или десять миль, как старший в штатском приказал двум сопровождавшим их военным надеть на глаза Павла черную повязку.

– Что за фокусы? Что за детектив? – хмыкнул Павел, однако покорился силе, и полет для него продолжался уже втемную.

Летели около часа.

В какой-то момент в глубине сознания у Павла возникла и стала разрастаться какая-то паранойя – а вдруг сейчас они возьмут, да и выкинут его из вертолета!

Павел даже припомнил какие-то фильмы и криминальные репортажи, когда пассажиров выбрасывали из летательных аппаратов, чтобы имитировать смерть от несчастного случая.

Тревога в груди Павла все увеличивалась от того, что начав сопоставлять факты недавнего прошлого, он припомнил и гибель Айзека Гольдмана в автокатастрофе, и взятку наличными, которую ему предлагали в офисе «Блю Спирит», назвав ее не взяткой, а зарплатой для членов клана посвященных...

«Выкинут меня сейчас, как бедного Айзека, посадят потом в разбитую машину, сбросят с обрыва, а дорожная полиция потом составит протокол», – думал Павел, накручивая страх в груди.

Но разум оппонировал, возражая этому страху, – а зачем же так сложно-то? Разве нельзя было организовать ему катастрофу там в Калифорнии? И неужели для этого было так необходимо тащить его на край света – в пустыню штата Аризона?

Наконец, вертолет плюхнулся своими стальными салазками на гравий специальной посадочной площадки. И химеры страха мгновенно растворились, едва охранники сняли повязку с его глаз.

Яркий свет сперва почти ослепил.

Он спрыгнул в красноватую пыль. Здравствуй, Ред-Рок! Сколько-то ему – Пашке предстоит теперь здесь прожить?

А жить предстояло не так-то уж и плохо.

– Жить будете в индивидуальном блоке Би-девять, это по Секонд-Драйв, вы легко найдете, – сказал ему главный администратор. – Вот ключи от вашего коттеджа...

Они сидели в просторном кабинете главного администратора, в кабинете с кондиционером и огромным аквариумом, где плавали хищные океанские рыбы. Павел отметил и волнообразно перемещающегося ската, и небольшую белую акулу, и пару не то мурен, не то барракуд ...

– Вы можете свободно перемещаться по территории Кэмп Ред-Рок, господин Розен, вы можете пользоваться всеми имеющимися в Кэмп Ред-Рок теннисными кортами, полями для гольфа, бассейном, – администратор слегка запнулся, перечисляя все «плежерз», имевшиеся в арсенале развлечений. – У нас также есть конюшня с лошадьми для верховой езды, есть библиотека и кинотеатр... Вы, кстати, ездите верхом?

– Я? Нет! – испуганно ответил Павел.

– Это хорошо, – кивнул администратор и замолчал, задумавшись о своем.

Павел не понял, почему то, что он не ездит верхом – это хорошо, и принялся разглядывать маленькую белую акулу в аквариуме, как она грациозно переворачивалась на спину, дабы ухватить плавающий у поверхности корм...

– Вы можете свободно перемещаться по территории Кэмп Ред-Рок, но не можете покидать территорию, – сказал администратор, – а для того чтобы вы, мистер Розен, не волновались, волнуемся ли мы за вас, не зная, где вы находитесь, – администратор улыбнулся улыбкой кинозлодея, – мы попросим вас повсюду носить вот это...

Администратор протянул Павлу металлический браслет.

– Наденьте его, прошу вас, – сказал он уже без улыбки, – и не снимайте его вплоть до специального нашего разрешения, о'кэй?

– О'кэй, – ответил Павел, защелкивая замочек браслета на своем левом запястье.

– А теперь, идите, располагайтесь. К работе приступите завтра.

Павел бросил еще один взгляд на белую акулу и вышел из кабинета.

Никто его теперь не сопровождал.

Никто не дышал ему в спину.

Только браслет на левой руке теперь был его невидимым конвоиром.

Разобрался Павел быстро.

Найти блок Би-найн по Секонд-драйв было парой пустяков.

На манер Нью-Йорка все проезды в Кэмп Ред-Рок назывались «драйвами» и «роуд». Те, что с севера на юг, – те имели статус «роудов», а те, что с запада на восток, – назывались «драйв»...

Его проезд был вторым от северной границы Кэмпа. Вдоль асфальтированной дорожки в ряд выстроились аккуратные белые домики, окруженные ювелирно подстриженными зелеными газонами с великолепными то тут, то там розариями, полнящимися настоящими техасскими желтыми розами.

Фонтанчики дождевальных оросителей газонов то тут, то там, повинуясь своему таймеру, выбрасывали в жаркую голубизну неба тонкие струйки влаги, которые не успев испариться прямо в воздухе, распылялись мелкой аэрозолью, вспыхивали вдруг всеми цветами радуги...

Это так умиротворяло, что Павел вдруг остановился и подумал, что почти счастлив!

Счастлив от того, что жив.

От того, что цел и невредим.

И что вот смотрит на радугу, вспыхивающую в этих фонтанчиках, любуется желтыми розами — символом Техаса — и радуется жизни...

Он очнулся от оцепенения, когда над его головой низко пророкотал вертолет.

Павел поглядел, как из едва плюхнувшейся на салазки винтокрылой машины, не армейского «хью», а из комфортной франко-германской «алуэтт», на землю Ред-Рока сошли три джентльмена...

Один из них особенно привлекал внимание. От него исходила какая-то особая энергия. Невысокого роста, с голым бритым черепом, похожий на монгольского витязя времен Чингисхана...

Когда джентльмены подошли к группе встречающих, среди которых Павел отметил и главного администратора, их взгляды — взгляды Павла и Чингисхана — скрестились.

«Так вот он какой, новый босс, — отчего-то подумалось Павлу. — Это вам не Шеров доморощенный, это всерьез... Бр-р!»

Павел отвернулся.

В домике по адресу Би-найн на Секонд-драйв Павел нашел все, в чем мог нуждаться человек, привыкший к комфорту.

На нижнем этаже расположились довольно просторная гостиная с мягкой мебелью, стереосистемой и домашним кинотеатром, небольшая кухня-столовая и кабинет. А на втором этаже, куда из гостиной вела крутая деревянная лестница, были ванная комната, спаленка и открытая веранда с видом на розарий...

В холодильнике Павел обнаружил неплохой ассортимент бутылочного немецкого пива и французских сыров. Были и бри, и любимый камамбер марки «каприз де Дье»...

Павел не удержался от искушения и отщипнул кусочек, тут же отправляя его в рот.

Он принял душ и, растираясь полотенцем, вышел на открытую веранду. Он стоял в одних трусах и любовался желтыми розами. Они были удивительно кстати здесь в этой жаре! Именно yellow roses of Texas, а не иные, красные или чайные! Он растирал влажную грудь и любовался цветами, как вдруг перехватил на себе взгляд.

С противоположной стороны дороги, с крыльца домика Си-найн по их Секонд-драйв, ему махала симпатичная худенькая девушка.

Она, по-видимому, только вернулась с пробежки...

– Хай, – крикнула девушка.

– Хай, – ответил Павел и тоже улыбнулся.

Глава двадцатая

БОГ, В ЛЮБОВЬ ПРЕСУЩЕСТВЛЕННЫЙ?

(*ноябрь 1995, Занаду*)

К полудню следующего дня проглянуло солнце и неуместно радостно заиграло в оконных витражах дома. Обогнув черную сухую чашу бездействующего фонтана, женщина и мальчик, одетые во все черное, вышли на аллею и двинулись в глубь парка. Доносившиеся откуда-то сбоку мелодичные звуки сначала сбили с шага, потом заставили оглянуться, наконец, повернуть направо. Там, на ничейном пространстве, где заканчивался регулярный сад и еще не начинался английский парк, столь искусно имитирующий дикую природу, на широком газоне, где, помнится, так славно резвились в серсо и бадминтон, возвышался громадный полосатый шатер шапито. Оттуда-то и доносилась музыка. По мере приближения Таня начала различать инструменты — флейта, скрипка или две, виолончель. Исполнялось что-то ненавязчиво-классическое, легонькое, если не сказать — легкомысленное.

Прямо не похороны, а приватное представление для друзей. Старый греховодник и здесь остался верен себе. Покосившись на мальчика, леди Морвен стерла с лица невольно набежавшую улыбку — и заметила, как Ро поспешил сделать то же самое. Даже сердце защемило от внезапно нахлынувшей нежности. Мы с тобой одной крови, малыш...

Они миновали последнюю полоску опилочной мульчи, сквозь которую несвоевременно проклюнулся нежно-зеленый росточек, перешли каменный мостик, перекинутый через пока еще сухой ров, не задержались возле длинного стола под белоснежной и практичной пластиковой скатертью. В торцах стола стояли одинаковые сервировочные тележки, посередине красовалась громадная серебряная чаша для пунша, возле которой хлопотали двое лакеев в белых передниках поверх малиновых ливрей с золотым галуном. Третий, без передника, молча поклонился и приподнял полог, открывая вход в шатер.

Разноцветная гирлянда китайских фонариков, протянутая по окружности брезентового купола, светила в четверть силы, поэтому в первые мгновения, пока глаза привыкали к полумраку, леди Морвен не столько разглядела, сколько энергетически ощутила присутствие большого числа молчаливо стоящих людей. Первыми обрели отчетливость силуэты музыкантов, стоящих на возвышении в центре. Она оказалась права – флейта, виолончель, две скрипки, концертные фраки, Моцарт... Вид на то, что размещалось ниже музыкантов, перекрывала высокая плечистая мужская фигура. Леди Морвен сделала полшага в сторону.

Возвышение, на котором стояли музыканты, оказалось плоской вершиной небольшого грота. Резные воротца грота были плотно прикрыты, а перед ними на странном, отливающим металлом помосте стоял роскошный гроб красного дерева с блистающей медной отделкой. А в гробу, на белом атласном ложе, покоился строитель и хозяин Занаду.

Макс Рабе, непревзойденный Мастер Иллюзии, принимал гостей лежа, затаив улыбку, в густой белой бороде и сложив на груди узловатые, побитые старческой «гречкой» гениальные руки.

У гроба стояли, одна за другой, две обитые красным бархатом скамеечки. На ближней к покойному восседала незнакомая Тане дородная пожилая дама в платье, хоть и траурном по цвету, но пышном и декольтированном несообразно обстоятельствам. Черные, вьющиеся волосы были совсем по-русски подвязаны черным платком. Сидящий с ней рядом Нил Баренцев был одет не более адекватно – в какую-то бархатную толстовку, еще хорошо, что черную. Лиц Таня не разглядела: женщина рыдала, закрывшись кружевным платочком, Нил, отвернувшись, что-то шептал ей на ухо, так что Тане видны были лишь ухо и краешек скулы. На второй скамейке разместились трое – посередине бородатый мужчина лет шестидесяти, чей облик показался Тане смутно знакомым, и две тоже немолодых, но благородно красивых женщины по бокам. Одна из них подняла голову и, увидев Таню, изогнула в подобии улыбки молодые, чувственные губы, и кивнула. Таня мгновенно узнала ее – да и кто не узнал бы кавалерственную даму Роз Сьюэлл, лучшую, по единодушному мнению как критиков, так и публики, леди Макбет и Екатерину Великую британских подмостков. Немного удивленная присутствием здесь великой актрисы, знакомством с которой старый Макс не похвалялся ни разу, Таня сжала руку Нилушки и двинулась к скамейке. Но тут на нее обернулась вторая женщина, и удивление перешло в полнейшее, парализующее изумление. На нее доброжелательно взирала вторая Роз Сьюэлл, ничем, кроме покроя плеч, не отличающаяся от первой.

Таня замерла, и тут же услышала за спиной вежливое покашливание. По одному этому звуку она узнала старого Спироса, обладавшего умением – высший пилотаж в профессии мажордома! – за исключением нескольких минут в сутки быть абсолютно незаметным.

– Здравствуй, Спирос, – прошептала Таня.

– Здравствуйте, ваша светлость, – скорбно прохрипел Спирос. – Прошу вас вместе с юным лордом проследовать за мной. Ваше место – рядом с ближайшими родственниками...

Ближайшие родственники? Из родственников Макса Рабе Таня встречала лишь милую, но безнадежно маразматическую старушку Евгению, появившуюся здесь где-то между весной восемьдесят восьмого и осенью девяностого, в период долгой разлуки, не Таней инициированной. Старушка бодро музицировала на фортепьяно и называла старика «майне зюссе пюпхен», то бишь, сладенькой куколкой. Посмеиваясь в бороду, Макс пояснил тогда, что сия дама, хоть и сверстница ему, но не сестра и, благодарение Богу, не супруга, а мачеха, вдова его батюшки, почтенного негоцианта, на старости лет сделавшегося падким на молоденьких. После кончины брата, содержавшего старушку, он счел своим долгом принять на себя заботу о ней. Спустя несколько месяцев после этого разговора вдова воссоединилась с супругом и младшим из пасынков в фамильном склепе на муниципальном кладбище городка Штаффхаузен, что на севере Швейцарии. Ни о каких других родственниках греческий затворник и словом не обмолвился...

Спирос провел их мимо скамейки с двумя Роз Сьюэлл и показал на места рядом с толстой дамой и Нилом в толстовке. Отняв от лица платочек, дама взглянула на них и отвернулась. Нил вообще не посмотрел в их сторону.

Между тем с площадки как-то подозрительно быстро и незаметно исчезли, словно истаяли, музыканты, а на их месте возникла громадная спинка вольтеровского кресла. Медленно, под нестихающие звуки менуэта кресло развернулось к собравшимся.

Тут уж ахнули все! Ибо в кресле, укутанный клетчатым пледом, сидел господин Рабе собственной персоной. Одновременно – и незаметно! – что-то хитрое произошло с освещением, и гроб с телом Мастера перестал быть виден, словно ушел в толщу черной воды.

Фигура на возвышении негромко хлопнула в ладоши. Гул мгновенно улегся.

– То-то, – сказала фигура надтреснутым, но звучным голосом Мастера Иллюзий. – Ну, здравствуйте, родненькие. Спасибо, что заглянули на огонек... Право слово, если вам и впрямь не безразличен этот старый дуралей, то надо только радоваться за такой финал – на девяносто девятом году насыщенной и полнокровной жизни, в ясном уме и доброй памяти, оставив после себя домишко, садик, кой-какой счетец в банке, пару достойных учеников и славного наследника... Эй, юный лоботряс, я про тебя говорю!..

Повинуясь движению его руки, луч света упал на Нила-младшего. Парнишка растерянно заморгал, сжал Танин локоть, но быстро совладал с собой, придав лицу бесстрастное выражение.

– Разрешите, дамы и господа, представить вам четырнадцатого лорда Морвена, нового владельца поместья Занаду. Надеюсь, его светлость удовлетворит последнюю просьбу предшественника, чтобы одну неделю в году, третью неделю ноября, ворота Занаду были открыты для всякого желающего, чтобы в охотку выпить, закусить, славно повеселиться, а заодно помянуть старого Макса, который, ей-богу, прожил жизнь, никому не желая зла, и, уходя, сожалел лишь о том, что так и не сумел пережить этого стервеца Эрнста Юнгера. Я ведь от него так и не дождался благодарности за ящик чудной «метаксы», посланный в прошлом году на его столетие!.. Ну, так как, мальчик, обещаешь?

Четырнадцатый лорд Морвен слегка наклонил голову.

– И славно!.. А теперь посидим на дорожку. Только я отправлюсь в путешествие один. Мне пора к Богу, а вам всем, дорогие мои, с Богом. Живите долго. А пока выпейте за помин души.

Мастер Иллюзий, чуть взмахнув рукой, растаял в темноте. И тут же вспыхнул яркий свет.

–Вот что придумал! Я же знал, что будет суперфокус, – уверился мальчик, когда вместо гроба все увидели стол, на котором стояли наполненные водкой хрустальные бокалы.

Невидимый хор грянул Бетховена:

– Радость, пламя неземное,
Райский дух, слетевший к нам,

Опьяненные тобою,
Мы вошли в твой светлый храм...

— Ты сближаешь без усилья всех разрозненных враждой, — поднявшись, подхватила полная женщина. У нее оказался потрясающий голос — звучный, сильный, профессионально поставленный, с едва заметным возрастным дребезжанием: — Там, где ты раскинешь крылья, люди — братья меж собой...

На припеве включились чуть не все присутствующие. Не знавшие немецких слов пели кто по-французски, кто по-английски, не знавшие текста вовсе вдохновенно выводили «а-а-а»:

Обнимитесь, миллионы!
Слейтесь в радости одной!
Там, над звездною страной,
Бог, в любовь пресуществленный...

Повинуясь общему порыву, запела и Таня. Нил повернул голову и в упор посмотрел на нее.

У леди Морвен подкосились ноги. Земля качнулась и поплыла куда-то вбок...

К Тане подошла Роз Сьюэлл и представила сестру-близнеца, Лили Монтгомери, профессора психологии Калифорнийского университета, и писателя Джона. Когда-то в юности они с сестрой основательно поморочили Джона на этом самом острове не без помощи Макса. Потом он об этом написал книгу.

—Где изрядно наврал... скажем, приукрасил, — усмехнулась Лили. Или то была Роз?

Таня улыбнулась в ответ.

— Ну кто же не читал «Кудесника»!

— Старый кудесник остался верен себе, — заметил Джон. — Продуманный сценарий, трехмерные голографические проекции, светозвуковые приемы, своевременное отвлечение внимания... Однако, ваша светлость, ваш парнишка что-то бледноват, давайте-ка выйдем на воздух...

Джон решительно взял под руки Лили и Роз и вывел из шатра на лужайку. Таня взяла Ро за руку и направилась следом. Свежий ноябрьский ветерок растрепал не по возрасту густые волосы Джона, и всемирно известный писатель сразу же стал похож на седеющего Мефистофеля.

Остановились возле стола с пуншем.

Лакей в переднике молча наполнил кружки горячим ароматным варевом.

– А где же ваш супруг, неподражаемый лорд Морвен? – осведомилась Роз. – Здоров ли?

– Благодарю, вполне. Неотложные дела не позволили ему прибыть сюда, но он прислал телеграмму соболезнования и венок.

Джон поднял кружку и провозгласил:

– За незабвенного нашего Макса! – Слова свои он сопроводил грустной, должно быть, улыбкой, но на его морщинистом, подвижном лице всякое сокращение мускулов читалось, как сардоническая усмешка. – Как говорится, прах к праху. Он ушел победителем.

– Победителя определяют судьи... – задумчиво проговорила леди Морвен.

– Чье существование сомнительно, а критерии непознаваемы, – парировал Джон. – В последнее время я все больше склоняюсь к убеждению, что нет никаких судей, нет никакой вечности, никакого света в конце туннеля и никакого пути назад. Есть черная бездонная пропасть. И все...

– Мрачноватое убеждение, – с улыбкой заметила Роз Сьюэлл. Или то была Лили Монтгомери?

– Отнюдь. По крайней мере, гарантировано отсутствие разочарования, когда выяснится, что шоу закончено, и выход на новый уровень правилами игры не предусмотрен...

Из шатра выходили люди, обмениваясь добрыми словами об усопшем и замечаниями о погоде и здоровье, важно кивали, направлялись к длинному столу с закусками и пуншем в серебряных чашах. Леди Морвен, с кем-то здоровалась, отвечала на чьи-то вопросы, но взгляд ее был устремлен на откинутые полы шатра. Оттуда все выходили и выходили люди, и, наконец, одним из последних показался Нил, поддерживая под руку толстуху в нелепом платье. К нему обратились сразу двое, показывая в направлении стола. Их слов Таня не слышала, но порыв ветра донес до нее холодно-вежливый ответ Нила:

– Прошу извинить, господа, но маме нездоровится, ей нужен покой...

Маме? Ну да, конечно же, Ольга Баренцева, блистательная кировская примадонна. О Боже, что с нами делает время...

Нил, не оборачиваясь, вел мать через сад к дому, а Таня все не могла отвести взгляда от их удаляющихся фигур. Таня прищурила глаза и перевела взгляд на мальчика.

– Ро, ты знаешь, кто этот человек?

Нил-маленький дотронулся до ее руки и обыденно отозвался:

– Да, да, Тата. Это мой отец.

Поминальный ужин закончился, и гости постепенно начали разъезжаться, а те, кто оставался на ночь, разбрелись по своим комнатам. Тех, кого касалась последняя воля усопшего, адвокат пригласил в кабинет.

Юному лорду не удалось остаться незамеченным, и пришлось покинуть кабинет, где, как он догадывался, можно было услышать много интересного.

Из оглашенного завещания стало ясно, что дедушка Макс выполнил обещанное – завещав некоторые свои коллекции старым друзьям, небольшие денежные суммы верным слугам, а третью часть денежного капитала – своей дочери, Ольге Владимировне Баренцевой, все остальное, вкупе с островом Танафос и расположенным на нем поместьем Занаду, он оставил своему правнуку Нилу Дальбер-Баренцеву, ныне Морвену. До достижения наследником двадцати одного года над наследством устанавливалось опекунство двух лиц – Нила Баренцева и Дарлин Теннисон, леди Морвен.

Как только за адвокатом закрылась дверь, и они остались одни, Нил с холодным спокойствием достал из кармана чековую книжку и положил перед Таней.

– Что это? – Она удивленно посмотрела на Нила и отодвинула ее от себя.

– Не притворяйся, опекунша, хватит. Пиши любую сумму, и мой самолет к твоим услугам через полчаса. В любую из выбранных вами, леди, частей света. Хотя тебе больше подходят части тьмы. Матерью моего сына ты не будешь никогда. Теперь я у него и мать, и отец, и все родственники сразу. Найдешь другой объект для своих экспериментов над людьми.

– Но что ты знаешь обо мне? Той прежней Тани, которую ты знал в России, уже нет...

– О да, я даже был на ее могиле в Ньюгейте. Кстати, благодарные клиенты мадам Дарлинг до сих пор приносят цветы.

– Ты и об этом знаешь? Пойми, меня тогда подставили, и у меня не было выбора... Я теперь совсем другой человек, меня зовут Дарлин Теннисон, в супружестве – леди Морвен.

– Как же, наслышан... Меценатство, благотворительность, гуманитарные технологии. Пока я не знал, что леди Морвен – это ты, все никак понять не мог, что такое гуманитарные технологии. Теперь понимаю.

– И что же?

– Опыты над людьми. Использование. Лепка судеб. Игра в Господа Бога. Линда, которую последний раз я видел живой в твоем обществе. Костя Асуров, которого ты и твой покровитель Шеров купили или запугали, сделав из честного служаки вашего верного раба. Сесиль, в чью постель меня подозрительно быстро запаковали, как только ты свалила за границу. Лиз, которая после рождения сына и знакомства с тобой отчего-то села на иглу. Ваш покорный слуга, которого не грохнули в Питере лишь благодаря твоему заочному вмешательству. Должно быть, вовремя сообразила, что с меня живого можно поиметь куда больше, чем с мертвого. Ты права. Вот, я подписываю пустой чек. Сумму проставишь сама.

Таня не шелохнулась.

– Да кто ты такой, чтобы судить меня? Ты, который палец о палец не ударил, чтобы чего-то в жизни достичь, которому все само в руки сыпалось?! Париж – пожалуйста, миллионы – пожалуйста, сын-наследник – пожалуйста! Хотя нет, тут ты, конечно, руку приложил, точнее, не совсем руку... Любопытно, а сколько всего детишек настрогал наш Папа Карло в поездах дальнего следования?

Таня встала, подошла к камину, посмотрела в огонь. Нил вздрогнул, как от удара током.

– Твои провокации уже бесполезны. Когда-нибудь ты захлебнешься собственным ядом. А пока мои юристы в полном твоем распоряжении. Твоя инфекция очень опасна для моего сына, поэтому я обещаю, что изоляция будет абсолютной. Варианты не рассматриваются.

Таня, так и державшая стакан с виски в руках, мгновенно выплеснула его содержимое прямо в лицо Нилу. За что в ответ сильная пощечина окрасила половину лица. Таня тигрицей бросилась на Нила.

Чувство материнства, так и не раскрывшееся в молодости, придало ее ударам невероятную для женщины силу. У нее хотят отнять самое дорогое и драгоценное на свете существо. Нилу пришлось быстро перейти в оборону, но удары были так ощутимы, что он вынужден был с силой оттолкнуть Таню. Она пролетела несколько метров и, задев головой массивную резную голову льва на подлокотнике кресла, рухнула на пол. Нил подошел, вытащил ее к дивану и положил, но тут же снова получил в челюсть по касательной и, скорее не от силы удара, а от неожиданности, неловко упал на спину. Таня вскочила и сильно приложилась ногой в печень.

И тут сверху, где располагалась библиотека, раздался голос:

– Тата, я не знал, что если любовь, то сначала надо драться так сильно, а уже потом жениться. Здорово вы это, ну, боретесь. Ты же мне на ужине сказала, что мы вместе теперь будем любить его, а сама так его исколотила, что он и встать не может. Вот Макс увидит, какой вы погром тут учинили, всем попадет. И вообще, если ты правда его любишь, то что мы будем делать с Морвеном? Лучше бы об этом подумали!

Нил-Нил уже спустился вниз, и теперь взрослые смотрели на него сверху. От неожиданности все растерялись.

Таня устало рухнула на диван и притянула к себе мальчика. Он привычно обнял ее.

– С Морвеном я уже все решила, а вот с женитьбой папа решил повременить, как мне кажется. – Таня, как могла, скрывала предательскую дрожь, которая пронзила все тело.

– Нил, а тебе нравится моя Тата? Она всем нравится, потому что она самая прекрасная на свете Тата.

Таня разревелась, а мальчик испугался по-настоящему. Он еще никогда в жизни не видел, как Тата плачет. Это оказалось совсем невыносимо. Он гладил ее мокрое лицо и целовал.

– Ну, не плачь, не плачь, что ты, как девчонка... – Но Таня зашлась совершенно по-русски, и за Макса, и за себя, и за рухнувшие мечты о счастье. – Тат, ну все, все, а то Макс услышит и тоже расстроится, а ему нельзя. У него же сердце.

Нил подошел к сыну и Тане.

– Нил-Нил, Макса больше нет, это не фокус, дорогой, он действительно умер.

– Это неправда, – спокойно ответил мальчик.

Он поднялся и как-то особенно торжественно подошел к двери, потом он также тихо вышел и прикрыл за собой дверь.

Нил через минуту почувствовал неладное и бросился вслед, но сына он не нашел ни в детской, ни в других комнатах. От Тома он узнал, что Нил-Нил спокойно вышел из дома и только потом быстро убежал в сторону парка. Они бросились искать, и Таня металась в темноте, крича Нила.

– Надо зажечь фонари по всему парку! – крикнул Нил садовнику, выскочившему на крики.

— Поздно! — услышал он за спиной и обернулся.

Шатер Макса Рабе вспыхнул гигантским костром в черное небо.

— Огненная жертва из дома твоего! — непонятно вскрикнула Таня и упала без чувств.

Пока Нил добежал до шатра, горел весь купол. Нил бросился в середину и схватил мальчика, стоявшего в центре под пылающей крышей. Как только они выскочили из опасного круга, конструкция рухнула.

Нил сам отнес ребенка в спальню, Том принес туда же бесчувственную леди Морвен, и они с Агашей тут же принялись хлопотать вокруг них. Спирос кинулся звонить доктору, но тот, увидев с трасы пламя, сам развернул машину и вернулся в дом Макса.

Помощь его особенно и не понадобилась. Нил-Нил оказался только перепачканный золой, ожогов, слава Богу, не случилось, лишь волосы немного подпалились. Пришла в чувство и Таня.

Но уколы доктор все равно сделал, потому что шоковое состояние было у обоих стабильно серьезным.

Нил-Нил все равно не засыпал. Таня ни на минуту не отходила от мальчика, а он лежал с открытыми глазами и ни на кого не реагировал.

Таня завернула его в плед и, взяв на руки, начала баюкать как маленького.

Нил, весь разбитый, сидел в кресле.

Спи, малютка, мой прекрасный,
Баюшки-баю.
Тихо смотрит месяц ясный
В колыбель твою.
Стану сказывать я сказки,
Песенку спою;
Ты ж дремли, закрывши глазки,
Баюшки-баю...

Дам тебе я на дорогу

Образок святой:
Ты его, моляся богу,
Ставь перед собой;
Да, готовясь в бой опасный,
Помни мать свою...
Спи, мой Нилушка прекрасный,
Баюшки-баю.

— Мне страшно, мама... — прошептал мальчик и расплакался. Таня все пела и пела лермонтовскую казачью песню, пока ребенок, выплакавшись, не заснул у нее на руках.

Нил взял сына на руки и осторожно положил на кровать, прикрыв одеялом. Таня так и оставалась сидеть на краю, закрыв лицо руками, но Нил понял, что она плачет.

— Какой же я дурак...

Нил опустился на колени и обнял ее. Потом поднял на руки и отнес к себе...

Все подозрения растаяли мгновенно. Нил понял, что тогда, в Мэриленде, он ошибся, не могла такая женщина хладнокровно убить двух человек, пусть даже и негодяев.

— Только не расплескай, а то ты вечно проливаешь на все, что попало. — Нил подал ей виски и чуть коснулся о край своим стаканом. Хрусталь тихо отозвался. — За нас троих без слез и без огня!

— Только не говори, что любишь меня, потому что только я умею любить и никто так, как я, даже ты.

— Кажется, у нас начались отношения, но выяснять мы их теперь подавно не будем.

Нил нажал на кнопку ночника, и звездная ночь высыпалась в окно.

Третье утро на острове выдалось солнечным и ясным. В саду вовсю шла уборка следов пожара, и скоро общими усилиями только обгоревшая трава напоминала о ночном кошмаре. Настроение у всех домашних было еще тревожное, но счастливое спасение Нила, о котором все только и говорили, постепенно развеивало печаль прошедшего дня.

Нил проснулся и долго смотрел на спящую Таню. Так много произошло за эти бесконечно долгих два дня. Сомнения навалились с новой силой.

Верить ли ей или нет? Может быть, это все – только первый акт хорошо продуманного сценария? Или это, как говорят в России, приворот? Но до банальности не хочется потерять ее. Что будет теперь? Разорвать сына пополам – безумие. Мальчик любит ее, а она его. После смерти Макса вторая потеря близкого для ребенка человека губительна... Нил все смотрел и смотрел на спящую женщину и не находил ответа.

– Ты все еще не веришь мне? – не открывая глаз, спросила она. – Я никогда больше не буду тебе ничего доказывать и оправдываться в том, что я не совершала или совершала. Ты рано или поздно полюбишь меня, наверное, не так, как я, но все равно полюбишь, а пока не надо торопить время. Я хочу, чтобы теперь каждый день был долгий-предолгий. У меня никогда не было такого мужчины, как ты, и я буду бороться за тебя ради нас с тобой. К сердцу прижмешь или к черту пошлешь – все теперь не важно. От тебя и хула – похвала... Я люблю тебя, и ради этого одного стоило родиться. Только сейчас я поняла, почему любовь – это божественное чувство.

Солнечный луч пробился между штор и осветил Таню. Золотистые глаза сверкнули, и Нил сдался...

Солнце поднялось уже высоко, когда в дверь тихо постучали. Нил быстро накинул халат, а Таня нырнула под одеяло.

– Ну, что вы все спите и спите. – Нил-Нил боком вошел в спальню. – Вылезай, Тата. Я уже взрослый и давно все понимаю. Если честно, то я не против, что вы так решили.

Нил-Нил был серьезен и речь свою произнес, как взрослый, что и рассмешило всех. Таня высунула голову из-под одеяла и, хохоча, протянула руки к мальчику. Нил-Нил прыгнул в кровать целовать дорогую Тата.

– Да, кстати, я окончательно познакомился сегодня с новой русской бабушкой. Она ничего, только вряд ли я смогу принять ее предложение насчет переезда в Россию. Сами понимаете, столько дел в Занаду. Везде глаз да глаз нужен. Хозяйством-то надо управлять. Да, Тат?

Таня опять чуть было не рассмеялась, но сдержалась. Нил-Нил говорил совершенно серьезно.

– Так, надо идти разбираться, а то Нил-Нила по частям растащат по всему свету. – Нил Баренцев решительно поднялся с кресла.

Успокоить мать не составило труда: Нил хорошо знал ее. Все аргументы в пользу переезда ребенка в Санкт-Петербург были разбиты до основания. Правда, Нилу пришлось напомнить матери о своем детстве, которое проходило в режиме сиротства, по причине тотального отсутствия родительницы – актрисы. У Ольги Владимировны после столь грустных детских воспоминаний сына мгновенно разыгралась мигрень, но разговор был прерван Спиросом, который сообщил, что с билетами до Парижа все улажено, и не только можно, но и просто необходимо срочно собираться, потому что частный самолет вылетает на большую землю через час.

Прощание было театрально бурным. Нил-Нил, весь затисканный и обцелованный новой бабушкой, был немного смущен и все же на прощание пообещал непременно приехать в гости и даже назвал Ольгу Владимировну бабушкой, свято веря, что такое обращение успокоит и обрадует новую родственницу. Но примадонна мгновенно покрылась пятнами и, приблизив к себе мальчика, прошептала:

– Дорогой мой, прошу тебя звать меня Олюня и никак иначе, а то я расстроюсь навсегда.

Мальчик равнодушно кивнул, но в душе не согласился с предложением. «Бабушка» все-таки звучало гораздо интереснее.

Нила всегда коробило, что мать давно соединила театр и жизнь в один большой одноактный спектакль, но с возрастом он уже перестал так раздражаться, как раньше. Когда мать пошла от дома к машине, в которую были погружены, как всегда, громадные чемоданы с совершенно бесполезными вещами, без которых она не представляла ни одно путешествие, сердце Нила защемило. Только в этот момент он заметил, как постарела его вечно молодая мама, как тяжело она стала ступать, как трудно ей держать спину и плечи, предательски сгибающие ее когда-то прямой стан.

– Мам, мы приедем, обязательно приедем! – крикнул Нил и, когда машина уже исчезла из виду, все так и стоял на пороге, пока мальчик не дернул его за руку.

– Давай прокатимся на яхте. И Тата возьмем. Ветер сегодня, что надо, может без мотора даже получится.

– А кто будет капитаном? – спросил Нил почти серьезно.

– Конечно ты! Я согласен на помощника, а матросом назначим Тата, а то она всегда была капитаном раньше, думаю, она не обидится, что мы ее разжаловали на время.

– Думаю, нет, если только на время – и только до старшего матроса.

Идея прокатиться по морю втроем Тане не понравилась.

– Понимаешь, Нил, ребенок перенес сильный стресс, доктор настаивал на покое. Может быть, просто погуляем по острову. Он вообще страдает повышенной возбудимостью. А после всего, что случилось, ему долго еще придется приходить в себя.

Нил даже не успел ответить, потому что мальчик гневно накинулся на Таню.

– С каких это пор ты стала называть меня ребенком! Я и не выходил из себя, поэтому приходить в себя мне не требуется! И почему ты так говоришь, как будто меня нет рядом. Это нечестно, а еще друг называется. А если вы не хотите, то я и сам могу, без вас!

Нил-Нил развернулся и, прикусив от обиды губу, бросился в дом.

— Вот, я же тебе говорила, надо его поберечь. Сейчас и возраст переходный начинается. Надо время, что бы он привык жить без Макса и научился жить с тобой.

— Разберемся.

Нил обнял Таню и повел в дом.

С моря остров Танафос был похож на гигантскую темно-зеленую шляпу с полями, а редкие постройки — на значки, приколотые где попало туристом-великаном. Море, обманчиво-теплое, соблазняло окунуться в курчавые волны. Но желающих на острове в это время года уже не было.

— Вам нужна моя помощь, сэр? — Том грузил на яхту все необходимое для вояжа. — Погода в ноябре неустойчива, советую вам далеко не уходить от берега. Сегодня к вечеру обещали усиление ветра. Будьте осторожны, сэр.

— Спасибо, ты свободен. Я справлюсь сам, ведь у меня крутая команда! — Нил весело подмигнул сыну, мальчик просто светился от счастья.

Во все обещанные прогнозом три балла дул ровный зюйд-вест.

Прикинув маневр таким образом, чтобы мористее обойти мелкое место у северной оконечности острова, Нил пошел бейдевиндом... Кроме довольного, надувшегося грота, поставил пока только один фока-стаксель. Он сидел на мокрой от брызг шкиперской банке и, не глядя на компас, ненужный покуда в пределах видимости острова, легонько подправлял штурвалом, держа курс на условную точку горизонта, что сам наметил себе в полумиле от крайней оконечности суши...

— Приготовиться к повороту! — крикнул Нил. — Грота-стаксель ставить, спинакер готовить!

Он не сдержал удовлетворенной улыбки, глядя, как его старший матрос, ловко перебирая шкот, поднял огромный парусиновый треугольник, что тут же, поймав ветер, добавил яхте хода...

— Поворот, — крикнул Нил, инстинктивно пригибая голову....

И гик в полуметре прошел над его белой шкиперской фуражкой.

Не ожидая дополнительной команды, старший матрос с помощником капитана – забавно старающимся Нил-Нилом – перекинули оба стакселя...

Яхта накренилась, помчавшись под углом к ветру...

Вот парадокс, чем круче к ветру, тем быстрее!

Но Нилу не терпелось посмотреть на свою яхту в полном парусном вооружении.

– Приготовиться к повороту, пойдем фордевинд, спинакер готовить...

Какая красота, когда стаксели и грот развернуты бабочкой, а впереди огромным цветным пузырем надувается шелковый парашют спинакера!

– Помощника капитана просят в кают-компанию, сэр! – по-военному отрапортовала старший матрос. – Грог и солонина, сэр!.. Шоколадное молоко и сэндвичи с курятиной... – шепотом уточнила она капитану.

– Ну вот! – услышал и надулся Нил-Нил.

Нил передал штурвал старшему матросу и, поощрительно похлопав Нил-Нила по спине, сказал:

– Молодцом, хороший яхтсмен из тебя получится, но теперь дуй вниз, надо набираться сил...

– Но здесь так красиво...

– На судне положено слушать шкипера, а иначе мешок на голову, ядро к ногам и за борт, – ответил Нил-большой и шлепнул помощника ниже спины.

Капитан вновь принял штурвал и отправил старшего матроса вслед за помощником. Вскоре снизу донеслась громкая музыка, и тут же из люка показалась вихрастая голова Нил-Нила.

– Иди, тебя Тата зовет, она классные сэндвичи приготовила! – крикнул он.

Нил поставил судно на авторулевой, еще раз окинул взглядом паруса и спустился вслед за сыном...

Нил-младший, наевшись и надышавшись морским воздухом, крепко спал за перегородкой, Нил-старший пил кофе, а Таня сидела напротив, подперев лицо руками, и молча смотрела на дорогое лицо.

– «Ты крутила мной, как хотела, но хотел ли я...» – ламбада, которая уже пелась на русском, тихо стучалась в стены яхтенного салона.

Нил поднял глаза и опять внутренне вздрогнул. «Какое-то наваждение. Почему я вижу в этой женщине Аню? Эта девчонка так и не выходит из головы. Определенно есть мистическое сходство. Или мне просто так хочется подсознательно. Все-таки правильно получилось. У нее быстро заживет девичья влюбленность, а мне урок на всю жизнь. Все равно ничего бы хорошего из этого не получилось. А Татьяна... это уже мой причал».

Нил встал и обнял Таню.

– Ты так громко думал сейчас. Наверное, обо мне. Давай, расскажи, что ты думал. Мне все интересно. И вообще, когда я рядом, я хочу, чтобы ты думал... Догадайся, о чем?

– Уже догадался.

Нил, как пушинку, поднял ее и перенес на диван.

– Как мы будем жить, я просто не представляю, тебе стоит только коснуться меня, и воля моя выключается. Я не могу ни говорить, ни спорить с тобой. Ты просто одурманиваешь меня.

– Ты хочешь признаться, что мне удается делать из тебя дурочку? Да, это дорогого стоит, кажется, за свою прошлую жизнь ты сама в этом деле уже дослужилась до черного пояса. А вообще-то я не из тех мужчин, которые выбирают себе в жены девочек с минусовым Ай-Кью.

Таня целовала Нила и как будто не слышала, что он ей говорит.

– Ты что, не поняла, о чем я тебе сказал?

– Поняла,– прошептала Таня, – я это давно поняла, так что ты меня нисколько не удивил.

– Вот только подарок по такому случаю я не приготовил... Хотя погоди. Закрой глаза и повернись спиной. – Нил снял с себя цепочку с золотым замочком и надел на шею Тане. – Вот, я тебя посадил на цепь, так что убежать не получится...

И снова горячие, пахнущие морем губы не дали Нилу договорить слова, когда-то сказанные ему Анютой Черновой...

Дождь начал мелко и противно накрапывать, и небо не предвещало спокойного возвращения на остров. Нилу пришлось потрудиться не на шутку, да и Тане досталось, как настоящему матросу. Но даже крепкие русские, давно не слышанные ругательства необыкновенно радовали и смешили ее.

Когда на берегу уже можно было разглядеть пуговицы на куртке Тома, маячившего у пристани, вся команда расслабилась. Путешествие близилось к концу.

«Желтая субмарина» из семнадцатилетия Нила и Тани гимном причаливала яхту.

– Мне Битлы тоже нравятся. И Макс их любил. А вы, я смотрю, совсем отъехали!!! – Поднявшийся на палубу Нил-Нил хитро посмотрел на Нила с Таней, которых закружила на палубе песня юности.

Нил и Таня промокли насквозь. Мальчика удержать в салоне было невозможно, и Нил дал команду приступить к своим обязанностям. Нил-Нил бросился ретиво выполнять команды капитана. Том на берегу приветливо махал рукой, приветствуя экипаж.

– Накинь капюшон! Ветер и дождь, слышишь? – крикнула Таня, но мальчик даже не подумал услышать.

Какое там! Он же настоящий помощник капитана, и матрос ему не указ! Вот капитан другое дело! Нил-Нил старался изо всех сил помогать отцу.

К пирсу подходили на дизеле...

– Благодарю команду за службу, – сказал Нил, на британский манер прикладывая вывернутую ладонь к козырьку фуражки.

До пирса оставалось несколько метров, и Том уже принял конец. И вдруг Нил-Нил разбежался и прыгнул с яхты на берег, но не допрыгнул, нога его коснулась берега и соскользнула. Мальчик, вскинув руки, упал в холодную воду, в полете ударился головой о саму яхту, которую ветер и шторм неожиданно и стремительно подвинул к берегу, и скрылся мгновенно под водой.

Нил молнией бросился в воду, туда же через секунду устремился Том...

Мальчик открыл глаза. Над ним склонился Нил, который приводил его в чувство вот уже больше получаса. Глубина у берега была большая, и Нил-Нил успел-таки нахлебаться соленой ноябрьской воды. А шишка на голове выросла прямо на глазах.

– Ну, что? В огне не горим и в воде не тонем? – улыбаясь, спросил Нил, но оптимистичный тон вопроса не скрыл тревоги, которая была в глазах.

Нил-Нил виновато посмотрел на него, на Тата, прикрывшую лицо ладонями. Он напрягся, чтобы сказать им, что он не специально, что ему жаль, что он опять заставил их, таких любимых, волноваться, но прошептал только:

– Папа, я...

– Все нормально, помощник, приказ молчать и отдыхать. Огонь и вода считаются зачетом. За ужином будет разбор полетов, а пока – пока!

По знаку Нила Том поднял мальчика и направился к дому. Сильный Том почти бежал, и со стороны казалось, что ноша на его руках совсем невесома.

– Господи! Ну, когда же кончатся мои искупления! Я же все решила, я вся твоя. Зачем ты испытываешь не на мне? Пусть все теперь достанется только мне, но не им. Господи! Спаси и сохрани моих любимых! Я сильная, я должна, я все выдержу... – Таня молилась, глядя вслед удалявшемуся Тому с мальчиком на руках.

– Успокойся, все обошлось. Пошли. Холодина страшная! Пора согреться, я не готов играть Маресьева в документальном кино.

Нил обнял Таню, и они вместе побрели к дому.

Няня Агаша, накинув на своего ангела плед, поспешила за Томом наверх, крикнув Спиросу что-то про водку, которую надо было срочно поднести в спальню к мальчику. Уже от лифта, заметив приближающегося Нила, она вдруг что-то вспомнила, как-то странно сказала, что в кабинете телеграммы и что есть срочные.

Нил, секунду подумав, все же свернул в сторону кабинета. Таня, минуя лифт, побежала наверх растирать и разогревать мальчишку.

Правда, для начала Нил прошел к бару и налил изрядную порцию виски. Чудо-вода мгновенно согрела все внутри. Нил снял мокрую куртку и, упав в кресло, положил перед собой пачку телеграмм.

Все без исключения были телеграммы-соболезнования, кроме одной.

«С прискорбием сообщаем, что его светлость лорд Морвен погиб в авиакатастрофе 13 ноября 1995 года. Самолет с его светлостью и сопровождающими лицами загорелся в воздухе, потерял управление и упал в океан. На месте катастрофы ведутся поисковые работы. Примите мои соболезнования, Эдди Норд».

Нил налил себе снова, но на этот раз руки дрожали и горлышко бутылки предательски брякало о край стакана. Нил еще и еще раз перечитал телеграмму. Казалось, что на небольшом листке был написан целый роман. Нил все смотрел и смотрел на три предложения, в одну секунду отобравшие у него то, к чему, как оказалось, он стремился всю жизнь и обрел лишь на кратчайшее мгновение.

Могут в жизни быть совпадения, это он давно понял. Все выдумки романистов и кинематографистов мира бледнеют перед действительными сюрпризами жизни. И на Джомолунгме можно встретить соседа по коммуналке. Но посчитать простым совпадением вот *это*?! Ха! Ищите дураков!

– Да-а-а-а, молодца, девочка, молодца-а-а-а,– протянул Нил.

Значит, как там вчера сказала-то? «С Морвеном я все решу...» Вот и решила. Цепь замкнулась. Причинно-следственная связь идеальна...

– Грустно, жаль, – сказал Нил вслух, так и оставаясь сидеть в кресле. Макс, как показалось Нилу, сочувственно смотрел на него из золотой рамки портрета.

– Да что ты, Нил! Ничего грустного. Все обошлось. Мальчишку уже невозможно удержать в кровати! Только

Том на это способен. Стоило его натереть, как он просто взбесился. Хочет к тебе и вообще буянит как никогда! Поднимись к нему, он ждет, и все в порядке. – Тихо вошедшая Таня тоже плеснула себе немного в стакан и повернулась к Нилу.

Но тут же отпрянула в недоумении. На нее смотрели совсем чужие глаза.

– Что случилось еще? Что с тобой? – она оставила так и не тронутый стакан и бросилась к Нилу.

– Таня, банальной разоблачительной речи ты не услышишь. Это не соответствует уровню твоего противника. Ошибаются все, даже очень сильные и умные. Просто их ошибки дороже для всех. Ты поспешила... Я не сделаю тебе ничего плохого. Но знай, что я и мой сын для тебя с этой минуты не досягаемы, ну, например, переселились жить на Марс или на Луну, или на любую другую планету, но на этой нас для тебя нет и не будет никогда. Верстай свою жизнь без нас. Мой самолет по-прежнему в твоем распоряжении, но, боюсь тебя огорчить, на этот раз маршрут будет выбран без твоего участия.

– Но... Но почему? Что все это значит?..

– Прочти.

Нил небрежным жестом показал на стол с телеграммами.

Пробежав глазами текст, Таня изменилась в лице.

Застыла изваянием, и только побелевшие губы шептали: «Заместительная жертва... Заместительная жертва...»

Нил отвернулся – этот театр его больше не интересовал. Он нажал кнопки на телефоне, и через минуту в кабинете появился Том.

– Леди Морвен срочно нужен самолет. Она немедленно вылетает на похороны мужа. Переодеваться она не будет. Том, проследите, чтобы ничто не помешало немедленному вылету леди. Сначала вы отвезете леди на аэродром, а вещи прибудут через минут десять. Я позабочусь об этом.

Тон Нила был мгновенно понят охранником.

Он спокойным шкафом встал в дверях.

– Ты ошибаешься, Нил. Это дьявольское, чудовищное совпадение. Я не имею к нему никакого отношения. Ты уничтожаешь меня даже намеком на причастность к этому несчастному случаю! Я люблю тебя! Я не могу жить без Ро! – Таня обхватила ноги Нила, и сцена приобрела вполне театральный характер.

– Ошибаться может только профессор Плейшнер, но не я. Я это кино смотрел не один раз. Вон отсюда! Отовсюду!!!

Нил поднял кулак, но опустил, потому что Таня сама метнулась в сторону Тома.

– Джихад! Дурак, какой же ты дурак. Я пока не сделала этот шаг: от любви... но Боже тебя упаси, если это случится.

– Уже случилось, расслабься.

Страшный свет желтых глаз увидел только Том.

Конец шестой книги

Содержание

Дмитрий Вересов

ЗАВЕЩАНИЕ ВОРОНА

Ответственная за выпуск *Е. Г. Измайлова*
Корректор *И. Н. Гермогенова, Т. В. Звертановская*
Оформление обложки *Е. В. Богданова*
Верстка *Н. В. Мироновой*

Подписано в печать 15.05.2003
Формат 84×108 $^{1}/_{32}$ Гарнитура «Кудряшевская»
Печать офсетная. Бумага газетная
Усл. печ. л. 20,16. Уч.-изд. л. 15,2
Тираж 135000 экз. Изд. № 03-0296-ОГ
Заказ № 4343.

Издательский Дом «Нева»
199155, Санкт-Петербург, ул. Одоевского, 29
При участии издательства «ОЛМА-ПРЕСС Звездный мир»
129075, Москва, Звездный бульвар, 23А, стр. 10

Отпечатано с готовых диапозитивов
в полиграфической фирме
«Красный пролетарий»
127473, Москва, Краснопролетарская, 16

РЕГИОНАЛЬНЫЕ ПРЕДСТАВИТЕЛЬСТВА:

400131, Волгоград,
ул. Скосырева, 5
тел./факс (8442) 37-68-72
E-mail: olma-vol@vlink.ru

420108, Казань,
ул. Магистральная, 59/1
тел./факс (8432) 78-77-03
E-mail: olma-ksn@telebit.ru

350051, Краснодар,
ул. Шоссе Нефтяников, 38
тел./факс (8612) 24-28-51
E-mail: olma-krd@mail.kuban.ru

660001, Красноярск,
ул. Копылова, 66
тел./факс (3912) 47-11-40
E-mail: olma-krk@ktk.ru

603074, Нижний Новгород,
ул. Совхозная, 13
тел./факс (8312) 41-84-86
E-mail: olma_nnov@fromru.com

644047, Омск,
ул. 5-я Северная, 201
тел./факс (3812) 29-57-00
E-mail: olma-omk@omskcity.com

614064, Пермь,
ул. Чкалова,7
тел./факс (3422) 68-78-90
E-mail: olma-prm@perm.ru

390046, Рязань,
ул. Колхозная, 15, офис 14
тел./факс (0912) 29-66-89
E-mail: olma@post.rzn.ru

443070, Самара,
ул. Партизанская, 17
тел./факс (8462) 70-57-30
E-mail: olma-sam@samaramail.ru

196098, Санкт-Петербург,
ул. Кронштадтская, 11, офис 17
тел./факс (812) 183-52-86
E-mail: olmaspb@sovintel.spb.ru

450027, Уфа,
Индустриальное шоссе, 37
тел./факс (3472) 60-21-75
E-mail: olma-ufa@bashtorg.ru

ЕДИНАЯ КНИЖНАЯ СЕТЬ «НЕВА»

Санкт-Петербург,
телефон: (812) 146-72-12
факс: (812) 146-71-35